2995

Stéphane Dion
À contre-courant

Infographie : Chantal Landry
Révision : Odette Lord
Correction : Sylvie Massariol

**Catalogage avant publication de
Bibliothèque et Archives nationales du Québec et de
Bibliothèque et Archives Canada**

Diebel, Linda

Stéphane Dion : À contre-courant

Traduction de : *Stéphane Dion : against the current*

1. Dion, Stéphane.   2. Canada - Politique et gouver-
nement - 1993- . 3. Hommes politiques - Canada
- Biographies.   4. Parti libéral du Canada - Biographies.
I. Titre.

FC641.D56D5314 2007   971.07'3092   C2007-940884-2

Pour en savoir davantage sur nos publications,
visitez notre site : **www.edhomme.com**
Autres sites à visiter : www.edjour.com
www.edtypo.com • www.edvlb.com
www.edhexagone.com • www.edutilis.com

04-07

© 2007, Linda Diebel

Traduction française :
© 2007, Les Éditions de l'Homme,
division du Groupe Sogides inc.,
filiale du Groupe Livre Quebecor Média inc.
(Montréal, Québec)

L'ouvrage original a été publié
par Viking Canada,
succursale de Penguin Group,
sous le titre *Stéphane Dion : against the current*

Dépôt légal : 2007
Bibliothèque et Archives nationales du Québec

ISBN 978-2-7619-2418-4

DISTRIBUTEURS EXCLUSIFS :

• Pour le Canada et les États-Unis :
  MESSAGERIES ADP*
  2315, rue de la Province
  Longueuil, Québec J4G 1G4
  Tél. : (450) 640-1237
  Télécopieur : (450) 674-6237
  * une division du Groupe Sogides inc.,
     filiale du Groupe Livre Quebecor Média inc.

• Pour la France et les autres pays :
  INTERFORUM editis
  Immeuble Paryseine, 3, Allée de la Seine
  94854 Ivry CEDEX
  Tél. : 33 (0) 4 49 59 11 56/91
  Télécopieur : 33 (0) 1 49 59 11 96
  Service commandes France Métropolitaine
  Tél. : 33 (0) 2 38 32 71 00
  Télécopieur : 33 (0) 2 38 32 71 28
  Internet : www.interforum.fr
  Service commandes Export – DOM-TOM
  Télécopieur : 33 (0) 2 38 32 78 86
  Internet : www.interforum.fr
  Courriel : cdes-export@interforum.fr

• Pour la Suisse :
  INTERFORUM editis SUISSE
  Case postale 69 – CH 1701 Fribourg – Suisse
  Tél. : 41 (0) 26 460 80 60
  Télécopieur : 41 (0) 26 460 80 68
  Internet : www.interforumsuisse.ch
  Courriel : office@interforumsuisse.ch
  Distributeur : OLF S.A.
  ZI. 3, Corminboeuf
  Case postale 1061 – CH 1701 Fribourg – Suisse
  Commandes : Tél. : 41 (0) 26 467 53 33
                       Télécopieur : 41 (0) 26 467 54 66
                       Internet : www.olf.ch
                       Courriel : information@olf.ch

• Pour la Belgique et le Luxembourg :
  INTERFORUM editis BENELUX S.A.
  Boulevard de l'Europe 117, B-1301 Wavre – Belgique
  Tél. : 32 (0) 10 42 03 20
  Télécopieur : 32 (0) 10 41 20 24
  Internet : www.interforum.be
  Courriel : info@interforum.be

Gouvernement du Québec – Programme de crédit
d'impôt pour l'édition de livres – Gestion SODEC –
www.sodec.gouv.qc.ca

L'Éditeur bénéficie du soutien de la Société de
développement des entreprises culturelles du
Québec pour son programme d'édition.

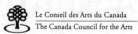

Le Conseil des Arts du Canada
The Canada Council for the Arts

Nous remercions le Conseil des Arts du Canada de
l'aide accordée à notre programme de publication.

Nous reconnaissons l'aide financière du gouvernement du Canada par l'entremise du Programme
d'aide au développement de l'industrie de l'édition
(PADIÉ) pour nos activités d'édition.

Traduit de l'anglais
par Marie-Luce Constant

Linda Diebel

Stéphane Dion
À contre-courant

LES ÉDITIONS DE
L'HOMME

À mes collègues les journalistes politiques,
ces infatigables travailleurs,
qui sont les premiers à révéler
le fin mot de l'histoire.

PROLOGUE

« Bonjour, je m'appelle Stéphane Dion »

Pour Jamie Carroll, c'était clair comme de l'eau de roche. Il était l'un des mieux placés, parmi les futurs membres de l'équipe électorale de Stéphane Dion, pour distinguer les obstacles considérables qui surgiraient tout au long de la course à la direction. Que Janine Krieber eût affirmé à son époux, le soir où Paul Martin avait annoncé son départ, «Stéphane, c'est toi qui devrais te présenter pour être chef du parti[1]!», c'était une chose. Qu'un homme averti comme Carroll accepte de faire campagne pour un homme persuadé que le meilleur candidat serait celui qui aurait les meilleures idées, c'était une tout autre affaire.

Et pourtant...

Carroll était présent lorsque la suggestion, encore toute théorique, avait fait surface. Dion était ministre de l'Environnement lorsque les libéraux durent céder la place aux conservateurs de Stephen Harper, le 23 janvier 2006. Trois jours plus tard, Carroll, en compagnie du ministre et d'autres membres de son bureau, était occupé à plier bagages. Les deux hommes formaient une drôle de paire. Le premier était Québécois, quinquagénaire, élancé, pâle et sérieux; le second, natif des Maritimes, avait tout juste 27 ans, le crâne rasé, une barbiche et un humour vif. Carroll décida de déboucher des bouteilles qu'il tenait en réserve depuis longtemps. Après tout, pourquoi pas? C'était sans doute la dernière fois qu'il travaillait pour Dion.

Le groupe se mit alors à essayer de deviner l'identité du successeur de Martin : Frank McKenna? John Manley? Allan Rock? Dion accueillait chaque nom avec une moue dubitative, tout en sirotant son scotch. Quelqu'un d'autre, peut-être? Il ne dit pas qui. Mais Carroll le vit venir de loin et devina aussitôt la question que Dion avait envie de poser : « Et si je me présentais[2] ? »

Tout le monde réagit avec enthousiasme.

Carroll, lui, éclata de rire.

Naturellement, Dion se sentit vexé : « Tu ne penses pas que je ferais un bon chef? »

« La question n'est pas là, lui expliqua Carroll. Il faut d'abord pouvoir y arriver. » Et il se mit à énumérer les obstacles : manque d'argent, aucune organisation, aucun réseau pancanadien, pas de copains dans le caucus prêts à s'engager, *littéralement pas un sou*, et, pour parler sans ambages, pas la moindre idée de la manière dont se déroulait une course à la direction, encore moins un congrès.

« Tu viens de finir des élections dans la troisième circonscription du pays la plus sûre pour les libéraux[3] et tu dois encore 6000 dollars », rappela-t-il à son patron. En outre, Carroll estimait que Dion aurait dû commencer sa campagne six mois plus tôt. « N'as-tu pas remarqué toutes les manœuvres de Paul Martin pendant cinq ans? », s'enquit-il, faisant allusion aux intrigues de longue haleine auxquelles Martin s'était livré contre son ancien chef, Jean Chrétien. « Pourquoi crois-tu qu'il a fait tout ça? »

Dion parut très froissé. L'argent ne devrait pas entrer en ligne de compte, insista-t-il.

Carroll leva les yeux au ciel. « Très bien, dans ce cas, comment crois-tu pouvoir devenir chef du Parti libéral? »

La réponse s'imprimerait dans l'esprit de Carroll en lettres de feu.

« C'est bien simple. Nous irons tous au congrès. Je ferai un discours, le meilleur discours dont que je suis capable, et tout le monde votera pour moi. »

Le sort en était jeté.

Carroll passa promptement au bourbon.

~

Le plus extraordinaire, c'est qu'à quelques détails près, tout se passa comme Dion l'avait prévu. Naturellement, il faut ajouter à cela les innombrables heures de travail forcené auquel se livra un petit groupe de partisans dévoués, parmi lesquels Jamie Carroll. Dion ne remporta pas la victoire comme par enchantement, 11 mois plus tard au Congrès du Parti libéral à Montréal. Mais il réussit à renverser la vapeur. Tout au long de la campagne, les devins à la mode avaient prédit sa défaite. Il n'était pas assez connu au Canada anglais, il ne parlait pas assez bien anglais et, responsable de l'adoption de la *Loi sur la clarté*, il ne gagnerait jamais l'appui du Québec… et patati et patata…

«Même Dion serait de la course», ironisa l'un des premiers titres de l'austère quotidien montréalais, *Le Devoir*[4]. Même Dion. N'était-ce pas du dernier grotesque ?

Et pourtant, c'est bien ce qui devait arriver par un samedi glacial, peu après 18 h, à Montréal. Dion venait de remporter la plus palpitante course à la direction du Parti libéral de sa génération. Par ailleurs, depuis la victoire de Pierre Elliott Trudeau en avril 1968, au quatrième et dernier scrutin, il n'y avait plus eu de congrès authentique, comportant une mise en scène des protagonistes, des rebondissements en tout genre et un suspense serré à la clé. Ce furent les membres qui élurent leur chef et non les bonzes du Parti libéral. Une bonne partie de ces membres avaient d'ailleurs commencé la nouvelle année dans la déprime d'une défaite aux élections fédérales et dans la hantise des tortueuses répercussions du scandale des commandites au Québec. Ils étaient fatigués d'essayer en vain de se faire entendre des hautes sphères du parti. Il est de fait que l'alternance des favoris – Michael Ignatieff, Bob Rae ; Bob Rae, Michael Ignatieff – qui allait durer 11 mois démontrerait à quel point les élites du pays s'étaient fermé les yeux devant la révolte des masses, qui porteraient au pouvoir un ancien professeur de Montréal, âgé de 51 ans.

Au Palais des congrès, le 2 décembre 2006, les membres élurent le candidat qui, bien qu'il eût, à deux reprises, fait partie d'un Cabinet fédéral, avait réussi à se présenter comme un homme étranger aux intrigues politiques. Et il ne s'agit pas ici d'une exagération. «Indifférent» serait peut-être plus exact. Mais surtout, il s'était toujours tenu en dehors des factions Martin-Chrétien, dont les agissements avaient fini par excéder les libéraux.

Il tint son pari. Lorsqu'il eut défait Ignatieff au dernier scrutin, la salle se couvrit instantanément et bruyamment de «vert Dion». Les partisans riaient, pleuraient, applaudissaient et se pressaient pour féliciter leur nouveau chef. Janine Krieber était à ses côtés, la chevelure en bataille, des larmes de joie dans les yeux; leur fille de 18 ans, Jeanne, rayonnait. Dion confierait plus tard qu'au moment de son triomphe, il pensait déjà à son discours d'acceptation[5]. La veille, il avait été trahi en pleine allocution par un micro défaillant pendant que la musique s'amplifiait, le privant de sa superbe conclusion sur l'unité canadienne, soit la partie fatidique du discours, qu'il avait répétée des dizaines de fois. À ce moment-là, le président de sa campagne, Mark Marissen, s'était dit que tout était consommé. Il s'était alors réfugié dans sa chambre de l'hôtel Place d'Armes et s'était versé un double whisky, tout en se demandant si l'instant était bien choisi pour se jeter du haut de l'immeuble[6].

Néanmoins, Dion s'était bien promis que cette mésaventure ne se reproduirait pas. Le samedi, tout en essayant de répondre à chacune des salutations par le petit signe de tête qui le caractérisait, il scrutait le monde extérieur à travers ses lunettes. Sur l'estrade, il avait l'air complètement abasourdi, même s'il a affirmé par la suite s'être senti très à l'aise en dépit du diadème de guirlandes rouges qui avaient échoué sur son crâne. Il était impatient de prononcer le discours qu'il avait concocté avec son équipe pendant l'après-midi, une fois que la chance eut visiblement tourné en sa faveur. Il lui fallait absolument trouver le mot juste en anglais, afin que tout le monde comprenne bien l'humour de la situation. Ses minces épaules secouées par le rire, il se mit à parler : «Selon toute évidence, vous aviez vraiment envie d'entendre la suite de mon discours.»

Aussi curieux que cela paraisse, sa victoire ne l'avait pas étonné. De fait, il avait toujours refusé de comprendre que des obstacles pratiquement insurmontables se dressaient devant lui. Sur les recommandations de Carroll (à ce stade, il ne s'agissait que du conseil d'un ami, rien de plus), il avait appelé près de 300 membres du Parti libéral en février 2006, afin de prendre le vent. À chacun, il avait affirmé qu'il ne présentait pas sa candidature simplement pour aviver le suspense.

Marissen, qui ne faisait pas encore partie de l'équipe en février, avait reçu cet appel chez lui, à Vancouver. Il venait de diriger la campagne électorale en Colombie-Britannique. En dépit de la débâcle des libéraux aux élections, Marissen avait néanmoins réussi à tirer quelques marrons du feu. D'une astuce politique impitoyable derrière un sourire jovial, Marissen se souvient parfaitement de cette voix solennelle, teintée d'un accent français :

– Bonjour, je m'appelle Stéphane Dion. Je vous téléphone, car j'aimerais me présenter dans la course à la direction du Parti libéral. Vous avez accompli un énorme travail dans le cadre des dernières campagnes et j'aimerais connaître votre avis à ce sujet ainsi que sur la course en général.

– Oh, je ne sais pas encore qui j'appuierai, mais je crois que votre candidature serait très profitable au parti.

– Attention! Je n'ai pas l'intention de me présenter simplement pour accroître le suspense. Je veux gagner!

– Mais naturellement[7]...

∿

Dion ne connaissait personnellement qu'un très petit nombre des gens auxquels il téléphonait : membres du parti, organisateurs, collecteurs de fonds, politiciens provinciaux, présidents de circonscription, etc. Rien d'étonnant à cela. Il n'avait jamais été très porté sur les mondanités.

«Je ne crois pas que, pendant 10 ans passés en qualité de ministre, il ait invité un député à prendre une bière», déclara Carroll. Il ne s'agissait pas d'une remarque péjorative, mais simplement d'une réaffirmation des obstacles auxquels son candidat allait se heurter. «Ce n'est pas la taille qui compte, c'est le cœur», se plaisait à répéter Dion. En définitive, c'était un bon slogan.

Néanmoins, sa victoire tient du miracle, car c'était ce qu'il ignorait – soit comment parvenir à la direction par les méthodes traditionnelles – qui allait le servir. Il était persuadé qu'il gagnerait. Il croyait en lui et il réussit à convaincre les autres. Un peu comme Chauncey Gardiner, dans *Bienvenue Mister Chance*, l'intelligence en plus.

Stéphane Dion était habitué aux écueils. Il n'avait nullement peur de nager à contre-courant. Son père, le regretté Léon Dion, lui avait appris à réfléchir par lui-même et cette aptitude devait influencer toute sa vie. Tous deux diplômés en sciences politiques, tous deux professeurs, tous deux fédéralistes (chacun à sa façon), ils entretenaient des liens que les médias, notamment au Québec, s'étaient acharnés à psychanalyser. La disparition accidentelle de son père en 1997 fut l'événement le plus affligeant de la vie de Stéphane Dion.

~

Les mêmes raisons qui lui avaient permis de réussir dans d'autres domaines faisaient de lui un bon candidat à la direction du parti. Il apprenait vite et l'idée que les autres avaient tendance à le sous-estimer le réconfortait. «Ça a marché», affirma-t-il aux journalistes de Montréal après sa victoire.

Il avait tendance à adopter une démarche très individualiste, tant dans sa vie privée qu'en politique. Sa recherche, à l'université, était très influencée par Alexis de Tocqueville. Dans ses discours politiques, il trouvait son inspiration chez sir Wilfrid Laurier. Certes, Dion est un fédéraliste partisan de la décentralisation, qui vit à une époque très différente de celle de Laurier. Mais il a l'espoir d'apporter à notre siècle une contribution comparable à celle que Laurier apporta au sien.

La course à la direction serait aussi une épreuve d'endurance, qui laisserait aux nouveaux arrivants suffisamment de temps pour apprendre à connaître Dion. Sous ses apparences d'intellectuel distrait, la tête dans les nuages, il sait écouter. «Il s'intéresse véritablement à ce que les gens lui disent, explique Marissen, au point qu'il réussit à les écouter plus attentivement qu'ils ne s'écoutent eux-mêmes.»

Son humour, bien qu'indéniable, n'était pas toujours volontaire. Sa prononciation très personnelle de certains mots anglais, notamment, déclenchait parfois l'hilarité de son auditoire et il ne parvint pas à maîtriser l'usage du gérondif pendant sa campagne. Mais son anglais s'était toutefois amélioré depuis 1995, lorsqu'il s'était rendu à Cleveland après le référendum pour parler de son rôle dans un Canada unifié. «Les Québécois, annonça-il en anglais, découvrent chaque matin de profonds *clivages*.» Le mot anglais qu'il employa, *cleavage*, étant couramment utilisé pour décrire la profondeur d'un décolleté féminin, on comprend très bien que ses auditeurs se]ient écroulés de rire[8].

Il perdit du poids durant la campagne, acquérant une allure de plus en plus éthérée. Mais les apparences sont trompeuses. En réalité, c'est un homme athlétique, qui prend le temps d'entretenir sa forme physique. Toutes les occasions sont bonnes pour aller passer quelques jours au chalet familial, dans les Laurentides. Là, il pêche pendant des heures ou arpente infatigablement les collines en compagnie de son jeune chien, Kyoto, croisement sibérien-husky, qu'il a acquis juste après la défaite aux élections fédérales.

Il pouvait se montrer obtus, obstiné et exaspérant. Il était exigeant, parfois soupe au lait et exagérément pédant. Il se comportait toujours en professeur et il ne pouvait s'empêcher de corriger les autres. Pendant la course à la direction, il n'accepta jamais l'idée que ses maigres troupes ne pouvaient s'offrir un service de recherches aussi étoffé qu'un ministère en bonne et due forme. Par ailleurs, lorsqu'il était ministre, il ne comprenait pas pourquoi son équipe n'était pas toujours capable de préparer des rapports exhaustifs quelques heures avant la période des questions. Très méticuleux, il avait l'idée cartésienne qu'il existait une réponse à chaque question. *Il suffisait de la trouver.* Ayant fait ses études chez les Jésuites, il adorait discuter avec son personnel. Vous connaissez certainement cette blague:

Q.: Est-il vrai qu'un jésuite répond à une question par une autre question?

R.: Qui vous a dit ça?

Néanmoins, Dion possédait une qualité qui se révélerait cruciale pendant la longue et imprévisible course à la direction: il inspirait la loyauté. Adam Campbell, un Écossais loquace, chef du Parti libéral fédéral en Alberta, devint le partisan et l'ami de Dion en 2006. C'est lui qui décrivit le mieux cette caractéristique: «Il possède une qualité très attachante, une sorte d'excentricité nerveuse, on a envie de l'aider à réussir[9].»

Jamie Carroll était sensible à ce talent. C'est ainsi que, sachant tout ce qu'il savait, il allait littéralement consacrer un an de sa vie à Dion. Il devint directeur adjoint de la campagne, après avoir confié la présidence à Marissen. Durant les 11 mois de campagne, il travailla 20 heures par jour, pendant des semaines, sans interruption et sans salaire. Il resta parce qu'il exigeait de lui-même autant que Dion exigeait des autres. Mais personne, peut-être, n'a travaillé aussi énergiquement que Dion lui-même. Chez Marissen, où il séjournait durant sa campagne (il n'avait pas un gros budget) lorsqu'il se retrouvait à Vancouver, il s'asseyait devant son ordinateur à 4 h 30 du matin. Le livre d'Eddie Goldenberg sur Jean Chrétien contient une excellente anecdote concernant Stéphane Dion. Lorsque ce dernier était ministre des Affaires intergouvernementales, son sous-ministre George Anderson lui demanda jusqu'à quelle heure il pouvait lui téléphoner à la maison le soir. Et Dion de répondre : « L'État ne dort jamais. » (« Je veux bien, aurait rétorqué Anderson à son patron, mais le sous-ministre, lui, va se coucher à 11 h[10]. »)

Au cercle de Dion appartenaient aussi des gens qui le suivaient depuis des années. André Lamarre avait quitté Radio-Canada en 1996 pour travailler à Ottawa avec Dion. Son rôle officiel était celui de directeur des relations avec les médias mais, en réalité, Lamarre était bien plus que cela : bras droit, ami loyal et confident. Le soir de la victoire, à Montréal, allait avoir raison de son impassibilité. Lorsque Dion passa à côté de lui pour se rendre sur l'estrade, Lamarre sentit ses jambes se dérober sous lui. Il s'écroula juste devant la scène, dont l'extrémité s'avançait dans la salle comme la proue d'un navire. Pour une fois, cet ancien dessinateur de mode, toujours très élégant, n'avait cure de l'effet qu'il pouvait produire : « Je me suis assis par terre, je n'arrivais plus à me relever[11]. »

Il était émerveillé par les rebondissements de l'existence. Trois ans plus tôt, en décembre 2003, Dion, ancienne étoile du Cabinet Chrétien, avait été exclu de l'équipe de Paul Martin, bien que le premier ministre n'eût pas explicitement refusé de l'intégrer à son nouveau Cabinet. Il lui avait simplement précisé que ses chances étaient très minces[12]. Le 12 décembre, Martin et son Cabinet devaient prêter serment à Rideau Hall. La veille, Lamarre avait emmené Dion et quelques amis manger à Hull. Son téléphone était ouvert, au cas où le bureau de Martin se déciderait à appeler.

Tous attendirent un appel qui ne vint jamais. Finalement, vers 22 h 30 ou 23 h, Lamarre raccompagna Dion à son appartement d'Ottawa. « Nous étions tous très tristes pour lui, expliqua-t-il. C'était la fin d'une époque… Nous travaillions pour lui depuis des années. Tout ce qu'il avait accompli pour le pays s'envolait en fumée d'un coup, parce que certaines personnes ne l'aimaient pas. On le considérait comme un boulet sous le prétexte que c'était l'homme le plus détesté du Québec. » Il marqua un temps d'arrêt. « Voir un gars qui a tant apporté à son pays, qui a encore tant à faire, être expulsé de cette façon, comme s'il n'avait jamais rien fait... À quoi bon se décarcasser pendant des années? On s'en moque[13].»

Le lendemain, pendant que le nouveau Cabinet se mettait en place, le ministre sortant des Affaires intergouvernementales était dans son bureau, occupé à remplir des cartons. «Il y avait encore un tout petit espoir qu'on nous appelle pour nous dire: "Nous avons fait une erreur" [...]», poursuivit Lamarre.

Redevenu simple député, Dion n'avait plus de chauffeur. Il se tourna vers Lamarre et, faisant allusion au jour où, huit ans plus tôt, il était venu à Ottawa prononcer un discours pour être ensuite invité par Chrétien au 24 Sussex, il dit à son ami: «Je suis arrivé à Ottawa en autocar et j'en repartirai en autocar.»

Lamarre n'était pas d'accord: «Il n'en est absolument pas question.» Le lendemain, il reconduisit Dion en voiture, chez lui, à Montréal. Janine accueillit son époux à la porte. «Elle s'est montrée très forte», se souvient Lamarre.

Après avoir assuré Dion qu'un «simple coup de fil» le rappellerait, Lamarre prit congé du couple.

C'est à tout cela et à bien d'autres choses qu'il songeait, en cette soirée mémorable du 2 décembre 2006, cloué au sol par l'émotion.

CHAPITRE 1

La maison du boulevard Liégeois

Stéphane Maurice Bernard Dion naquit le 28 septembre 1955. Pour comprendre qu'il n'était «pas un enfant facile» (comme on le lui répéterait plus tard), il suffit de jeter un coup d'œil sur son premier entretien mémorable avec un prêtre.

À l'âge de 10 ans, il était écolier chez les Oblats de Saint-Cyril, école privée pour garçons, à Québec. Un jour, une religieuse vint dire à la classe : «Si vous commencez à avoir des problèmes de jeunes garçons, il faut en parler au prêtre.»

Stéphane, un peu plus jeune que les autres, demeura perplexe. Il n'avait pas la moindre idée de ce dont il s'agissait. Mais après avoir ruminé la phrase dans sa tête, il décida de se présenter, lui aussi, au confessionnal et attendit son tour pour entrer dans l'isoloir.

– Mon père, déclara-t-il, je dois vous dire quelque chose… Je commence à m'interroger sur ma foi…

– *Que me dites-vous là*[1]? s'enquit le prêtre à voix haute.

– N… non, non, non…, balbutia l'enfant. Je… Je voulais simplement dire que je m'étais disputé avec mon frère… Euh… J'ai aussi menti à ma mère…

Il continua quelques instants à se creuser la tête, à la recherche de quelques péchés typiquement enfantins.

«Après tout, préciserait-il 40 ans plus tard, que fait-on lorsqu'on va se confesser? On invente.»

Le prêtre préféra faire comme si de rien n'était et se rabattre sur la punition traditionnelle qu'il donnait à un gamin.

– Mon fils, comme pénitence, vous réciterez 10 *Je vous salue, Marie.*

~

C'est ainsi qu'à l'âge de 10 ans, Stéphane Dion apprit une importante leçon : il n'était pas sage de révéler les secrets les plus profonds de son cœur à un prêtre. Les petits garçons n'avaient pas à remettre en question l'existence de Dieu. Pas à haute voix, tout au moins.

Le jeune Dion n'extérioriserait plus jamais de telles pensées à l'école.

À la maison, la situation était bien différente. Ses parents, libres penseurs et ouverts à la fantaisie, encourageaient leurs cinq enfants à s'exprimer. Ils n'avaient pas l'intention d'élever des conformistes. Ils accordaient beaucoup de valeur à l'originalité de la pensée, à l'imagination et à un scepticisme de bon aloi. Ils avaient la foi, certes, mais ils ne croyaient pas aux dogmes de l'Église catholique. On n'allait pas en enfer pour avoir manqué la messe. Les bébés n'étaient pas envoyés dans les limbes. Les non-catholiques n'étaient pas voués à la damnation éternelle.

Ce jour-là, au confessionnal, Stéphane comprit très rapidement que la société tolérait difficilement ceux qui osaient en ébranler les fondations, qu'il s'agît de l'Église, de l'État ou de la sagesse officielle de l'époque. Cette société reposait sur l'hypocrisie.

Malgré tout, il ressentit un petit frisson d'excitation à l'idée d'être soudain devenu populaire auprès de ses camarades. Cela ne le dérangeait pas du tout, au contraire. Après tout, il était trop frêle pour exceller en sports. Peut-être venait-il de découvrir sa vocation.

Ce serait une très bonne leçon pour un jeune garçon qui, peu à peu, grandirait en iconoclaste. Il avait ouvert son cœur à la religion pour n'y découvrir qu'un désert stérile.

«Les rituels ne me plaisent pas. Je comprends pourquoi ils sont si importants dans toutes les religions, mais je ne les aime pas», dirait-il des années plus tard. Puis il ajouterait avec force: «J'irais jusqu'à dire que je les déteste.»

Ce n'était donc pas la religion comme telle qu'il méprisait, mais plutôt son cérémonial. «Le message que la religion transmet, c'est celui de l'amour. Cela, j'y crois. Est-ce un message venu d'un dieu? Sommes-nous capables d'aimer sans Dieu?» Certes, il avait ses idées à ce sujet, mais il préférait les garder pour lui. Après tout, n'avaient-elles pas déjà choqué un prêtre?

Non, ce n'était pas un enfant ordinaire. Rien d'étonnant à cela, car il n'avait pas des parents ordinaires.

~

Dans le monde éblouissant des années 50, Sillery, près de Québec, représentait l'avenir. La guerre était terminée depuis près de 10 ans lorsque Léon Dion et son épouse Denyse achetèrent, en 1954, une maison du boulevard Liégeois, dans un quartier chic en périphérie de Québec. À Sillery, le long du Saint-Laurent, au sud-est de la vieille capitale provinciale, la forêt était encore toute proche. La maison unifamiliale des Dion, moderne et solidement construite, avait une belle vue sur le fleuve; c'était idéal. L'Université Laval où enseignait Léon se trouvait à proximité, dans l'agglomération de Sainte-Foy. Léon, membre déjà éminent de la Faculté des sciences sociales, était un intellectuel qui, sa femme en était convaincue, marquerait un jour de son empreinte le monde de la recherche universitaire.

Le couple souhaitait avoir plusieurs enfants et pensait que la famille pourrait déménager dans une maison plus vaste lorsque le besoin d'espace se ferait sentir. En réalité, la famille demeurerait boulevard Liégeois, préférant agrandir la maison et la rénover. Le bureau de Léon, ajout construit dans les années 60, deviendrait la pièce la plus importante de la maison. Pour les enfants, c'était un antre mystérieux

dans lequel leur père disparaissait de l'aurore au crépuscule. Il y avait des bibliothèques jusqu'au plafond, de larges
fenêtres s'ouvraient sur le fleuve et l'insonorisation des
murs offrait à l'occupant le calme et le silence dont il avait
besoin. Léon était de santé précaire, de constitution frêle et
porté à faire des migraines. En paix dans son sanctuaire, il
pouvait écrire sans interruption. Les pages se couvraient de
son encre noire. Parfois, il s'installait dans son fauteuil pour
travailler, une planche posée sur les accoudoirs lui servant
de pupitre. Cette image studieuse est justement celle que
son deuxième fils, Stéphane, garderait de lui: «Il travaillait
énormément.»

~

Sillery était véritablement un endroit huppé, où habitait
la vieille bourgeoisie québécoise, les membres fortunés des
professions libérales, les politiciens, les vieilles familles com-
merçantes du Bas-Canada et des professeurs d'université
comme Léon, qui pouvaient se permettre un versement initial sur une maison. Ses résidants appartenaient donc à des
milieux privilégiés, confortablement installés dans leurs opinions et leurs valeurs conservatrices. Ils allaient à la messe
tous les dimanches et les plus dévots d'entre eux y allaient
tous les jours.

Inutile de préciser que *la famille Dion*[2] serait la cible de
bien des commérages à cet égard!

En dépit de cela, on ne peut guère accuser les habitants
de Sillery d'obscurantisme politique. Dans la vieille circonscription provinciale de Québec-Ouest, les électeurs considéraient d'un œil dédaigneux le populisme ultraconservateur
et anti-intellectuel que prônait l'Union nationale, dirigée
alors par le premier ministre provincial Maurice Duplessis. À
Sillery, où l'on se targuait d'être progressiste, l'Union nationale n'obtint la majorité qu'une seule fois durant ses longues
années au pouvoir. Elle fut d'ailleurs déboutée aux élections
suivantes[3].

L'étau dans lequel Duplessis tenait la province en 1954 ne se desserrerait que cinq ans plus tard. Le premier ministre n'avait que faire des intellectuels. Tout le monde savait qu'il les traitait de *pelleteux de nuages*[4].

~

Cette description, que l'on pourrait à la limite appliquer à Léon Dion en 1954, était en revanche bien loin de correspondre au tempérament de son épouse Denyse, véritable force de la nature. Elle avait quitté avec enthousiasme leur petit appartement de la rue Cartier, au centre de Québec. Élevée à Paris, dans le très modeste XIXe arrondissement, elle avait dû partager une chambre avec sa sœur, Paule, dans un minuscule logis. Beaucoup plus jeune que les deux autres enfants de la famille, elle n'avait que 12 ans lorsque les Allemands occupèrent Paris en 1940. La Ville lumière connut alors les ténèbres de l'Occupation, qui allait se prolonger cinq ans, marquant pour toujours Denyse Kormann de son empreinte.

Cela n'avait rien d'étonnant. Denyse vivait à une époque où les Juifs français étaient déportés par le IIIe Reich pour être ensuite exterminés. Le gouvernement de Vichy du maréchal Pétain collaborait avec les Allemands et Charles de Gaulle était bien loin de là. Il faudrait toute la puissance militaire des Alliés pour libérer la France. Les dissidents politiques étaient fusillés, les meurtres étaient monnaie courante et des délateurs s'infiltraient partout, cherchant à débusquer le moindre soupçon de résistance.

Pour l'adolescente du XIXe arrondissement, se serrer la ceinture ou se passer de chauffage en hiver n'était pas bien grave; parfois même, c'était plutôt amusant. Ce qui était beaucoup moins tolérable, c'était la brutalité de la guerre et les divisions politiques qui déchiraient alors sa famille[5].

Son père Émile, qui travaillait dans une usine, était communiste; sa sœur était gaulliste et leur frère, Jacques, pétainiste. Ce dernier fut expédié en Allemagne par le Service du travail obligatoire (STO), se retrouva dans un camp de concentration après une bagarre contre un soldat allemand et réussit à s'évader pour gagner la Suisse. Mais à la fin de la guerre, tandis que Denyse dansait dans les rues de Paris, elle ignorait tout du sort de son frère. La guerre fut la leçon de sa vie. «Ce qui m'a le plus marquée, c'est que la personne que vous voyiez un jour, vous ne la revoyiez peut-être pas le lendemain», dit-elle des années plus tard, dans la maison du boulevard Liégeois. Âgée de 78 ans, elle était toujours mince; ses yeux profonds et l'ossature harmonieuse de son visage lui avaient conservé sa beauté. «C'est la disparition des gens. Les Allemands, ils barraient les routes et fusillaient les premières personnes qui étaient là. [...] Ce que ça m'a donné, c'est que je n'ai jamais été capable de me fâcher longtemps avec quelqu'un. Parce que j'ai toujours l'idée que je ne le reverrai plus.»

Après la guerre, elle se jura que ni la politique ni la religion ne feraient l'objet de discussions à sa table. «Je n'aime pas la politique. Elle divise les gens. La politique a empoisonné mon adolescence. Quelles que soient les idées religieuses ou politiques, ce n'est pas important, c'est l'humanité qui est importante! Je déteste l'idée que c'est moi qui ai raison, que tous les autres ont tort. [...] La famille est plus forte que la politique, plus forte que la religion.»

~

Pendant que Denyse vivait l'Occupation allemande à Paris, Léon Dion connaissait une occupation d'un autre genre: les années étouffantes que le Québec traversait sous Duplessis. Coriace et charismatique, le Huey Long[6] de la politique québécoise avait fondé l'Union nationale en 1935, pour être élu premier ministre provincial un an plus tard. À l'exception d'un interrègne de cinq ans pendant la Deuxième Guerre mondiale, il gouvernerait le Québec jusqu'à sa mort en 1959. L'Église catholique tenait la province sous sa coupe et Duplessis tirait les ficelles de l'Église. «Les évêques mangent dans ma main[7]», se plaisait-il à dire. Il offrait des subventions aux recteurs des universités, les obligeant à venir le courtiser dans son bureau; mais il ne se gênait pas pour rejeter la candidature de professeurs qui n'étaient ni assez dévots ni assez dociles à son goût[8].

Néanmoins, le carcan dans lequel il tenait le Québec commençait à se desserrer. La Révolution tranquille, qui ébranlerait la province dans les années 60, se faisait sentir sur le campus même où Léon Dion avait fait ses études.

Il allait devenir le conseiller des riches et des puissants. Leur présence faisait partie de la vie dans la maison du boulevard Liégeois. Deux élégants fauteuils de style provincial français étaient installés devant la fenêtre de la salle de séjour. Celui qui faisait face à la pièce était réservé à Léon, l'autre fut successivement occupé par une série de premiers ministres et de membres du Cabinet provincial (Jean Lesage, Robert Bourassa, Paul Gérin-Lajoie), de politiciens fédéraux (Maurice Lamontagne, Jean Marchand) et d'intellectuels (Claude Ryan, André Laurendeau), qui venaient consulter l'éminent politicologue. Bourassa appelait si souvent que les enfants, qui répondaient au téléphone, s'écriaient: «Papa, c'est encore BouBou!»

Léon, cependant, était issu d'une famille modeste. Il était né en 1922 à Saint-Arsène de Rivière-du-Loup, village sis sur la rive sud du Saint-Laurent, à l'endroit où l'estuaire commence à s'ouvrir sur l'océan. Les racines de la famille remontaient jusqu'aux origines de la Nouvelle-France, lorsque Johan de Guyon était venu s'y établir en 1634 avec d'autres colons, sous la houlette de Robert Gifford, qui deviendrait un riche seigneur[9]. Dion n'était pas un nom rare au Canada français et, à l'orée du xxe siècle, le Québec était indubitablement parsemé d'une profusion de descendants prospères et instruits de Monsieur de Guyon. Mais la famille de Léon ne comptait pas parmi eux. Son père, Thomas, était menuisier et il mourut quand Léon n'avait que 15 ans, laissant sa veuve élever seule leurs sept enfants. Léon fut le premier de sa famille à aller à l'université, Alice Dion, en effet, souhaitait faire de son fils un prêtre[10].

C'est dans les années 30 que Léon fit son entrée à l'Université catholique, le plus ancien établissement universitaire de langue française des Amériques, qui avait été fondé en 1663 pour servir de séminaire. Là, il se retrouva sous la tutelle d'un dominicain remarquable, le père Georges-Henri Lévesque, qui avait fondé la Faculté des sciences sociales à l'Université Laval (exactement comme Léon et ses collègues fonderaient 30 ans plus tard le Département de science politique). Le père Lévesque servirait de mentor à toute une génération de Québécois qui allumeraient l'étincelle de la Révolution tranquille. Il appréciait la connaissance empirique et encourageait ses étudiants à lutter pour l'égalité. Des années avant que le terme devînt à la mode, c'était un authentique « théologien de la libération » qui appuyait les droits du peuple contre l'autorité aveugle. Il prit parti pour les mineurs de Thetford Mines et leur syndicat pendant la sanglante grève des travailleurs de l'amiante en 1949, qui allait devenir le symbole de l'opposition à Duplessis[11].

Le père Lévesque ne voyait aucun inconvénient à ce que ses anciens étudiants se trouvent dans des camps opposés du débat sur le nationalisme qui faisait rage au Québec depuis la bataille des plaines d'Abraham. En 1980, avant le premier référendum sur la séparation, il expliqua à un journaliste : « Au contraire, je suis content. Je suis content parce que chacun apporte sa pierre. Et ce qui va arriver ? Oh, je n'en sais rien[12]. » Après sa mort en 2000, les fédéralistes tout comme les séparatistes le qualifièrent de « père de la renaissance québécoise ». Stéphane Dion, alors ministre des Affaires intergouvernementales, affirma que la plus grande contribution du père Lévesque avait été l'idée que « la liberté aussi vient de Dieu ». Il ajouta : « Cette simple phrase a transformé le Québec[13]. »

∾

Denyse, la courageuse petite Parisienne, et Léon, le jeune paysan intello québécois, devinrent correspondants en 1947. Quelles étaient les chances d'une relation de ce genre ? Léon comptait faire des études en Europe et, sur la suggestion de sa sœur, pensa qu'il serait amusant de correspondre avec une jeune Française, l'amie de l'amie d'une amie. Sa première lettre, qu'il écrivit à la blague, circula parmi ses amis et son frère Marcel[14]. Denyse Kormann l'adora. Léon avait 25 ans, soit sept ans de plus qu'elle, c'était un professeur de sciences politiques qui attendait de recevoir une bourse universitaire pour partir étudier à l'étranger.

«Est-ce qu'on continue?», demanda-t-il à Denyse. «*Ça ne me dérange pas*[15], répondit-elle. Continuons.»

Un an plus tard, Duplessis, comme il en avait coutume, retira toutes les bourses aux étudiants de l'Université Laval, par mesure de rétorsion contre le père Lévesque, qui avait dû commettre quelque impair à ses yeux. La Faculté des sciences sociales était un véritable bouillon d'idées subversives.

«Je ne peux pas venir parce que je n'ai pas d'argent, écrivit Léon à Denyse. Est-ce qu'on continue à correspondre?» «Mais oui, mais oui!» répondit-elle.

Une autre année s'écoula, puis il lui écrivit: «Je ne suis pas sûr de venir.» Denyse répondit: «Écoute, je ne veux pas correspondre toute ma vie. *Il faut que tu viennes.*»

≈

Léon emprunta 300 dollars pour s'inscrire à la London School of Economics... Et pour voir comment la situation évoluerait avec Denyse Kormann. Ses lettres l'intriguaient beaucoup. Elle était également très jolie.

Ils se rencontrèrent dans un jardin public de Bruxelles en juin 1950. Denyse, qui avait étudié la psychologie des enfants à Paris, s'occupait d'adolescents juifs qui avaient retrouvé leur famille après la guerre. Leurs parents les avaient éloignés pour qu'ils survivent à l'Holocauste et la plupart d'entre eux n'avaient aucun souvenir de leur famille d'origine. Denyse, à peine plus âgée que ces jeunes gens, avait l'impression d'accomplir un travail de valeur.

Sa première rencontre avec Léon fut un fiasco.

Il était maigrichon, gauche et mal dégrossi. Il ne comprenait pas «l'attitude de la vie française», c'était évident. Dans leurs lettres, ils avaient discuté d'absolument tout, même du mariage, et voilà que face à face, ils n'avaient plus rien à se dire.

Deux semaines plus tard, Léon rentrait à Londres et Denyse à Paris. Visiblement, ça ne marcherait pas. Mais la correspondance reprit et l'étincelle se ralluma. Léon perdit, puis récupéra sa bourse et, à Noël, il arriva à Paris en visite.

Dès qu'elle le vit, Denyse s'exclama: «Ça n'a aucun sens! Tu es en train de mourir de faim! Finis tes études en France.»

Marie-Thérèse Biroulès, la mère de Denyse, était un véritable cordon bleu. Originaire du Midi de la France, elle préparait des petits plats savoureux qui ne tardèrent pas à remplumer Léon. Il n'était pas vilain garçon, bien au contraire. Il possédait une mâchoire volontaire, un front haut que ses cheveux, coiffés vers l'arrière, mettaient en valeur, et un charmant sourire. Denyse et lui parlèrent à nouveau mariage, mais il voulait attendre encore un an, jusqu'à ce qu'il ait 30 ans.

Il se préparait à visiter l'Allemagne afin de faire les recherches nécessaires à sa thèse de doctorat sur le national-socialisme d'Adolf Hitler. Lorsqu'il invita Denyse à l'accompagner, elle accepta aussitôt. Mais les parents furent scandalisés.

«Vous n'êtes pas mariés!», s'exclama Maman. «Ben… non», admit Denyse en haussant les épaules.

Marie-Thérèse n'en démordit pas. «Qu'est-ce que ton père va dire de ce garçon-là?»

Pour faire plaisir aux parents, ils se marièrent civilement le 4 juin 1951, soit un an plus tôt que l'avait prévu Léon. Le lendemain, ils prenaient la route de l'Allemagne et, en 1952, s'embarquaient pour le Canada.

«Bon… admit Maman, si tu es heureuse, il n'y a pas de problème.»

Heureuse, Denyse l'était et elle le resterait tout au long de sa vie avec Léon Dion. Car c'était bien *un mariage d'amour*[16]. «Écoutez, ça ne pouvait être qu'un mariage d'amour, il

n'avait pas un sou et moi, je n'étais pas si jolie... Alors?»,
affirmerait Denyse en souriant, un demi-siècle plus tard.

~

Leur ami intime John Meisel, éminent politicologue canadien et Compagnon de l'Ordre du Canada, décrivit le couple:
«Leur relation était aussi de nature intellectuelle. Ils étaient à
l'aise l'un avec l'autre. Certes, ils n'étaient pas toujours d'accord,
mais ils éprouvaient de l'affection, du respect et de l'amour l'un
pour l'autre. Même une fois âgés, ils étaient toujours amoureux.
Moi, j'aime beaucoup Denyse. Léon a toujours été plutôt timide.
Mais pas Denyse. Elle a beaucoup de force de caractère. [...] On
peut dire qu'elle a pris la vie de Léon en main[17].»

~

Dès l'automne 1952, Léon était de retour à l'Université
Laval et Denyse s'installait dans sa nouvelle vie, tout en
explorant la vieille capitale. Les toitures de cuivre du Parlement et du Château Frontenac se dessinaient sur le ciel,
comme des sentinelles au-dessus du Saint-Laurent. La ville
appartenait toujours à Wolfe et à Montcalm, morts à une journée l'un de l'autre sur les plaines d'Abraham, à Frontenac, qui
avait défendu la Nouvelle-France, et à Champlain, le plus
grand des premiers bâtisseurs de la nation. Tout comme
Montcalm, Champlain avait été enterré à Québec[18].

Denyse s'était intégrée au monde des idées dans lequel
évoluait Léon et, au cours des années, elle fut sa collabora-
trice. Elle dactylographiait tout ce qu'il écrivait. «Je ne me
suis jamais sentie inférieure à mon mari, même s'il était bien
plus connu. [...] Je l'aidais à rédiger ses livres. Je ne vous dis
pas que c'est moi qui les ai écrits pour lui, mais nous
discutions certainement de tout.»

Elle comprit très vite que le père Lévesque était en avance
sur son temps et elle s'entendit très bien avec les amis de son
mari, à l'université. Dans les cercles intellectuels du Québec,

on vivait des années palpitantes. Les collègues de Léon accueillirent avec gentillesse *la petite Française*[19] et s'occupèrent beaucoup d'elle: «Mais c'est quoi ça que vous avez trouvé en France?», demandaient-ils, faussement surpris, à Léon.

Les membres de la Faculté des sciences sociales devinrent sa famille adoptive. Avec les années, elle fit son possible pour leur rendre la pareille. «C'est la personne la plus généreuse que j'aie rencontrée de ma vie, affirme son fils, Stéphane. Si vous avez un problème, allez voir Denyse. Elle fera son possible pour vous aider.»

Les premières années du couple furent précaires sur le plan financier, mais ni Léon ni Denyse ne se souciaient de cela. «L'argent n'était pas important, ni pour Léon ni pour moi. Non, il n'y avait aucun snobisme dans ma famille et je pense que mes enfants non plus ne sont pas snobs. Nous n'avons jamais choisi nos amis en fonction de leur situation sociale ou financière. [...] Mon père travaillait dans les usines, le père de Léon était menuisier. C'étaient des ouvriers, rien à voir avec ces gens dont on parle, dans les clubs bourgeois français.»

Denyse alla jusqu'à s'adapter au climat. La troisième année, elle délaissa la mode de Paris pour acquérir un véritable manteau d'hiver. Elle avait commencé à avoir des enfants: Patrice en 1953, Stéphane en 1955, Georges, 10 mois plus tard, Francis en 1959 et sa seule fille, France, en 1961.

∼

Néanmoins, tout n'allait pas pour le mieux dans le meilleur des mondes. «Quand je suis arrivée au Canada, c'était un pays tellement catholique. Ah! c'était absolument affreux!», se souvient Denyse. Elle avait grandi dans un pays où la religion savait se tenir à sa place. Sa propre Église catholique se contentait de baptiser ou d'enterrer, sans se mêler du reste. Mais Denyse se trouva soudain plongée dans un milieu religieux où l'absence à la messe était une source de commérages. Très vite, la rigidité des dogmes catholiques ne tarderait pas à gêner le travail de Léon à l'université.

En 1954, soit l'année où ils achetèrent la maison du boulevard Liégeois, Léon terminait sa thèse de doctorat sur le nazisme[20] et apprit avec plaisir qu'un éditeur français souhaitait la publier conjointement avec les Presses de l'Université Laval. Mais les instances universitaires refusèrent de le faire, sous le prétexte que la thèse ne répondait pas aux normes philosophiques de l'Église catholique selon saint Thomas d'Aquin.

Le livre ne fut jamais publié, malgré les efforts du père Lévesque. Denyse est encore en colère.

«Ça n'a pas été publié parce qu'il y avait ce chanoine – j'espère qu'il brûle en enfer! Voyez comme je suis mauvaise! – qui a dit que ce n'était pas thomiste[21]!»

Léon était déchiré. «Si je publie à tout prix, ils pourraient me jeter hors de l'université», expliqua-t-il à son épouse. Patrice était encore bébé, Stéphane naîtrait l'année suivante. Léon avait des prêts d'études à rembourser, ils avaient contracté un prêt hypothécaire. Bref, comment ferait-il pour nourrir sa petite famille? «C'était difficile, très difficile pour Léon.»

Léon avait été clairement remis à sa place. Il n'était qu'un vulgaire *pelleteux de nuages*[22]. Ce fut un moment douloureux de sa carrière. Bien sûr, tous deux savaient que le changement était en route, Duplessis n'était pas immortel. Léon et Denyse s'étaient intégrés à un réseau de dissidents. Pierre Trudeau, Gérard Pelletier et Claude Ryan écrivaient dans *Cité libre*, la revue influente qu'ils avaient fondée à Montréal, contre le nationalisme buté, imposé par l'Église. Un autre ancien étudiant du père Lévesque, Jean Marchand, avait dirigé la grève des travailleurs de l'amiante. L'économiste Maurice Lamontagne s'était opposé à Duplessis. D'ailleurs, Léon et Maurice étaient amis intimes et c'est en hommage à cette amitié que Stéphane fut aussi prénommé Maurice[23].

Cependant, aucun d'entre eux n'aurait pu prévoir la rapidité fulgurante avec laquelle le changement s'instaurerait au

Québec après la disparition de Duplessis. Un peu comme ce qui se passa en Allemagne après la chute du mur de Berlin. Du jour au lendemain s'ouvrit une nouvelle ère, celle de la Révolution tranquille, cette merveilleuse contradiction dans les termes qui décrit si bien le réveil du Québec. L'Église catholique implosa, le Parti libéral de Lesage prit le pouvoir et, en 1964, à l'adoption du *Bill 60*, le Québec fut doté pour la première fois d'un ministère de l'Éducation entièrement laïque. Désormais, l'éducation publique n'avait plus pour mission fondamentale de fabriquer de bons catholiques.

« Bien sûr, il ne faut pas exagérer la coupure de 1960 et le mythe de la Grande Noirceur », observa en 2000 Stéphane Dion, alors politicologue et ministre fédéral. Néanmoins, il ajouta : « On ne mesurera jamais assez les répercussions profondes que la perte du pouvoir du clergé a eu sur la vie de tous les jours des Québécois catholiques francophones[24]. »

Jusqu'aux mauvaises langues de Sillery qui changèrent subitement de ton. « Je me souviens de ces petits voisins et voisines qui nous disaient : [...] "Vous, les Dion, allez brûler en enfer parce que vous n'assistez pas à la messe chaque dimanche", poursuivit-il. Puis, soudainement, un dimanche matin, ils étaient avec nous sur les pentes de ski[25]. »

La carrière de Léon prit son envol à partir de ce moment-là et il devint un auteur prolifique (comme son fils après lui). Il dut ressentir une grande satisfaction lorsque le nouveau ministre de l'Éducation, Gérin-Lajoie, vint le consulter sur la législation. Il commença alors la chronique du déclin subséquent de l'Église et de la progression du *Bill 60*[26], ce qui ferait rapidement de lui l'un des érudits les plus éminents de son époque, justifiant par là la foi que Denyse avait toujours eue en lui.

∼

Stéphane, comme tous les enfants Dion, était un bébé en parfaite santé et Denyse se plaisait à lui faire porter de jolis bérets et de petites redingotes à la française. Sa croissance fut si rapide (il ne cessera de grandir qu'après avoir atteint 1,85 m) que les autres enfants le surnommèrent « *le grand Steph*[27] ». Il possédait le front haut de son père, un visage long et anguleux et des yeux aux paupières lourdes. C'était un garçon sérieux.

Bien qu'il eût aussi hérité de l'énergie indomptable de sa mère, il ne parvenait pas à la canaliser. À une autre époque, on aurait sans doute diagnostiqué chez lui un trouble déficitaire de l'attention et on l'aurait bourré de médicaments pour le calmer. Son frère aîné, Patrice, était un brillant élève, qui deviendrait un grand professeur de microbiologie à l'*alma mater* de leur père. Mais Stéphane, qui commença l'école à quatre ans et savait lire à cinq, s'ennuyait et manquait de discipline.

Ses parents essayèrent plusieurs écoles, y compris les Oblats de Saint-Cyril. Rien n'y fit. « J'étais un enfant difficile, reconnaîtrait-il plus tard. J'étais en guerre contre le monde entier. »

Compte tenu de leurs idées, il n'est pas surprenant que les parents aient jugé les écoles responsables des problèmes de leur brillant fiston. « La plus grande différence entre le Québec et la France, à ce moment-là, était qu'en France, on était critique et ici, non », expliqua Denyse. Après avoir assisté à une production d'*Andromaque*, de Racine, lorsqu'elle avait 12 ans, elle avait eu la témérité de faire connaître son opinion en classe. Aussi comiques, voire ridicules, que ses idées enfantines eussent paru à ses professeurs, personne ne la fit taire. « Ici, quand vous aviez le malheur de critiquer, tout le monde se fermait. Vous ne pouviez pas être trop critique. »

Tout comme une autre mère se serait vantée du talent artistique ou musical de ses enfants, Denyse se faisait une gloire de leur entêtement. Ils lui ressemblaient. « Tous mes enfants sont pareils, tous s'obstinent... »

Néanmoins, Léon et Denyse finirent par prendre des mesures fermes à l'égard de Stéphane. En 1968, à l'âge de 13 ans, ils l'inscrivirent au Collège des Jésuites. À Québec, cette école, au départ un séminaire fondé en 1634 par les

Jésuites, était considérée comme le meilleur établissement d'enseignement. En 1968, elle donnait toujours le cours classique des écoles secondaires privées catholiques. Même après avoir adopté un programme laïque en 1970, elle ne perdrait rien de la rigueur des études qu'elle offrait[28].

Il fallut une semaine à Stéphane pour se créer des ennuis. Son premier samedi, il dut le passer en retenue parce qu'il s'était montré dissipé en classe. Son père l'avertit: «Écoute bien, tu en as pour cinq ans ici. Nous ne te changerons plus d'école. Alors, apprends la discipline une fois pour toutes.»

L'enfant fit un effort, mais sans résultat concluant. L'un de ses condisciples, Laurent Arsenault, se souvient de lui: «C'était un rêveur[29]», affirme-t-il.

Léon, cependant, ne perdit jamais confiance. «Un jour, je le sais, ça va *débloquer*[30] et tu réaliseras ton potentiel. Je le sais, j'en suis sûr.»

Sa confiance était justifiée. À la maison, Stéphane dévorait depuis son enfance les livres d'histoire et les romans historiques comme *Les trois mousquetaires*, d'Alexandre Dumas, ainsi que d'autres livres que sa mère lui avait offerts. Il fit le lien entre ses études et ses lectures personnelles deux ans avant d'entrer à l'université. Au Cégep François-Xavier-Garneau[31], il devint l'étudiant que son père avait toujours su qu'il pouvait être. Il acquit confiance en lui-même et en ses propres idées. Ses condisciples le considéreraient très vite comme l'éternel premier de classe.

~

Le lien entre père et fils deviendra très étroit, mais il prit du temps à mûrir. «Notre relation était… aride, se souvient le fils, je me sentais plutôt loin de lui.»

Stéphane Dion affirme ne pas avoir hérité son amour du travail de son père, car Léon ne lui avait jamais présenté le travail sous la forme d'un divertissement. Au contraire, il estime qu'après avoir trouvé son équilibre, il se mit à travailler par instinct. Pendant la course à la direction de 2006, il déclara : « Je suis incapable de ne pas travailler assidûment. Un paresseux qui doit se forcer pour travailler a beaucoup de mérite. Je ne suis pas paresseux, je n'ai donc pas de mérite[32]. »

Malgré tout, l'admiration de l'enfant pour la capacité de travail du père transparaît chez l'adulte, dans les anecdotes qu'il relate sur tout ce qui se passait dans le bureau tapissé de livres. Peut-être n'est-il pas naturellement paresseux, mais il a certainement appris l'amour du travail en observant son père, qu'il s'en rende ou non compte aujourd'hui. Pour Léon Dion, le travail ne consistait-il pas à acquérir et à partager la connaissance ?

À l'âge de 12 ans, Stéphane demanda à son frère aîné Patrice pourquoi le nord industrialisé était si riche et l'hémisphère sud, si pauvre.

– Allons demander à Papa, suggéra Patrice.

– À Papa, mais pourquoi donc ?

– Parce que c'est son travail de savoir ça.

Léon était dans son bureau. Les deux jeunes garçons frappèrent timidement à la porte. « Pouvons-nous te déranger ? », lui demandèrent-ils. Stéphane était certain que leur père répondrait par la négative.

« Mais oui, bien sûr ! » Léon fit entrer ses fils. « Il était enchanté, se souvient Stéphane. Il nous a expliqué la théorie de Max Weber, le lien entre le protestantisme et l'industrialisation, et ainsi de suite. Pour moi, c'était fascinant. »

Un moment magique. Stéphane examinerait ultérieurement les théories du penseur politique et social allemand du XIXᵉ siècle dans ses propres écrits[33].

La communication entre père et fils devint plus facile lorsque Stéphane entra dans l'adolescence. Les désaccords viendraient plus tard. Le jeune garçon était soulagé de se sentir plus proche de son père. En définitive, tout irait bien. « Il y avait une distance entre nous, mais avec les années, elle a disparu [...] parce qu'il m'a accepté tel que je suis. »

En vérité, père et fils se ressemblaient beaucoup. Tous deux étaient des penseurs, tous deux étaient la proie de soucis existentiels. Le fils avait même hérité des migraines du père. Léon se montrait sévère envers Stéphane. «Mon père était très exigeant, mais cela m'a aidé à m'améliorer. [...] Il ne m'a jamais dit "C'est bien", car ce n'était jamais assez bien pour lui[34].»

Cependant, Léon était extrêmement fier de son fils, qui en était parfaitement conscient. À l'âge de 13 ans, Stéphane accompagna ses parents au théâtre, dans la vieille ville. Ils aperçurent, assis devant eux, le premier ministre provincial, membre de l'Union nationale, Jean-Jacques Bertrand. «L'un de mes fils a une théorie qu'il aimerait vous expliquer», dit Léon en désignant Stéphane.

«Je ne sais pas de quoi mon père parlait, mais j'ai essayé. [...] Je ne crois pas avoir été très clair[35].» Il bégaya néanmoins quelque chose, jusqu'à ce que Bertrand, excédé, tourne les talons. Ouf!

Denyse Dion avait très bien saisi l'étroitesse du lien entre père et fils. «Stéphane était plus proche de son père que de moi. Adolescent, il passait beaucoup de temps avec son père. Je pense que, de tous mes enfants, c'est sur Stéphane que Léon avait la plus grande influence.»

⁓

Il ne faudrait toutefois pas s'imaginer que son enfance fut austère. La famille Dion savait aussi s'amuser. La maison regorgeait de reptiles, de mammifères, d'oiseaux et d'insectes. Il y avait par exemple Trotski, la tortue, un perroquet auquel Stéphane apprit à dire «i-dé-o-lo-gie», Rusty, le beagle, Bracque, un magnifique pointeur allemand, des têtards, des vairons et des grenouilles dans l'étang du jardin. Pas étonnant que Léon ait fermé la porte de son bureau! Chaque fois que Denyse Dion ouvrait un placard, une créature quelconque risquait de lui sauter à la figure. Stéphane collectionnait les papillons, observait divers animaux, s'intéressait à l'ornithologie. «Malheureusement, reconnaîtrait-il plus tard, j'ai souffert dans mon enfance d'être daltonien. J'avais beaucoup de mal à reconnaître les animaux.»

Denyse et Léon se souciaient également de l'éducation culturelle de leurs enfants. Ils les emmenaient à l'opéra ou aux concerts de l'orchestre symphonique, au Palais Montcalm, dans la vieille capitale. À la maison, on écoutait de la musique classique. Stéphane deviendrait un amateur d'opéra, plutôt porté vers les compositeurs romantiques comme Verdi.

On aimait aussi se divertir en famille. Le dimanche soir, tout le monde regardait *Papa a raison* et Léon courait partout, l'un de ses enfants sur les épaules, avant l'heure du coucher. Une fois par semaine, Stéphane absorbait sa dose de *Robin des Bois*, qui parcourait la forêt en compagnie de ses joyeux compagnons. Il aimait aussi aller au cinéma. L'un de ses films favoris était *La mélodie du bonheur* et le restera. « Un film superbe. »

Pendant les vacances estivales, la famille s'empilait dans une berline surnommée Cunégonde pour rendre visite aux parents de Léon, à Saint-Arsène. En voiture, on entonnait des chansons françaises ou on racontait des histoires drôles. Léon fumait, Stéphane avait mal au cœur. Une fois sa petite famille installée pour deux ou trois mois à Saint-Arsène qui, à cette époque, se trouvait à quatre heures de route de Québec au moins, Léon s'en allait étudier à la Sorbonne, à Paris, ou à l'Université Harvard, à Cambridge, aux États-Unis.

Les journées consacrées à la pêche, dans le lac Saint-Jean ou le lac Trois Saumons éveilleraient en Stéphane une passion qu'il conserverait toute sa vie. Il se souvient aussi de longs après-midi sur les plages proches de Québec, qui étaient encore considérées comme saines à l'époque.

Un été, Stéphane avait alors 12 ans, Léon et Denyse emmenèrent les enfants en France. Ils séjournèrent dans leur famille maternelle et visitèrent des châteaux sous la conduite d'un guide. Stéphane était un vrai petit garnement. Il convainquit son jeune frère Francis que tous les châteaux qu'ils visitaient lui appartenaient. « Je me suis vraiment mal conduit... Je lui ai dit de demander au guide : "Mais où est donc le château de Francis de Dion ?" Georges, Francis et moi nous battions pour arriver le plus près possible du guide. Celui qui y parvenait avait gagné. Nous hurlions: "C'est moi! Non, c'est moi! Moi! Moi!" Pour nos parents, ce voyage a dû être infernal!»

~

Denyse Dion voulait faire connaître la France et sa culture à ses enfants. Après tout, c'était bien cela qui la définissait. «Comment est-elle?», demanda-t-on à son quatrième fils, Francis, au sujet de sa mère, en 2007. «*Elle est Française, Madame. Cela n'explique-t-il pas tout* [36]?»

Denyse était arrivée à une époque où le Canada français n'avait pas encore réussi à se débarrasser de son complexe d'infériorité par rapport à l'accent «*français de France* [37]», tout comme les Canadiens anglais de l'époque portaient aux nues l'accent britannique dont ils enviaient la distinction. Tous cherchaient à imiter des accents qu'ils jugeaient être plus chic que le leur. Cela aussi changerait avec la Révolution tranquille, lorsque les gens commenceraient à apprécier à sa juste valeur le joual, la langue imagée du Québécois moyen. *Les belles-sœurs*, ainsi que d'autres pièces de Michel Tremblay, représentent un tournant culturel pour le Québec et, peu à peu, on en viendrait à considérer l'accent français comme prétentieux, snobinard et condescendant, plutôt que comme un parler qu'il fallait s'efforcer d'imiter.

De ses gènes français, Stéphane Dion avait reçu plus que les bérets et les redingotes de son enfance. Un léger soupçon d'accent parisien transparaît parfois et il lui arrive de se trahir par un «Hou! là! là!» typiquement français. Son assurance et sa tendance à corriger les gens (habitude tout aussi professorale que parisienne) seraient quelquefois interprétées dans sa province natale comme de l'arrogance.

«J'abandonne ma nationalité française, mais je garde mon petit air de gars qui sait tout», disait une caricature de Dion, publiée par *La Presse*, à la fin de 2006 [38]. À cette époque, il venait de remporter la course à la direction et sa citoyenneté française, héritée de Denyse, avait suscité une controverse enragée.

Il en fut blessé. «Je sais que je ne suis pas comme ça, mais cette image s'est tellement répandue, qu'en fin de compte, j'ai peur de commencer à y croire moi-même», confia-t-il pendant un vol vers Edmonton, au début de 2007[39]. Il se mit à énumérer les raisons pour lesquelles les gens tiennent pour acquis qu'il va les contredire: «Oh, parce qu'il est arrogant! Il se croit plus intelligent que les autres! Il est si prétentieux! Pour qui se prend-il?» Il leva les bras au ciel. Savoir ce que les gens pensaient de lui n'était pas toujours confortable.

∾

La maisonnée Dion vivait à la française. Le repas du dimanche midi se prolongeait interminablement, surtout pour des enfants qui trépignaient d'envie d'aller jouer dehors. On y servait toujours un plateau de fromages et les parents s'attardaient à siroter leur verre de vin. Au moment du dessert, Léon demandait à chacun de ses enfants où il en était dans ses *résolutions de la semaine*[40]. Rien de bien terrible. Stéphane avait-il rangé sa chambre? Avait-il été gentil envers sa petite sœur? Chacun son tour. Denyse et Léon les félicitaient s'ils avaient tenu promesse ou, dans le cas contraire, exprimaient leur déception, avant de leur suggérer de nouvelles résolutions pour la semaine suivante. C'était un rituel. Chez les Dion, cela se passait ainsi.

Mark Marissen heurta de plein fouet la tradition, en 2006, alors qu'il dirigeait la campagne de Stéphane Dion. C'était à l'occasion du débat entre les candidats à la direction à Winnipeg et «nous étions en retard. [...] Nous devions manger avant de préparer le débat. Mais nous avons dû nous empiler dans la fourgonnette et distribuer des sandwiches. Stéphane accepta son sandwich, mais se tourna vers moi: "La prochaine fois, respectez ma culture. Une journée comme aujourd'hui, nous devrions pouvoir déjeuner correctement."»

Respectez ma culture?!

Marissen en demeura pantois[41].

Dans le même ordre d'idées, le personnel de Dion sur la Colline du Parlement jugeait hilarant de l'entendre régulièrement déplorer la température des fromages servis au restaurant de la Chambre des communes. « Mais c'est froid, ça ! », s'exclamait-il chaque fois, comme s'il découvrait cette triste réalité pour la première fois.

~

Le jeune Stéphane adorait le sport. Et il fut vite ensorcelé par le hockey et, naturellement, par les Canadiens. Il avait 11 ans au début de la saison 1966-1967 et le gardien Gump Worsley ne jouait pas. Ce jour-là, son oncle Marcel fit une étrange observation : « Nous ne gagnerons pas la Coupe Stanley cette année, parce que Rogatien Vachon n'est pas un nom pour un gardien de but ! »

Il avait raison. Le 2 mai 1967, les Leafs battirent les Canadiens au dernier match des éliminatoires aux Maple Leaf Gardens et remportèrent la Coupe. Expo 67 était sur le point de s'ouvrir à Montréal et les partisans s'attendaient à voir le Canadien déposer la coupe au Pavillon du Québec, sur l'île Notre-Dame. Finalement, la coupe défila triomphalement sur la rue Yonge dans une décapotable. « Quel désastre ! C'était l'année de l'Expo et la Coupe Stanley se trouvait à Toronto ! », se lamenterait encore Stéphane Dion, 40 ans plus tard.

Il y a des déceptions dont on ne se remet pas.

Stéphane était fou de hockey. Le dimanche 6 avril 1968, Pierre Elliott Trudeau était sur le point de remporter la course à la direction du Parti libéral du Canada. Stéphane s'en moquait. Il était vissé devant la télévision, car les Canadiens devaient jouer le deuxième match des quarts de finale contre les Bruins de Boston au Forum, ce soir-là. « Je me souviens qu'au moment du quatrième scrutin, je hurlai "J'espère qu'il va gagner !", parce que le match de hockey allait commencer. [...] À l'époque, il n'était pas possible de changer de chaîne.

Et nous avons manqué la première période à cause de Trudeau! Mais pas la deuxième, car il a effectivement gagné au quatrième scrutin.»

Les Canadiens aussi connurent la victoire. Ils remportèrent la série en quatre matchs consécutifs et finirent par battre les Black Hawks de Chicago en demi-finale et les Blues de St. Louis aux éliminatoires, ce qui leur permit de remporter leur 13e Coupe Stanley. Les partisans déliraient de joie lorsque le capitaine Jean Béliveau, une cheville dans le plâtre, se rendit en boitillant sur ses béquilles jusqu'au centre de la patinoire pour recevoir la coupe.

Jean Béliveau était le héros de Stéphane, qui était trop jeune pour avoir connu le grand Maurice Richard à son zénith. Il n'avait que six ans lorsque le Rocket avait pris sa retraite. Mais sa vie devait croiser à deux reprises celle du joueur légendaire.

Stéphane Dion naquit l'année durant laquelle eut lieu «l'affaire Richard», en mars 1955. Des partisans courroucés descendirent dans les rues de Montréal après que Richard eut été suspendu pour la saison par les officiels anglophones de la LNH. On a dit que le Rocket incarnait toute la fierté du Canada français lorsqu'il jouait au hockey. L'émeute fut considérée comme un acte de défi politique, un autre symptôme du nationalisme latent qui transformerait la vie québécoise dès le début de la Révolution tranquille.

Lorsque Maurice Richard mourut, en 2000, on lui fit l'honneur de funérailles nationales à l'église Notre-Dame de Montréal. À cette occasion, Stéphane Dion, à l'époque ministre fédéral des Affaires intergouvernementales, vécut une expérience douloureuse lorsqu'il fut hué par des souverainistes. Certes, ils n'étaient qu'une poignée, mais il en souffrit. Ce n'était pas l'amateur passionné de hockey qu'il était depuis son enfance que ces gens-là voyaient devant eux, mais le représentant froid et sec le plus méprisé du *gouvernement du Canada*[42].

Stéphane Dion eut une autre passion dans son enfance : le baseball. Cela, il le tenait de son père. Léon avait « de l'affection pour ce sport », comme l'exprima son fils. Tous deux s'installaient à la maison pour écouter les matchs de baseball à la radio, surtout lorsque leur équipe favorite, les Expos de Montréal, était au rendez-vous. Ils en crurent à peine leurs oreilles et connurent une grande déception lorsque Rusty Staub fut échangé.

« Je pense que mon père avait dû jouer au baseball lorsqu'il était petit, observa Stéphane. C'est le sport le plus collectiviste et le plus individualiste qui soit. Au bâton, on est seul, tout comme on est seul dans la vie. Pourtant, on ne peut rien faire seul sur le terrain, à l'exception d'un coup de circuit. On a besoin des autres. »

« Et lorsqu'un joueur commet une erreur, il est facile à identifier, bien plus que dans n'importe quel autre sport d'équipe. Mon père était véritablement un joueur de baseball. » C'était une belle image de son papa. Mais, à l'instar du petit garçon dans le confessionnal, Stéphane recherchait la métaphysique dans cet amour de Léon pour le baseball. Il y avait sûrement quelque chose derrière ça…

« Mais, en même temps, il avait un esprit d'équipe, il comprenait qu'il faisait partie d'une institution. L'Université Laval, pour lui, c'était cette institution. Il voulait qu'elle réussisse, il voulait que les sciences politiques, surtout au Canada, progressent. »

Le baseball, les sciences politiques, la vie…

Stéphane avait insisté pour boucler la boucle. Mais parfois, comme il le découvrirait dans la vie, le baseball n'est qu'un sport.

CHAPITRE 2

«Nous ne pouvons pas trahir nos ancêtres»

Tous les soirs, sans répit, pendant deux, trois ou même quatre heures, la discussion faisait rage entre le père et le fils. Léon et Stéphane ne se querellaient pas. Léon était bien trop subtil pour se laisser prendre au piège d'un débat émotionnel avec un fils combatif qui essayait de marquer des points. Mais ils discutaient sans arrêt, à table, dans le bureau de Léon, dans la salle de séjour. Denyse Dion était excédée, de même que les autres enfants. En effet, vers l'âge de 17 ans, Stéphane commença à vouloir démontrer qu'il était l'égal, sur le plan intellectuel, de son éminent père.

«Et naturellement, mon père démolissait chaque fois mes arguments... très poliment, d'ailleurs, se souvient le fils aujourd'hui adulte. Il me respectait. Je faisais preuve d'agressivité envers lui, mais lui ne s'est jamais montré agressif envers moi[1].»

Il est possible que le jeune Stéphane ait ressenti le besoin de s'affirmer ainsi car, pour tout le reste, il avait suivi les conseils de son père. Lorsqu'il était entré à l'Université Laval, à l'automne 1974, il voulait étudier l'histoire, mais Léon avait refusé, soutenant que les sciences politiques étaient une matière plus rigoureuse. Stéphane céda. «Je me disais que si mon père insistait autant là-dessus, c'était parce qu'il savait de quoi il parlait.» Déjà, Stéphane avait abandonné son rêve d'enfant, devenir vétérinaire. «Il était évident que je ferais un doctorat et que je deviendrais professeur d'université.» Comme son père. Il alla jusqu'à suivre certains des cours de Léon, à l'Université Laval. La première année, c'était un cours obligatoire. Stéphane s'était inscrit, avec 300 autres étudiants, au cours d'introduction sur l'historique des mouvements politiques. Mais il s'était bien promis que ce serait le dernier, qu'il ne suivrait pas de cours facultatif avec «l'autre» Dion.

Lorsque Léon eut sous les yeux la liste des cours choisis par Stéphane la deuxième année, il fut catastrophé. «Papa est très en colère, affirma son frère aîné Patrice, parce que tu n'as pas choisi l'un de ses cours.» Jugeait-il donc son père mauvais prof?

Stéphane céda une fois de plus. Comme toujours. Il portait les cheveux longs, une barbe abondante, des chemises en laine à carreaux et des chaussures de maçon. Il avait beau imiter le prolétariat dans sa tenue, il n'en était pas moins un fils obéissant. Il s'inscrivit au cours de Léon sur les groupes d'intérêts politiques et continua d'étudier avec son père pendant toute la durée de son baccalauréat à Laval.

Léon était un *vrai maître*[2], au sens premier du terme. Sa démarche traditionnelle, voire paternaliste, serait considérée comme désuète par la génération suivante. Il avait étudié sous la tutelle d'un maître et il traitait ses étudiants diplômés comme de loyaux disciples. Bien qu'il eût à peine dépassé la quarantaine, il paraissait plus vieux que son âge, voûté par la vie. Il serait toujours timide, un peu gauche, parfois mal à l'aise en société. Il possédait ses particularités : avant de donner son opinion, il toussait un peu, il semblait hésiter, puis adoptait un air digne et sérieux[3].

C'était toutefois un bon professeur. «Il était vraiment sûr de lui, vous voyez ce que je veux dire, c'était *le* professeur», explique Janine Krieber, qui avait suivi le cours du père sur les mouvements politiques avant de connaître le fils. «Et il était impossible de mettre ses paroles en doute. Il était si logique, si méthodique, si thématique, qu'on ne trouvait pratiquement rien à redire à son argumentation[4].»

Stéphane, en revanche, ne se privait pas de défier son père, mais toujours dans l'intimité du foyer familial. C'était son rite de passage vers l'âge adulte. «Je faisais tout cela parce que je voulais comprendre. Je voulais être aussi fort que lui.» Du coup, il essaya diverses doctrines, exactement comme on essaie des vêtements. «D'abord le marxisme, puis 48 heures plus tard, j'étais devenu trotskiste. Trotski était mon héros.» Selon lui, c'était Léon Trotski, et non pas Vladimir Lénine, qui aurait dû récolter les lauriers de la Révolution russe de 1917. Il alla jusqu'à baptiser sa tortue du nom de Trotski. «Puis mon père m'a expliqué que Trotski était lui aussi un vrai monstre, tout autant que Staline, et ainsi de suite. Deux jours plus tard, j'avais encore changé d'avis. [...] De fait, j'avais un peu honte de ne pas être demeuré marxiste plus de 48 heures.»

Au cours des années, Stéphane essaierait d'autres courants de communisme, ainsi que le républicanisme, le fédéralisme et tous les «ismes» qu'il pourrait découvrir. Rien ne le satisferait vraiment.

~

Le premier événement politique dont il se souvient fut l'enterrement de John F. Kennedy, en novembre 1963. Il regarda la cérémonie à la télévision, en famille. Kennedy, le premier président catholique des États-Unis, était très populaire au Québec. À l'école, les religieuses le considéraient comme un saint. Saint Kennedy, l'appelaient-elles.

Son premier souvenir d'une discussion politique échauffée, dans la maison du boulevard Liégeois, remonte à 1967, lorsque le président de la République française, Charles de Gaulle, arriva au Québec en visite. Denyse Dion se souvenait d'avoir dansé de joie en le voyant défiler sur les Champs-Élysées, si grand et si impressionnant, à l'occasion de la libération de Paris en 1945. Tout le monde se réjouissait de sa venue. Mais le général, du balcon de l'hôtel de ville de Montréal, entonna de sa voix profonde, en découpant chaque syllabe et en parlant de plus en plus fort: «Vive le Québec LIIIIIIIIIII-BRE!»

Des milliers de Québécois ne se tenaient plus de joie. Léon Dion, lui, le prit très mal. Stéphane se souvient de la réaction de son père: «Pour qui donc se prend-il, ce Français, qui vient nous dire quoi faire dans notre propre pays?»

«Il ne sait pas de quoi il parle!», s'exclama Léon, rappelant à ses enfants qu'à l'occasion de deux guerres mondiales, le Canada était parti à la rescousse de la France. «De quoi se mêle-t-il donc, à essayer de faire éclater le pays? *Ça ne le regarde pas!*»

Lester B. Pearson, premier ministre fédéral à l'époque, protesta. Du coup, de Gaulle dut écourter sa visite et s'en retourner en France[5].

Ce fut la seule fois où Stéphane vit son père sortir de ses gonds. La crise politique suivante ne provoquerait chez lui que du regret et du chagrin.

En octobre 1970, les Dion, comme les Québécois et les Canadiens de tout le pays, furent horrifiés en apprenant que l'attaché commercial britannique, James Cross, avait été enlevé par le FLQ, le Front de libération du Québec. Une semaine plus tard, la voix sépulcrale d'un présentateur de Radio-Canada interrompait les émissions habituelles du samedi soir: «*Mesdames, Messieurs, bonsoir*[6]. Le ministre québécois du Travail et de l'Immigration, M. Pierre Laporte, a été kidnappé au début de la soirée [...][7].»

Cross serait libéré, mais on découvrirait Laporte étranglé dans le coffre d'une voiture, son chapelet enroulé autour du cou. Il jouait au football avec Claude, son neveu de 17 ans, chez lui à Saint-Lambert, lorsque deux hommes armés de mitraillettes l'avaient enlevé[8]. Stéphane faisait des cauchemars en pensant à l'adolescent qui avait presque le même âge que lui. Il ne pouvait s'empêcher de songer au sentiment d'impuissance que Claude Laporte avait dû éprouver. (D'autres Québécois avaient réagi avec la même compassion, notamment la future épouse de Claude Laporte, Dominique. «Terrible pour lui», avait-elle songé à l'époque. «Pauvre garçon» et, plus tard: «Mais qu'est-il donc devenu[9]?»)

La crise d'Octobre devait s'imprimer pour toujours dans l'esprit d'une génération de Canadiens: la *Loi sur les mesures de guerre*, les troupes fédérales déployées au Québec, la réponse de Pierre Trudeau – «*Well, just watch me*[10]!» – lorsqu'on lui avait demandé jusqu'où il était prêt à aller. Arrestations collectives et manifestations déclenchèrent le premier débat de l'ère moderne sur la suppression des libertés civiques dans le but avoué de protéger l'ordre public.

Gérard D. Lévesque, ministre des Affaires intergouvernementales du Cabinet Bourassa, habitait en face de la famille Dion. Des soldats furent chargés de protéger sa résidence. Les enfants Dion, qui ne furent guère impressionnés, s'amusèrent à les mitrailler de boules de neige. Quant à Denyse Dion, dont les souvenirs de Paris sous l'Occupation étaient encore bien vivaces en 1970, elle ne se réjouissait guère de voir des fusils et des casques devant chez elle. Mais elle n'avait aucune sympathie pour le FLQ. Elle expliqua aux enfants qu'aucune conviction politique ne pouvait justifier un meurtre. Denyse était opposée à la peine capitale pour les mêmes raisons.

Stéphane se souvient d'avoir entendu des conversations sérieuses entre ses parents. «Certains de nos amis voyaient peut-être dans tout cela une cause teintée d'un certain romantisme, mais mes parents étaient très clairs là-dessus. La situation n'avait rien de romantique. Ces types étaient des tueurs. Point final.»

~

De nombreuses années plus tard, alors qu'il enseignait les sciences politiques à Montréal, il fit la connaissance de Claude Laporte lors d'une soirée. Tous deux devinrent amis. Stéphane réussit enfin à effacer de son esprit l'image de l'adolescent figé de terreur dans le jardin de son oncle. Les deux hommes s'entretinrent de leurs familles respectives et de leur travail. Ils commencèrent à jouer ensemble au golf. En décembre 2006, Laporte était au congrès du Parti libéral, à titre de partisan de Dion. Il se trouvait dans la salle, en compagnie d'un autre vieil ami de Dion, Laurent Arsenault, lorsqu'on annonça les résultats du dernier scrutin, et il participa à l'euphorie générale.

~

Lorsqu'il atteignit son 21e anniversaire, le 28 septembre 1976, Stéphane Dion avait enfin trouvé son créneau politique. Du moins, le croyait-il.

Sa conversion avait débuté quelques années plus tôt, le jour où Claude Charron était venu au cégep pour discuter de l'indépendance du Québec. Charron n'était pas beaucoup plus vieux que les étudiants auxquels il s'adressait. Son visage rondouillet, sa chevelure frisée et son rire joyeux lui donnaient l'air d'un gnome. Mais dès qu'il ouvrait la bouche, il envoûtait les jeunes qui l'écoutaient. C'était un bouillant orateur du Parti québécois (PQ), qui avait été créé en 1968 sous la houlette de René Lévesque. Par ailleurs, ce parti ne se débrouillait pas mal du tout pour un nourrisson. Il avait obtenu sept sièges en 1970 et six en 1973[11]. Charron avait enseigné au cégep et il faisait tout naturellement partie de la poignée de députés provinciaux membres du PQ qui avaient reçu pour mission de recruter des membres parmi les étudiants.

Stéphane voulait croire en quelque chose. Il n'avait pas le sentiment que le Canada était son pays. Oh, naturellement, si on le lui avait demandé, dans son enfance, il aurait répondu qu'il était Canadien. Pour lui, le Canada, c'était «le pays des gros ours et des hautes montagnes; tout y était plus grand qu'ailleurs». Mais tout cela, c'était du folklore. Il voulait se sentir chez lui quelque part et le nationalisme de Claude Charron lui ouvrit cette porte. «Charron était très impressionnant et je n'ai jamais manqué aucun de ses discours. Je prenais des notes afin de pouvoir discuter de ses arguments avec mon père.»

Stéphane Dion ne fut pas le seul à s'enthousiasmer pour le type de séparatisme prôné par le PQ au début des années 70. Toute une génération suivit. Il ne s'agissait plus du nationalisme compassé et enfermé sur lui-même, entériné par l'Église, que ses parents avaient connu. Au contraire. Les *péquistes*[12] étaient jeunes, branchés et s'enorgueillissaient bruyamment d'être *Québécois*[13] (et non Canadiens français), dans les arts, l'édition, la langue, le cinéma, les affaires, l'éducation et le sport. Stéphane, enfin, avait trouvé un «isme» que son père, il en était sûr, ne serait pas capable de démolir.

À la maison, les débats reprirent.

Stéphane tenta d'abord une approche européenne. «Écoute, en Europe, ils sont en train de bâtir une union, oui, mais ce sont tous des pays. Nous ne sommes qu'une province. Pourquoi les Québécois n'auraient-ils pas leur pays?»

Léon ne fut pas impressionné. Après tout, le Canada était bien un pays.

Et la fierté? «Nous devons nous montrer loyaux envers nos ancêtres. Ils nous demanderaient de devenir un pays s'ils le pouvaient. [...] *Nous ne pouvons pas trahir nos ancêtres.*»

Mais nos ancêtres se sentaient *canadiens*[14], insista Léon. En outre, *la Nouvelle-France*[15] était une colonie. N'oublie pas ça.

Stéphane décida d'orienter son offensive vers l'éducation, le domaine de son père.

«McGill doit devenir une université francophone!», proclama-t-il à propos de l'université de langue anglaise de la rue Sherbrooke, à Montréal, là où les riches négociants anglais avaient jadis construit leurs belles demeures de pierre.

«Et la liberté de langue pour les autres?, rétorqua Léon. Tu n'es pas en faveur?»

Stéphane se sentit plutôt honteux.

«J'ai essayé tous les arguments, les uns après les autres, révélerait-il plus tard. Rien n'a marché!»

∼

Léon avait de bonnes raisons de contredire Stéphane. Il s'était engagé dans une direction entièrement opposée. À l'époque où son fils essayait de le convaincre, Léon venait d'entrer dans la cinquantaine et avait apporté une contribution gigantesque à la cause de ses ancêtres. Il avait été directeur de la recherche auprès de la Commission royale d'enquête sur le bilinguisme et le biculturalisme (communément appelée la «commission Laurendeau-Dunton»). Pendant la majeure partie des années 60, il avait fait la navette entre Ottawa et Québec – voyage bien plus pénible à l'époque qu'aujourd'hui – et arrivait chez lui le vendredi soir vers 19 h pour en repartir le dimanche soir. Parfois, il manquait les «résolutions du dimanche». Quel sacrifice! Ces déplacements l'épuisaient et il est possible que son absence, pendant la semaine, ait contribué à l'éloigner de Stéphane. Sa charge de travail, à la commission royale, était extrêmement lourde. «Je travaillais sur un point précis, tandis que Léon analysait la situation dans son ensemble», se souvient Peter Russell (politicologue – par la suite professeur émérite – à l'Université de Toronto) dont le comité s'occupait d'examiner la situation à la Cour suprême. «Léon était un fédéraliste convaincu lorsque j'ai fait sa connaissance. C'était un homme et un collègue extraordinaire[16].»

Au début de 2007, un sondage CROP entrepris pour Radio-Canada révéla que 81% des Canadiens étaient en faveur du bilinguisme. Le public réagit par un bâillement. *Et puis*[17]? Ne le savait-on pas déjà?

Certes, mais dans les années 60, avant la *Loi sur les langues officielles*, le Canada vivait sur une autre planète. C'était avant qu'il existe de véritables possibilités de faire des études en français à l'extérieur du Québec, que les critères d'embauche révolutionnent la bureaucratie fédérale et que les sièges sociaux des entreprises basées à Montréal se réveillent et commencent à promouvoir des francophones.

À cette époque, les Québécois ne possédaient pas leur province, n'avaient pas accès à ses richesses. L'École des hautes études commerciales n'était pas encore un établissement où il est de bon ton de s'inscrire pour obtenir une maîtrise en administration des affaires. Et la Caisse de dépôt et placement du Québec n'avait pas encore pris en main la gestion d'un fonds provincial de retraite d'une valeur de quelques milliards de dollars. En 1961, comme le découvrirent les recherches de la commission Laurendeau-Dunton, les Canadiens d'expression anglaise gagnaient 35 % de plus que leurs homologues francophones. À Montréal, cette disparité était de 51 %[18].

C'était aussi une question de fierté. Les Québécois francophones vivaient quotidiennement avec la discrimination. Dans les plus belles boutiques de Montréal, les vendeurs ne parlaient pas français. Lorsque le patron rendait visite au domicile d'un employé, Papa devait se mettre à parler anglais. Parfois, c'était difficile. Les enfants écoutaient et ressentaient l'humiliation de leur père. Le Rocket était traité en enfant par les chroniqueurs sportifs anglophones. («Je me souviens», comme on le lit si bien sur les plaques d'immatriculation au Québec.) *Speak White*[19], comme le rappelle Pierre Vallières dans son livre *Nègres blancs d'Amérique*[20]. Les vieilles blessures étaient toujours bien ouvertes. Les gens parlaient encore de la conscription à table. De la conscription… pendant la guerre des Boers !

Un incident, en particulier, fit des ravages. En novembre 1962, Donald Gordon, président des Chemins de fer nationaux du Canada (le CN) et dont le salaire était payé par les contribuables, se retrouva sur la sellette devant un comité de la Chambre des communes sur l'embauche d'employés francophones dans une entreprise d'État. Le député québécois créditiste Gilles Grégoire lut une liste des cadres du CN – président, 17 vice-présidents et 10 administrateurs – et fit remarquer qu'aucun n'était Canadien français.

Gordon le prit de haut. Il répondit que le CN donnait des promotions au mérite. Il se moquait de savoir si son employé était «noir, blanc, rouge ou Canadien français». Il était sûr, dit-il, que le programme de recrutement dans les universités faciliterait l'embauche des cadres supérieurs d'origine canadienne française au cours de la prochaine décennie. Et il alla jusqu'à ajouter: «D'ailleurs, tant que je serai président, personne ne recevra de promotion simplement parce qu'il est Canadien français. Il devra être quelque chose de plus[21].»

Ces commentaires ne firent qu'envenimer la situation. «On nageait dans l'absurde: Gordon, un décrocheur qui n'avait même pas fini son secondaire, affirmait qu'il faudrait 10 ans pour que des diplômés universitaires québécois soient prêts à occuper des postes de direction dans une compagnie ferroviaire d'État, dont le siège se trouvait à Montréal!», conclut Graham Fraser, dans *Sorry, I Don't Speak French*[22]. Gordon fut brûlé en effigie, des protestations s'élevèrent au Québec et on manifesta sur la Colline du Parlement. Le gouvernement subit des pressions croissantes pour étudier de plus près la question du bilinguisme. Pearson constata que la popularité du Parti libéral au Québec était en chute libre. Quelques-uns de ses ministres du Québec s'étaient retrouvés englués dans des scandales (y compris Maurice Lamontagne) et les libéraux du Québec avaient été élus grâce à leur slogan nationaliste, «*maîtres chez nous*[23]».

Pearson prit la situation en main. En 1963, il donna le coup d'envoi à la création de la commission, laquelle rendrait un rapport bourré de recommandations dans tous les domaines possibles et imaginables. Elle était coprésidée par André Laurendeau, éditeur du *Devoir*, et A. Davidson Dunton, président de l'Université Carleton et ami de Léon Dion. Deux ans plus tard, en 1965, Pearson prendrait la décision de mobiliser «Les trois colombes du Québec», Pierre Trudeau, Gérard Pelletier et Jean Marchand, un peu comme Jean Chrétien inviterait Stéphane Dion et Pierre Pettigrew à Ottawa après le référendum de 1995. «Je me souviens de janvier 1965 comme si c'était hier», se remémore Peter Russell, qui fut informé des décisions de Pearson pendant qu'il mangeait à la cafétéria de l'université. Il réagit avec enthousiasme; les temps changeaient.

On ne peut pas dire que la création de la commission ait été un acte d'altruisme, car Pearson devait affronter une dure

réalité politique. Et pourtant, les recommandations univer-
selles qu'elle produisit en 1969 introduiraient des changements à l'échelle de tout le pays. Pour la première fois, on
disposait de preuves matérielles indiscutables du sort misé-
rable du Canada français. La *Loi sur les langues officielles* fut
adoptée et le Nouveau-Brunswick, qui avait déporté les
Acadiens deux siècles plus tôt, devint la première province
bilingue. Soudain, les Canadiens de langue française, y compris ceux du Québec, voyaient l'avenir s'ouvrir devant eux.
Ce n'était pas l'indépendance et ceux qui se battaient pour
cet idéal continueraient de le faire. Mais au Canada qui naîtrait des recommandations de la commission Laurendeau-
Dunton, l'érudit Stéphane Dion trouverait des raisons de
s'opposer aux arguments péquistes qu'il avait jadis adoptés,
aussi hésitants qu'ils eussent été.

La relation de Stéphane avec son père était complexe et le
demeurerait. Le nœud intellectuel du problème était la question séparatisme-fédéralisme, comme c'était d'ailleurs le cas
dans maintes familles du Québec. Peter Russell, qui appren-
drait à connaître les deux Dion, le fils mieux que le père, put
observer l'évolution progressive de leurs opinions au cours
des années. «Tous deux sont des penseurs redoutables», dit-
il. Léon, parce qu'il avait à son actif une longue liste de publications[24], comprenait mieux le Québec moderne. Russell
invita Léon à s'adresser à ses étudiants de l'Université de
Toronto, afin qu'ils comprennent comment la province «était
passée d'une société rurale, catholique, où les prêtres étaient
omniprésents, à un État laïque dans lequel était né un nouveau type de nationalisme québécois avec lequel il faudrait
compter» au Canada. Stéphane deviendrait une autorité en
la matière, mais selon Russell, c'était Léon qui avait posé les
premiers jalons. «C'est de son père que Stéphane tient sa
compréhension du nationalisme québécois.»

En 1976 cependant, cette compréhension se résumait à
une affiche de René Lévesque dans sa chambre et à une carte
de membre du PQ dans la poche.

~

Cette année-là réserverait une surprise. Le 15 novembre 1976, le Parti québécois remporta les élections au Québec. À l'aréna Paul-Sauvé, dans le nord de Montréal, l'euphorie régnait. Des partisans émerveillés se balançaient en chantant *Gens du pays*, l'obsédante ballade de Gilles Vigneault[25], qui était devenue l'hymne du Parti québécois, du nationalisme québécois, et ceux qui se trouvaient présents ce soir-là ne l'oublieraient jamais. La flamme clignotante de milliers de briquets éclairait des visages baignés de larmes. On eût dit un concert rock. Sur scène se trouvaient les vedettes, parmi lesquelles Claude Charron, Lise Payette, Camille Laurin et René Lévesque. Ils sautaient de joie et se donnaient de grandes accolades. «Je n'ai jamais pensé que je pourrais être aussi fier d'être Québécois que ce soir[26]!»

Stéphane Dion fit la fête avec ses amis à Québec. «Nous étions tous chez moi et nous avons organisé une grande célébration», se souvient Guy Lévesque, avocat solidement bâti, qui deviendrait ultérieurement libéral et rirait de son enthousiasme juvénile pour l'indépendance[27]. «Pendant ces années-là – et nous étions encore seulement en deuxième année d'université – il était normal de se réjouir des résultats. Le gouvernement provincial (Bourassa) était très impopulaire, souvenez-vous, et le résultat des élections a surpris tout le monde. Pour la province, cela a été une immense explosion de joie. [...] Nous étions dans la salle de séjour [...] et je me souviens que nous nous sommes tous mis à hurler.»

Les Québécois finiraient par aimer Lévesque, mais ses relations avec le reste du Canada seraient toujours cahoteuses. C'était un homme de petite taille, qui sentait le tabac et rabattait maladroitement quelques mèches sur sa calvitie naissante. Il avait les doigts irrémédiablement tachés de nicotine, la voix toujours rauque, et il semblait constamment fripé, comme s'il venait de se lever du lit ou d'une table de black-jack. Mais il fut aussi l'un des chefs politiques les plus charismatiques de son temps, voire de tous les temps. En ce 15 novembre, il mit à rude épreuve les nerfs d'Ottawa.

La bande dessinée *Aislin*, dans la *Gazette* du lendemain, mit le doigt dessus. Lévesque était représenté debout, une cigarette en train de brûler entre les doigts de sa main tendue : «OK, tout le monde, prenez donc un valium.»

~

Léon Dion était plus préoccupé par les dispositions *séparatistes*[28] de son fils qu'il ne le laissait entrevoir. Lorsque Stéphane était encore adolescent, son père avait demandé à John Meisel, ami intime et politicologue, de lui parler. «Stéphane était très indépendant et Léon voulait qu'il rencontre un anglophone qui connaissait bien le Québec [...] et qui n'était pas un monstre, explique Meisel. Je ne sais pas dans quelle mesure mes paroles ont porté. Il s'est montré extrêmement poli, mais peut-être pensait-il que j'étais simplement un Anglo un peu timbré[29].»

Dans les années 70, Léon traversait une période difficile à l'Université Laval. Il n'était plus en vogue. «N'étant ni marxiste ni indépendantiste, il entretenait des relations houleuses avec certains étudiants», se souvient Stéphane. Les classes regorgeaient de jeunes Québécois remplis de ferveur pour un Québec indépendant, de préférence un État marxiste. Léon Dion discutait de Marx avec des étudiants qui n'en savaient pas grand-chose, ce qui ne les empêchait pas de douter de leur professeur. Léon était un libéral, mais «il m'a appris à être conscient d'autres opinions, estime Stéphane. Il faut toujours être prêt à changer d'avis lorsqu'on entend un bon argument. Mais il ne faut pas changer d'avis parce qu'on est le seul».

Malgré tout, ce ne serait pas Léon qui ferait changer son fils d'avis sur la question. Ce serait le démon du rhum.

Pendant la campagne provinciale de 1976, Stéphane faisait du porte-à-porte. Un jour, alors qu'il entrait chez un couple, l'homme s'exclama : «Oh! Vous êtes séparatiste! Je veux justement discuter avec vous.»

Il était environ 19 h 30. L'épouse offrit l'apéritif à Stéphane, un verre de rum-and-coke. Et puis un autre... Encore un autre... Jusqu'à ce que trois heures plus tard, Stéphane sorte de là en titubant.

«J'étais complètement soûl», raconte-t-il. En partant, il s'est retourné vers son hôte: «Ma foi, vous avez peut-être raison...»

Il ne se souvient pas d'être rentré chez lui. Il fut malade toute la nuit et «depuis, je ne suis plus indépendantiste... Je ne suis pas non plus capable de regarder un rum-and-coke».

~

Des années plus tard, cette anecdote semblerait un peu trop facile, peut-être le moyen choisi par un politicien fédéral pour esquiver les embûches d'un passé de séparatiste. Pourtant, elle est véridique, même s'il faut l'interpréter au sens figuré. Cette nuit-là, la tête penchée au-dessus des toilettes ou, progressivement, au cours des années suivantes, il finit par se rendre compte qu'il préférait le rôle du savant à celui du politicien. Il ne ferait pas de politique, il se contenterait d'observer froidement la situation. Son père l'avait initié aux penseurs et aux chroniqueurs libéraux de l'État occidental moderne, de John Stuart Mill (*De la liberté*) à Alexis de Tocqueville, qui avait analysé la bouillonnante, l'accueillante démocratie d'une jeune Amérique orientée vers le capitalisme et l'individu[30]. À choisir, le jeune Stéphane décida qu'il était «surtout un universaliste».

Il ne peut pas préciser à quel moment il cessa d'adhérer au PQ. Mais, en qualité d'«universaliste» de fraîche date, il orienta son attention clinique vers le Parti québécois pour sa thèse de maîtrise à l'Université Laval[31]. Il étudia l'historique du PQ tout au long de trois élections et analysa la contradiction des sociétés politiques: le désir de victoire à court terme allié aux objectifs et aux aspirations de longue haleine. La raison d'être du PQ depuis 1968 avait été l'indépendance. Les durs du parti voulaient faire comprendre au public qu'une victoire péquiste serait immédiatement suivie d'une annonce de la séparation. Pas si vite, disaient les pragmatiques, parmi lesquels René Lévesque, qui militaient plutôt en faveur d'une démarche progressive – «l'*étapisme*[32]» – pour ne pas effrayer les électeurs. Les pragmatiques l'emporteraient.

D'une campagne à l'autre, le PQ modifia peu à peu son discours politique : de l'indépendance pure et simple en 1970, il passa à l'indépendance alliée à un bon gouvernement en 1973, pour aboutir à un changement de gouvernement et non de pays en 1976. Robert Bourassa devait être battu, Jacques Parizeau ferait le meilleur ministre des Finances et la souveraineté du Québec ne se profilerait à l'horizon qu'après un référendum. «Nous avons vu comment, afin de se rapprocher du pouvoir, le PQ mit en veilleuse son projet indépendantiste et insista plutôt sur d'autres aspects plus rassurants de son programme électoral[33]», écrivit Stéphane Dion en 1979, trois ans après avoir fêté le 15 novembre à titre de militant du PQ. C'était une analyse de la manière dont les partis politiques préfèrent remporter les élections, plutôt qu'une victoire morale.

«Je n'écrirais peut-être pas la même chose aujourd'hui, mais pour un jeune étudiant de 24 ans, j'imagine que c'était bon puisque j'ai obtenu ma maîtrise», dirait-il dans sa première analyse de la manière dont le pouvoir fonctionne au sein d'une organisation. Ce sujet continuerait de le fasciner et demeurerait le thème central de sa recherche. De nombreuses années après avoir obtenu sa maîtrise, cette analyse du pouvoir au sein d'une autre organisation, la bureaucratie fédérale, épargnerait à un ministre débutant d'être dévoré tout cru par les mandarins de la Colline du Parlement.

Léon était fier de lui. Il n'avait plus besoin d'exhorter son fils indiscipliné : «Il faut que tu te réveilles!»

~

Stéphane Dion travaillait encore à sa maîtrise, en 1978, lorsque sa vie changea radicalement. Par une chaude soirée de mai, il était installé à son pupitre, dans sa chambre située au sous-sol de la maison, lorsque son ami, le robuste Guy Lévesque, dévala l'escalier en compagnie de sa petite amie, Céline Tremblay. Tous deux voulaient emmener Stéphane à un anniversaire.

Il n'y avait pas très longtemps que les filles tenaient une place dans sa vie. Stéphane avait toujours eu beaucoup d'amis, mais il n'avait jamais véritablement prêté attention à la gent féminine avant que le cégep qu'il fréquentait devienne mixte, au début des années 70. Nous étions très curieux, expliqua son condisciple Laurent Arsenault. Nous grandissions. [...] Stéphane ne faisait pas exception[34].» Il rappela qu'en 2006, *La Presse* avait posé des questions saugrenues aux candidats à la tête du Parti libéral. À Stéphane Dion, on avait demandé quel était son mot favori. «*Femme*[35]» avait été la réponse.

Mais en 1978, il n'avait pas encore eu de relation sérieuse. «Rien de spécial.»

Guy et Stéphane pouffèrent de rire lorsqu'ils se virent ce soir-là. Ils avaient tous les deux l'air de rats qu'on avait rasés. Sans se consulter, ils s'étaient rasé la barbe et coupé les cheveux.

– Stéphane, allons-y, s'exclama Guy. Nous avons besoin de sortir, nous avons besoin de nous amuser. Nous avons surtout besoin de prendre un verre!

– Oh... Non! J'ai vraiment trop de travail, répondit l'autre, comme à l'accoutumée.

Mais le couple ne l'écouta pas. Guy souleva Stéphane de sa chaise et lui fit grimper l'escalier de force.

«S'il n'avait pas fait ça, je n'aurais jamais rencontré Janine», admettrait Stéphane Dion, des années plus tard.

Près de 200 personnes avaient été invitées au barbecue, mais c'était la première fois que Stéphane remarquait Janine Krieber. Pourtant, elle aussi faisait des études supérieures en sciences politiques. Elle avait 23 ans, soit neuf mois de plus que lui. C'était une jeune femme dynamique, au visage triangulaire et dont les cheveux bouclés tombaient en cascade jusqu'à la taille. Son sourire était éblouissant. Elle parlait d'une voix si douce qu'il dut se pencher pour l'entendre.

«Nous étions à l'aise ensemble, dit-il, peut-être parce que nous avions tous deux des origines en partie européennes.»

Janine venait d'Alma, dans le Saguenay, ce magnifique fjord précambrien qui s'ouvre sur la côte nord du Saint-Laurent où, chaque été, les baleines nagent et les dauphins font la course avec les bateaux qui transportent les touristes. Son père Hans, originaire de Carinthie, en Autriche, avait été mobilisé par la Wehrmacht pendant la Deuxième Guerre mondiale et envoyé sur le front de l'Est. Il disait que son propre père avait été expédié à Dachau, mais Janine n'avait jamais appris les détails. Hans Krieber était photographe. Après la guerre, il avait obtenu un emploi à Alma, où il avait fait la connaissance de Thérèse Gagné, qu'il avait ensuite épousée. Ils avaient eu trois enfants, Janine, Michel et Édith.

Janine était une enfant tranquille, passionnée de lecture. Elle rêvait d'aventure et adorait aller camper, ou bien nager et faire de la voile sur le lac Saint-Jean, tout proche. La région était un paradis pour les enfants. Janine avait été à l'école des Sœurs de la Congrégation de Notre-Dame (l'équivalent féminin des Jésuites). Elle avait étudié les beaux-arts et, après l'installation de la famille à Québec, était entrée à l'Université Laval. Elle s'était spécialisée en relations internationales, ce qui l'avait décidée à faire des études supérieures sur les groupes révolutionnaires. Un professeur lui avait demandé de traduire un article, paru dans un journal allemand, sur l'enlèvement de l'industriel Hans Martin Schleyer par les terroristes de la «Bande à Baader[36]» et elle avait décidé d'étudier cette question dans sa thèse de maîtrise. L'idée était simple: «Comment des gens normaux, tels que vous et moi, de bons étudiants inscrits dans de grandes universités, membres de la classe moyenne, instruits et cultivés, peuvent se transformer du jour au lendemain en assassins[37].»

En cette chaude soirée printanière de 1978, elle travaillait encore à sa thèse lorsqu'elle fit la connaissance de Stéphane. Elle décortiquait la théorie selon laquelle des jeunes gens ordinaires peuvent devenir des tueurs en militarisant leur univers et en se considérant comme des soldats en période de guerre. Il est probable qu'elle dut lui faire part de ses idées ce soir-là. Ils semblent avoir été suffisamment à l'aise l'un avec l'autre pour pouvoir discuter de tout.

« Il avait quelque chose de différent des autres. » Elle, contrairement à lui, l'avait déjà remarqué. Immédiatement, elle constata que son apparence avait changé. « Il était si mignon débarrassé de tous ces cheveux. [...] Je suis tombée amoureuse de lui. »

Et vice versa. « Nous sommes tombés amoureux l'un de l'autre ce soir-là », déclare-t-il.

Ils quittèrent la fête ensemble. Ils continueraient d'habiter chez leurs parents respectifs pendant encore un an, mais on peut dire que leur union date de ce moment-là. Pendant l'été, ils visitèrent la Gaspésie. En attendant de parcourir ensemble le monde entier.

« C'est sûr, ils sont très différents, mais en même temps, ils sont très complémentaires. Et la meilleure preuve, c'est la durée de leur union », observera leur ami Jean-Philippe Thérien, près d'un quart de siècle après avoir fait leur connaissance à Paris, en 1982. « Janine est quelqu'un qui partage avec Stéphane un goût très prononcé des questions intellectuelles. [...] C'est une femme, donc, qui a fait un doctorat à Sciences Po, etc., alors, c'est pas n'importe qui, là[38]. »

Janine possédait d'autres qualités qui avaient sûrement dû attirer Stéphane Dion. Elle venait d'une famille dans laquelle les filles étaient traitées de la même manière que les garçons. Elle voulait être pilote, mais finirait par faire carrière dans l'étude des mouvements terroristes, dont elle deviendrait une spécialiste de renommée internationale. Janine était une femme forte… Et Stéphane se sentait particulièrement à l'aise en compagnie des femmes fortes.

Tout comme Denyse Kormann avait pris la vie de Léon Dion en charge, Janine Krieber prendrait celle de leur fils en charge. Ils deviendraient des partenaires, au sens premier du terme, et il est difficile d'imaginer le succès de la vie de Stéphane sans la présence de Janine à ses côtés. Et vice versa.

«Ce qui les sépare, ce qui les distingue, c'est que [...] Janine est plus concrète que Stéphane», affirme Thérien, professeur de sciences politiques à l'Université de Montréal, qui étudiait à Paris lorsqu'il fit la connaissance du couple. *Concrète*[39]. Euphémisme plein de tact pour dire que Stéphane a parfois tendance à trébucher dans la vie quotidienne. Que fait-elle donc qu'il ne fait pas? «Eh bien, reprend Thérien, faire à manger, s'occuper de la décoration dans une maison, s'occuper de la voiture, changer une ampoule! La gestion d'une maison...»

Il se souvient du jour où Stéphane et Janine, tous deux jeunes professeurs, l'avaient aidé à emménager dans un nouvel appartement de la rue Hutchison, à Montréal. «Quand nous avons fait le déménagement, ce n'est pas Stéphane qui a porté les boîtes. [...] C'est quelqu'un qui n'a pas beaucoup de sens pratique.»

~

Pendant les derniers mois de leurs études à l'Université Laval, ils terminèrent chacun leur maîtrise et se mirent à discuter de l'avenir. Tous deux voulaient aller faire leur doctorat au prestigieux Institut d'études politiques à Paris, renommé en Sciences Po. (Qui en eut l'idée? Sait-on seulement?) Janine voulait étudier avec un spécialiste de l'Allemagne, Alfred Grosser, tandis que Stéphane espérait travailler avec le sociologue français Michel Crozier, qui avait été le premier à entreprendre l'analyse du pouvoir dans les organisations et partageait son année d'enseignement entre Sciences Po et Harvard. Stéphane avait déjà pris le café avec lui, dans le Quartier latin de Québec, et le premier contact s'était révélé positif. Crozier lui avait affirmé attendre sa venue.

Léon Dion avait toujours insisté sur l'importance du choix d'un mentor. C'était l'un de ses principes fondamentaux, le second étant: «Il faut commencer à publier jeune, sinon ça devient traumatisant.»

Ce à quoi Léon n'avait jamais pensé, c'était que son fils irait chercher ce mentor à Paris! L'idée ne lui plaisait pas du tout. «Il voulait que je devienne complètement bilingue, mais je n'y suis jamais arrivé. J'ai encore du mal aujourd'hui», affirmera son fils peu après avoir remporté la course à la direction du Parti libéral en 2006. «Il m'a également expliqué que dans le monde universitaire du Canada anglais ou des États-Unis, quiconque allait faire des études en France se retrouverait automatiquement exclu.»

Stéphane s'en moquait. Crozier était le meilleur à ses yeux. Quant à l'anglais, il s'en préoccuperait plus tard.

Le couple s'envola pour Paris en septembre 1979 et ne reviendrait pas avant 1983. Peu avant le départ, le père de Janine fut tué dans un accident de voiture. Elle avait hérité de son amour de la photographie, c'était le conteur de la famille, le dépositaire des légendes et il lui manquerait terriblement.

Un séjour à Paris ferait le plus grand bien à Janine.

~

Pour Janine, la ville tint toutes ses promesses. Même le bourreau de travail avec lequel elle vivait ne pouvait demeurer insensible au rythme, au mystère et au romantisme de Paris. «Ah, mes souvenirs!», se remémore Janine, le regard rêveur, assise dans sa cuisine de Montréal en 2007, une cigarette à la main. «C'était une vie dépourvue de responsabilités. Nous sommes allés en Autriche et en Allemagne à quelques reprises. Nous avons visité la France, du nord au sud. [...] Mais je crois que mes meilleurs souvenirs sont ceux de moments passés avec les amis. Nous étions seuls, nous n'avions pas de famille très proche – les belles-mères étaient loin.» Elle rit. «C'est avec l'aide des amis que nous devions résoudre les problèmes.»

Stéphane et elle avaient loué à Montmartre un petit appartement au loyer extrêmement modique, qui appartenait à une fonctionnaire des Nations Unies à la retraite. Montmartre était un quartier cosmopolite et coloré. L'appartement se trouvait à proximité de la place Pigalle et du quartier chaud. Les danseuses de cancan, au Moulin-Rouge, étaient leurs voisines. Certains appartements valaient des millions, tandis que d'autres, dans des immeubles à peine salubres, n'étaient même pas équipés d'eau chaude. C'était là que les revendeurs de drogue se tenaient. «À quelques pâtés de maison des appartements où vivaient les gens les plus riches de Paris, on pouvait voir passer des prostituées. À quelques pas de là, vers l'est, se trouvait le quartier le plus pauvre de Paris, la Goutte-d'Or.»

Le couple n'avait pas beaucoup d'argent. (Janine avait réussi à obtenir de modestes bourses pour chacun d'eux auprès du Conseil canadien de recherches en sciences humaines.) Néanmoins, ils se débrouillaient très bien. Ils allaient à pied ou prenaient l'autobus. Et puis après? C'était Paris!

Janine se sentait libre de tout souci. Un matin, alors qu'elle marchait vers l'arrêt d'autobus pour se rendre à Sciences Po, passant devant les bars et les prostituées qui attendaient là, un homme l'interpella: «*On engage, Mademoiselle*[40]?» Elle éclata de rire, persuadée qu'il s'agissait d'une plaisanterie.

Ils n'avaient pas les moyens d'aller au restaurant, mais cela n'avait guère d'importance. Ils étaient souvent invités à manger par la famille française de Stéphane et, en particulier, par son oncle maternel, Lucien Biroulès, qui avait fait partie de la Résistance et était président de l'Association des anciens combattants du XVIIIᵉ arrondissement. Tout le monde répétait à Stéphane qu'il était le portrait craché de sa grand-mère, Marie-Thérèse.

Janine adorait cuisiner. Elle sortit son livre de Paul Bocuse et les recettes de sa mère. Sa spécialité était le cipaille du Lac-Saint-Jean, ragoût de savoureux morceaux de viande recouverts d'une pâte brisée légère comme une plume. Elle préparait d'excellentes omelettes aux pommes de terre sautées et aux légumes frais. Elle servait des plateaux de fromage et du vin aux petites réunions d'amis que le couple organisait de temps à autre.

Paris regorgeait de Québécois qui discutaient avec nostalgie des événements du moment: la guerre froide, l'unification de l'Europe, la victoire que le socialiste François Mitterrand avait remportée de justesse aux élections de 1981 sur le président sortant de droite, Valéry Giscard d'Estaing. Janine jugeait d'un œil favorable les mesures prises par Mitterrand, la nationalisation des banques, l'augmentation des prestations d'assistance sociale. «Lorsqu'on est jeune, lorsqu'on étudie les sciences politiques, on est forcément de gauche, car on croit au progrès social», dit-elle.

∾

Chaque année, Janine devait aller faire la queue pour obtenir le renouvellement de son permis de séjour et d'études. C'était une corvée à laquelle Stéphane, doté d'un passeport français, n'avait pas à se soumettre. Mais tout le monde se rendait compte qu'il était Canadien dès qu'il ouvrait la bouche. L'accent, naturellement. «Les gens étaient étonnés d'apprendre que ma mère venait de Paris.»

Ah, oui! *Le snobisme*[41]...

«Il est difficile de convaincre les Français de vous prendre au sérieux lorsque vous parlez avec un accent canadien, expliqua-t-il. La première fois, ils n'écoutent pas vos paroles, seulement votre accent.»

Et les Parisiens, persuadés que leur français était supérieur à celui des provinciaux, pouvaient se montrer extrêmement désagréables. Au bout d'un certain temps, la situation s'améliora pour Stéphane à Sciences Po. C'était un bon chercheur, qui étudiait avec un érudit très respecté, Michel Crozier. «Mais au début, c'était seulement: "Oh, comme il est mignon, son accent...!"»

Une chose ne changerait toutefois jamais.

En France, on ne cessa jamais de rectifier son français. «Mais je savais, dès le départ, que ce serait comme ça[42].»

∾

Dire que Stéphane travaillait beaucoup serait un euphémisme. Son directeur de thèse, Michel Crozier, avait fait de l'étude sociologique des organisations une véritable discipline, pour laquelle il avait élaboré un modèle. Son œuvre fondamentale, *Le phénomène bureaucratique*[43], décrit une culture organisationnelle qui prend de l'expansion parce que les gens craignent les confrontations et mettent sur pied une bureaucratie complexe dans le but de les éviter. La haute direction se sent de plus en plus protégée au fur et à mesure que la bureaucratie devient de plus en plus opaque[44].

Néanmoins, Stéphane jugea les théories sociologiques de Crozier un peu trop optimistes. L'élément crucial, c'était le pouvoir, et «le pouvoir fait partie de la vie, ce n'est pas quelque chose de bon ou de mauvais, expliqua-t-il. L'usage du pouvoir, c'est ce qui différencie les sociétés humaines des animaux, qui, eux, agissent par instinct. Les humains passent leur temps à prendre la mesure les uns des autres: je ne sais pas ce que tu vas faire, tu ne sais pas ce que je vais faire. Ce sont ces manœuvres perpétuelles pour prendre le dessus qui rendent la vie intéressante».

Il avait déjà décidé que sa thèse porterait sur la France. «Lorsqu'ils viennent faire leurs études en France, beaucoup de Québécois commettent l'erreur de demander à des professeurs français de diriger une thèse sur un sujet purement canadien ou québécois. Mais les profs français ne connaissent rien à ces questions.»

C'était une idée judicieuse. Son ami Denis Saint-Martin[45] estime que la décision de Stéphane, d'étudier sous la houlette de Crozier, allait déjà «à contre-courant» et démontrait que Stéphane Dion était bien «*the archetype of underdog*[46]».

Bien des années plus tard, dans son bureau du Département de science politique de l'Université de Montréal, Saint-Martin résumera la démarche habituelle des intellectuels francophones du Québec qui allaient en France, dans les années 70 et 80, pour suivre les cours des sociologues de gauche. Mais Michel Crozier n'était pas un intellectuel de gauche. «Il n'était pas de droite non plus, mais il n'était pas de gauche. C'était aussi quelqu'un qui avait été critique de mai 1968, de la révolte des étudiants en France. [...] Alors que toute la gauche avait dit: *"Oh, wow this is wonderful*[47]*!"*Donc, ça montre que, déjà, Dion était quelqu'un qui n'aimait pas être dans le *mainstream*[48], hein?»

Jean-Philippe Thérien, qui deviendrait lui aussi professeur de science politique, estima qu'il fallait avoir «une certaine confiance en soi pour aller en France, expliquer aux Français comment fonctionnait la politique française». C'était, dit-il, «audacieux, mais parfaitement en ligne avec sa personnalité».

~

Sous la houlette de Crozier, Stéphane choisit d'étudier quelques communes socialistes et communistes qui encerclaient Paris et qui, au début des années 80, perdaient peu à peu leurs pouvoirs sous le gouvernement socialiste de Mitterrand. Il s'entretint avec les gens sur leur vie quotidienne, leurs conditions de travail, la manière dont ils résolvaient leurs problèmes et leurs différends idéologiques. Il y retrouva en fin de compte les caractéristiques de la plupart des systèmes politiques: le copinage, le clientélisme, les mesures symboliques et les gens qui s'efforcent de faire tout simplement leur travail[49].

Cette recherche serait, comme il l'exprimerait plus tard, «une bonne leçon de vie».

«Pourquoi étudies-tu cela?», lui demandaient ses amis québécois. Pourquoi ne pas choisir un sujet plus intéressant? Le Moyen-Orient, par exemple. Des sujets importants! Mais Stéphane secouait la tête. «Je voyais tous ces petits débats dans des banlieues où personne ne voulait aller parce qu'elles étaient laides, surtout lorsqu'on les compare avec Paris. [...] Pour moi, c'était un sujet fascinant. Lorsque nous partons étudier dans un pays, c'est justement pour étudier ce pays et non parce que nous nous imaginons qu'il nous aidera à étudier le nôtre.»

Dans ces banlieues, il vit croître le ressentiment contre les populations immigrantes. C'est là que, plus de 20 ans plus tard, à l'automne 2005, cette poudrière exploserait en émeutes raciales. «J'ai vu s'éveiller le racisme et l'anxiété de ces ouvriers qui considéraient leur mode de vie comme menacé par une immigration sur grande échelle et une nouvelle religion. L'existence était plus dure pour eux que pour les habitants du merveilleux paradis qu'était la ville de Paris. [...] J'ai vu que les Parisiens ne comprenaient pas. [...] J'ai vu les communistes commencer à perdre leur foi dans le communisme.»

∼

Stéphane travaillait si fort qu'il faillit y laisser la vie. Au sens propre.

– Janine, je ne me sens pas bien, dit-il un jour.

Mais il continua à travailler. Depuis quelque temps, il prenait des médicaments pour soulager des maux d'estomac. Il avait beau augmenter régulièrement la dose, rien n'y faisait.

– Bon, voilà que je ne peux plus travailler, annonça-t-il. Je dois me reposer cinq minutes.

Il n'arrivait même plus à se lever de son lit.

– Il faut voir le médecin, décréta Janine, qui l'emmena aussitôt à l'hôpital, où l'on découvrit que son appendice avait éclaté.

Il survécut après avoir été opéré d'urgence.

∼

Il finit par remettre sa thèse à Crozier qui, deux semaines plus tard, le convoqua à son bureau.

– C'est excellent, le rassura aussitôt le sociologue.

Mais il expliqua ensuite à Stéphane que ce n'était que le début. Il attendait que son étudiant fasse ensuite un doctorat d'État. En France, à l'époque, il y avait deux doctorats, l'ordinaire et l'extraordinaire.

– Encore un an, estima Crozier d'un ton jovial.

– Mais pourquoi, gémit Stéphane, il est temps que je rentre. Nous n'avons vraiment plus d'argent. De toute façon, personne au Canada ne sait ce qu'est une thèse d'État. Soit on a son doctorat, soit on ne l'a pas. Personne ne connaît la différence!

Il se disait également que, même en France, cela ne devait guère compter. Après tout, les gens qui avaient obtenu le doctorat ordinaire n'avaient sans doute pas la moindre envie que l'on sache qu'il existait un diplôme encore plus prestigieux. Mais pourquoi donc tout est-il si compliqué en France?, se demandait-il.

– Si ma thèse est bonne, donnez-moi mon doctorat, dit-il à Crozier.

– Pas question, répondit le professeur, imperturbable. Nous n'allons pas laisser passer cette occasion. Maintenant, voici ce que je suggère pour l'améliorer…

Et Stéphane resta un an de plus.

≈

Le travail porta ses fruits. En avril 1983, Stéphane soutint avec succès sa thèse (en sociologie), durant une séance d'une demi-journée à Sciences Po. Cette année-là, il reçut même la médaille de bronze du Centre national de la recherche scientifique. C'était la distinction la plus élevée que le centre pouvait accorder à un étudiant pour sa thèse. La médaille d'or était réservée à un professeur chevronné qui avait à son actif une longue liste de publications; la médaille d'argent était décernée à l'auteur du meilleur livre de l'année.

Léon et Denyse Dion étaient venus assister au triomphe de leur fils et ils restèrent un an à Paris. Ils ont repris l'appartement du jeune couple, ce qui a permis à Léon de faire des recherches à la Sorbonne.

Crozier rédigea la préface du livre que publia Stéphane Dion à partir de sa thèse de doctorat. Le grand sociologue dit son admiration pour les gens qui avaient parlé avec franchise de leurs problèmes, «particulièrement en période de grande tension». Son étudiant, ajoute-t-il, n'avait pas montré «d'attirance particulière pour l'idéologie de la gauche» et, malgré cela, les gens n'hésitaient pas à se confier à lui parce qu'il faisait preuve d'une sympathie «plus profonde et plus humaine» que la sympathie politique et avait gagné leur confiance et leur amitié[50].

Il poursuit: «Stéphane Dion est Québécois. Son origine et sa culture lui donnent vis-à-vis de la France un très intéressant recul, fait d'un mélange de proximité et d'éloignement. Ce Huron-là nous est tout proche; il comprend toutes nos passions à la nuance près. Mais il est en même temps vraiment Nord-Américain, suffisamment éloigné ainsi pour garder en revanche une insatiable curiosité pour des sujets d'observation, si triviales que puissent être leurs activités. Sa forte culture sociologique et politique, enfin, l'aide à découvrir dans les petites disputes bureaucratiques des Clochemerles[51] français les problèmes de fond de l'administration et de la politique qui, depuis Machiavel, préoccupent tous les penseurs politiques[52].»

≈

Pendant les quatre ans passés à Paris, Stéphane Dion s'était senti bien loin de tout ce qui agitait son pays. Il avait mis de côté le séparatisme de ses années d'adolescence pour devenir le scientifique objectif et impartial qu'il voulait être. Pourtant, durant son absence, s'était déroulé l'événement le plus important pour le Québec, le référendum du 14 mai 1980.

Les Québécois devaient répondre par «oui» ou «non» à une simple question: donnaient-ils au Parti québécois le mandat de négocier une séparation du Canada? Soixante pour cent répondirent par la négative.

À Québec, Léon Dion, le fédéraliste qui avait travaillé pour la commission Laurendeau-Dunton, vota «oui». Comme son fils l'expliquerait plus tard, c'était «pour des motifs

stratégiques», afin de donner au Québec un pouvoir de négociation avec le gouvernement fédéral[53]. Léon donna ses
raisons dans un livre publié à la veille du référendum[54]. Il
n'était pas devenu séparatiste, loin de là, mais il commençait
à repenser le fédéralisme et la place du Québec au sein du
Canada. Son fils demeura en dehors du débat.

Avec Janine, Stéphane se rendit à l'ambassade du Canada,
avenue Montaigne, et, un peu plus tard, à la Délégation
générale du Québec, rue Pergolèse. «Mes amis pleuraient
parce que le "oui" avait perdu. Nous formions un réseau très
nationaliste, comme vous pouvez l'imaginer chez un groupe
d'étudiants en sciences sociales, en France, déclara-t-il. Moi,
j'analysais. J'étais fier de ne pas ressentir d'émotion profonde.
Je n'étais ni pro-Canada ni pro-séparation.»

Sur le plan politique, il savait ce qu'il n'était pas. Ce qu'il
ne savait pas encore, c'est ce qu'il était.

CHAPITRE 3

Un Dion, ça suffit!

La coupole de l'oratoire Saint-Joseph est un élément familier et rassurant du paysage montréalais. À une certaine heure de la journée, on pourrait facilement se croire à Florence. Vers le crépuscule, les douces nuances rosées de la montagne embrumée font penser à l'Italie. L'Oratoire inspire à la réflexion et remplit bien son rôle de point culminant de l'Université de Montréal, dont le vaste campus s'étend en contrebas. Le pavillon sis au 3200, Jean-Brillant donne sur les pierres tombales du cimetière Notre-Dame-des-Neiges et, au-delà, sur le magnifique Oratoire.

Le chemin de la Côte-des-Neiges serpente à flanc de colline, depuis le centre-ville jusqu'à l'université. Le quartier est dynamique et vivant. C'est cette animation perpétuelle qui attire les Montréalais. Le Département de science politique est situé au quatrième étage du 3200, Jean-Brillant. Le bâtiment lui-même est plutôt laid, mais lorsqu'un cours se termine, les étudiants s'agglutinent dans la cour intérieure, même en hiver, pour bavarder ou griller une cigarette. Dans le quartier abondent les restaurants bon marché et les cafés. Une station de métro dessert des rues résidentielles bordées de charmantes maisons anciennes ou de petits immeubles de deux ou trois étages. À midi, les cloches de Notre-Dame-des-Neiges se superposent à tous les bruits du quartier, à l'exception du bourdonnement de la circulation automobile.

Pendant six ans, dans les années 80, le Département de science politique serait au cœur de la vie de Stéphane Dion. Après une année sabbatique, le pavillon redeviendrait son lieu de travail dans les années 90, mais de grands changements se seraient produits entre-temps. Il ne serait plus le professeur effacé d'administration publique, désireux de se tailler un créneau dans une discipline dominée par son célèbre père et de se tenir loin des rebondissements de la question Québec-Canada. Au contraire, il se trouverait au centre d'une tourmente politique et, dans l'ensemble, se sentirait à l'aise dans son rôle.

Mais revenons aux années 80.

~

De son minuscule bureau, au quatrième étage, le jeune professeur ne jouissait pas de la superbe vue sur l'Oratoire. De l'autre côté des minces fenêtres verticales se trouvait un mur de brique, percé d'autres fenêtres verticales. La porte s'ouvrait sur un long corridor étroit, plutôt obscur. De fait, on avait l'impression que le bâtiment avait été conçu pour laisser pénétrer le moins de lumière naturelle possible. Mais la porte du bureau était toujours ouverte aux étudiants. Stéphane Dion, bien que croulant sous les piles de paperasses et de livres, était un professeur accessible. Ce qui n'était pas le cas de tous ses collègues.

Il vivait dans un petit appartement d'Outremont avec sa conjointe, Janine Krieber, et invitait souvent ses étudiants diplômés à manger ou à venir prendre un verre de vin, le soir. Janine avait obtenu un emploi au Département de science politique de l'Université Laval. La distance entre Montréal et Québec, soit 250 km, ne l'intimidait nullement.

Ils étaient revenus de Paris l'hiver précédent et Stéphane avait accepté un poste à durée déterminée à l'Université de Moncton, établissement de langue française. Sa candidature en Science politique à l'Université de Montréal avait suscité quelque confusion, car son doctorat d'État, le *nec plus ultra* des diplômes universitaires français, était en sociologie. Mais une fois qu'il eut rencontré les membres du comité de sélection à l'Université de Montréal, ils furent si impressionnés qu'ils annulèrent la période d'essai habituelle et l'embauchèrent sur-le-champ[1].

Stéphane avait eu 28 ans à l'automne 1984. Il avait rasé sa barbe de jeune rebelle et coupé les cheveux bouffants de l'étudiant parisien. Il avait l'air très professoral, les grosses lunettes rondes de l'époque sur le nez. Jeans, grosses chaussures et sac à dos complétaient sa tenue. En effet, les complets ne convenaient guère à sa silhouette osseuse et semblaient toujours trop grands pour lui.

Ses six mois à Moncton avaient commencé à lui enseigner la pédagogie, croyait-il. Son cours, «Introduction à la science politique», n'avait pas été du gâteau. «Pendant nos premières rencontres, j'aimerais vous faire connaître les pionniers de la science politique, les grands penseurs du passé.» Il avait tracé un bref portrait de Platon et d'Aristote avant de sauter allégrement à Karl Marx et à Max Weber.

La semaine suivante, des mains se levèrent.

«J'ai essayé de trouver les bouquins dont vous avez parlé. Ce Machiavel, c'est un Écossais?», s'enquit quelqu'un. «Marx Weber, c'est qui ça?», demanda quelqu'un d'autre.

Le jeune professeur comprit qu'il fallait ralentir et faire preuve de pédagogie. Au tableau, il écrivit: «Dé-mo-cra-tie.» Et il repartit à zéro.

«Je crois être clair et je dois beaucoup à mes premiers étudiants, conclura-il des années plus tard. Je savais que j'étais un bon chercheur. Je voulais devenir un bon prof[2].»

Son style ne plairait toutefois pas à tout le monde, d'autant plus qu'il devrait se montrer à la hauteur d'un prédécesseur redoutable, l'*autre* Dion.

≈

Stéphane Dion arriva plein d'enthousiasme à Montréal. Bien qu'il estimât avoir trois tâches à remplir, professeur, chercheur et érudit de renommée internationale, c'était la pédagogie qui lui tenait le plus à cœur et cela ne changerait jamais. Dix ans après avoir quitté sa profession, après être devenu ministre, député fédéral, chef de l'opposition officielle de Sa Majesté, il se froisserait si quelqu'un suggérait qu'il n'était pas un bon pédagogue.

En janvier 2007, un journaliste talentueux d'origine française, Benoît Aubin, publia un long article sur Stéphane Dion dans la revue *Maclean's*. Vu sous l'angle du nouveau couple politique, c'était un article positif. Mais il contenait une remarque d'un ancien étudiant de maîtrise, Denis Saint-Martin : «Ses cours recevaient des évaluations plus proches de C- que de A+[3].» L'auteur n'avait pas pour but d'émettre un commentaire négatif. Il insiste sur le fait que l'administration publique est, après tout, une matière «aride[4]».

Mais Dion en fut terriblement vexé ! Janine, qui faisait elle aussi l'objet de l'article, jugea favorablement le résultat. Elle admirait quiconque était capable d'écrire avec autant d'aisance dans deux langues[5]. Mais Dion s'en formalisa.

Pourtant, à ce stade, on avait écrit et dit tant de choses à son sujet, des choses fort désagréables, par exemple qu'il avait trahi le Québec. Le caricaturiste du quotidien *La Presse*, Serge Chapleau, l'avait représenté sous les traits d'un rat. Mais cela n'empêcha guère Dion d'être mortifié à l'idée que ses étudiants l'avaient peut-être considéré comme un prof ennuyeux.

En réalité, Denis Saint-Martin était un grand admirateur de Stéphane Dion, cela ressortait clairement de l'article. Mais il ne pouvait certes affirmer que son ancien professeur était le charisme personnifié. «C'était un bon professeur, qui expliquait clairement ce qu'il avait à dire, mais il n'avait pas plus de charisme qu'il en a aujourd'hui», déclara Saint-Martin, peu après la parution de l'article. Il voit cela comme un trait vraiment positif. «Parce que souvent, il y a des professeurs qui n'ont pas de choses intéressantes à dire, mais ils sont très charismatiques, ils sont très loquaces. Stéphane, lui, n'avait pas ça[6].»

L'administration publique traite principalement de la bureaucratie et ce n'était certainement pas le cours le plus populaire, surtout parmi les étudiants de première année. Dans l'amphithéâtre, Dion s'évertuait à conserver l'attention de 300 ou 400 visages tournés vers lui. Mais même devant une classe moins nombreuse, il éprouvait quelque difficulté. «Quand j'ai suivi mon premier cours avec lui, il était timide, très timide. Il était un peu gauche, mais sympathique», se souvient Saint-Martin, qui ferait une maîtrise sous la direction de Dion, serait son assistant de recherche et finirait par devenir, lui aussi, professeur d'administration publique.

Les deux hommes se lièrent d'amitié. «Il était très sensible, très chaleureux. Mais évidemment, si j'avais produit un travail jugé insuffisant sur le plan intellectuel, je ne suis pas sûr que nous aurions eu la même dynamique. Ce n'est pas un secret, tout le monde sait que Stéphane est une personne très cérébrale. Avec lui, on ne fait pas de *chitchat*[7].»

Son style pédagogique était clair et net, comme l'homme. Il décrivait l'objectif de chaque cours, en divisant la matière: A, B, C et D. Les étudiants qui aimaient prendre des notes détaillées étaient aux anges. «Stéphane était très bon pour rendre la matière très claire. Donc, un très bon pédagogue, conclut Saint-Martin. J'imagine que parce qu'il a grandi dans une famille de professeur, c'est assez naturel pour lui.»

Dès l'automne 1984, la rumeur commençait déjà à courir sur le campus: Stéphane était le fils de Léon Dion. Près de 15 étudiants de maîtrise se présentèrent à son premier cours, en curieux. La deuxième semaine, ils n'étaient plus que sept. «Ce qui leur a fait peur, c'était que M. Dion était très, très rigoureux, très exigeant, explique Patricia Bittar. Nous savions que dans ce cours, il faudrait travailler sérieusement.» Elle affirme avoir travaillé beaucoup plus énergiquement pour lui que pour tout autre professeur.

Dion se réjouissait de mettre en pratique la méthode d'«analyse stratégique» de son mentor, Michel Crozier. Il apprit à ses étudiants à analyser la manière dont le pouvoir fonctionnait dans les organisations. Dans le cas de Patricia Bittar, c'était le procédé de détermination du statut de réfugié. «Il était très, très présent.» Il attendait d'elle et des autres qu'ils étudient les questions de manière concrète, en allant interroger les gens et en essayant de comprendre comment tout fonctionnait. Plus tard, lorsqu'il fut élu député de Saint-Laurent-Cartierville, dans la grande région de Montréal, Patricia Bittar travailla dans le bureau de circonscription, et dut résoudre à maintes reprises les problèmes d'une population largement composée d'immigrants.

«Il demandait constamment: "Que s'est-il passé avec ce dossier? As-tu pu faire quelque chose pour Madame Unetelle? Comment pourrait-on aider cet homme? A-t-il pu faire venir ses enfants au Canada?"» En 2004, Patricia Bittar fut élue conseillère municipale dans le même arrondissement et dut s'attaquer aux mêmes problèmes. Elle estime que c'est Dion qui lui a inculqué sa réflexion stratégique et qu'il lui a enseigné à se concentrer sur une question. «De tous les professeurs que j'ai eus, c'est lui qui m'a appris le plus.»

André Bélanger pouvait se montrer avare de compliments. En 2007, cela faisait plus de 30 ans qu'il enseignait au Département de science politique et il estimait qu'une seule idée originale par an suffisait largement dans une université. À son avis, Stéphane Dion était un penseur original. «Sa recherche était très spécialisée et, souvent, s'articulait autour de thèmes très originaux. C'est lui qui m'a dit que le fédéralisme canadien n'était pas un type de fédéralisme centralisé. Au contraire, c'était l'un des moins centralisés. J'étais pourtant convaincu du contraire, non parce que j'avais étudié la question de près, mais parce qu'il était courant de réfléchir de cette manière. Il était allé à l'encontre de ce que pensaient tous les Québécois. C'est là sa force, il peut aller à l'encontre des idées reçues. C'est l'un des rares hommes que j'aie connus qui se concentre sur un sujet et parvient à en tirer quelque chose, envers et contre tout. Mais ce qui lui paraît évident ne l'est pas nécessairement pour ceux qui l'écoutent.»

~

Bien que Dion eût à cœur de devenir un bon professeur, ce n'était pas son seul but dans les années 80. La plupart des gens doivent se faire un nom. Lui, en revanche, devait se faire un prénom. Pas seulement Dion, mais *Stéphane* Dion. En outre, lorsqu'il entra dans la trentaine, il avait déjà commencé à faire son possible pour ne pas suivre l'exemple de son père. Il avait compris qu'être une réincarnation de Léon Dion pouvait présenter quelques inconvénients.

La scène politique connaissait des bouleversements. À Ottawa, se trouvait Brian Mulroney. Au Québec, René Lévesque n'était plus à la tête du gouvernement, Robert Bourassa avait fait un retour en force et le pays était sur le point de s'emmêler dans l'écheveau constitutionnel : Accord du lac Meech, d'abord, Accord de Charlottetown, ensuite, et toutes les angoissantes permutations et combinaisons des deux textes.

La situation s'était entièrement renversée entre le fils partisan et le père qui s'était autrefois consacré à appliquer consciencieusement la recherche universitaire à la politique publique, comme l'avaient démontré ses travaux pour la commission Laurendeau-Dunton. Léon Dion avait entamé la nouvelle décennie en votant « oui » au référendum du Québec, pour des raisons stratégiques. Avec les années, il s'enfonçait de plus en plus dans l'imbroglio du débat sur la séparation du Québec. Il voulait que son fils ait une autre vie.

« Mon père s'est trouvé handicapé par sa participation aux discussions Québec-Canada, au point d'y sacrifier la carrière internationale qu'il avait rêvé de poursuivre », expliquera Stéphane, des années plus tard. Lorsqu'il se remémore les nombreuses conversations qu'il eut avec son père à cette époque, ce dont il se souvient le plus clairement, c'est que Léon l'avait exhorté de ne pas se laisser piéger dans ce débat.

Père et fils étaient d'accord : « Un Dion, ça suffit ! »

Léon avait abandonné ses aspirations dans le domaine de la recherche. Voilà qui était très révélateur, lorsqu'on songe que sa carrière avait toujours été considérée comme réussie. Léon avait été une sommité.

«Je ne suis pas certain qu'il ait vraiment fait un choix, dit son fils. Je crois que c'est plutôt un résultat. Car il a toujours essayé de revenir à la recherche, mais il était prisonnier du rôle exigeant de Léon Dion, dans la question Québec-Canada.»

En d'autres termes, c'était l'impasse.

«Et j'étais bien résolu à ne pas tomber dans ce piège, mais à me concentrer sur mon travail de professeur d'administration publique.» Sa recherche serait solide, il appliquerait correctement la théorie du pouvoir au sein de l'organisation et le nom de *Stéphane* Dion deviendrait celui d'un savant respecté, bien loin du tohu-bohu parfois douloureux de la politique.

∾

C'est ainsi que Stéphane Dion évita la politique. Il ne vota plus pour le Parti québécois, mais pour Bourassa. Aux élections fédérales, il se mit aussi à voter pour les libéraux, mais il n'aimait guère discuter de ces questions. Il s'efforçait d'être apolitique dans l'université la plus politisée du Québec. Droit, Science politique et Sociologie avaient joué un rôle crucial dans l'essor intellectuel de la Révolution tranquille et avaient eu encore plus d'influence sur la formation du Parti québécois. Sur le campus se déroulaient toujours quelques rencontres liées au PQ et, au début des années 80, c'est là que se tinrent des ateliers en vue du Congrès du PQ, après que Pierre Trudeau et les autres premiers ministres eurent signé un accord constitutionnel en 1981 en l'absence de René Lévesque et du Québec.

Denis Monière était directeur du Département de science politique. Il avait fondé le Parti indépendantiste, soit un parti séparatiste plus extrémiste que le PQ. Il jugeait trop faible la politique du PQ et estimait que la Rébellion des patriotes en 1837 avait sonné l'arrêt de mort du Québec. Pourtant, il avait embauché Stéphane Dion. Mais, comme le fit remarquer

Denis Saint-Martin : « On voit que Stéphane ne pouvait pas se mêler des questions de politique québécoise ou canadienne. [...] S'il avait été fédéraliste, à l'époque, cela aurait été plus difficile[8]! »

Bien qu'il y eût quelques professeurs et étudiants dans le camp fédéraliste, à l'Université de Montréal, la vaste majorité croyait en l'indépendance du Québec. Les conversations, à la cafétéria, dans les couloirs, dans la cour bétonnée à l'extérieur du 3200, Jean-Brillant, portaient principalement sur les tenants et les aboutissants de la séparation, les avantages ou les inconvénients de la séparation ainsi que sur le moment choisi pour un nouveau référendum. Graciela Ducatenzeiler, politicologue, ultérieurement directrice du département, se souvient : « Tout le monde pouvait discuter franchement et l'atmosphère entre professeurs était civilisée. »

Mais Stéphane ne voulait pas discuter politique. Ses cours portaient sur l'administration publique et la théorie politique, non sur l'avenir du Québec et les débats intenses que ce sujet suscitait. Il préférait avoir des discussions plus générales sur l'actualité – bien que les nouvelles, au Québec, se soient surtout articulées autour des tensions entre le Québec et Ottawa – et parler des derniers exploits des Expos et des Canadiens. Selon Mme Ducatenzeiler, il était strictement interdit de discuter politique dans ses cours : « Chacun était libre d'avoir l'opinion qu'il voulait, affirmait-il, mais pas en classe[9]. »

∼

Dion avait également des recherches en chantier. Son père lui avait précisé qu'un doctorat obtenu en France ne vaudrait pas grand-chose en Amérique du Nord. Par là, Léon entendait aux États-Unis. Stéphane devait d'abord se faire un nom au Canada. C'est pourquoi il publia des articles dans le *Canadian Journal of Political Science* ainsi que dans d'autres périodiques universitaires. Avec son collègue, André Blais, il commença à faire des recherches sur un livre qui paraîtrait aux États-Unis en 1991. Le titre de ce livre, *The*

Budget-Maximizing Bureaucrat[10] était une pirouette sur le thème. Traditionnellement, on estimait que si les bureaucrates s'évertuaient à obtenir des budgets toujours plus généreux, c'était parce qu'ils étaient convaincus qu'avec plus de ressources, ils détiendraient plus de pouvoir. Mais les recherches entreprises par Blais et Dion démontrèrent qu'en réalité, les bureaucrates ne faisaient qu'obéir à leurs supérieurs politiques. Denis Saint-Martin était l'un des assistants de recherche de Dion à l'époque : « Je crois que les Américains ont aimé le livre, parce que c'était comme si le gros ballon de la rhétorique néo-conservatrice explosait tout d'un coup ! »

Peu à peu, Stéphane Dion serait invité à Pittsburgh, à Toronto et, finalement, à Washington. Il commençait à se faire un nom dans les milieux de sciences politiques, exactement comme son père l'avait espéré.

~

Un autre projet de recherche lui tenait à cœur. Personnel, celui-là. Janine et lui essayaient en vain d'avoir un enfant. Ils consultèrent des médecins et discutèrent des nombreuses possibilités que leur offrait la science médicale. « Je crois que nous avons eu peur de la batterie de médicaments et de toutes ces hormonothérapies. Tout cela était bien trop artificiel à nos yeux, se souvient Janine. Et il y avait tant de bébés à adopter dans le monde ! Pourquoi ne pas choisir cette solution ? »

Depuis le retour de Paris, le couple s'était lié d'amitié avec Graciela Ducatenzeiler. Elle l'invitait à son chalet dans les Cantons-de-l'Est, au sud de Montréal, pendant la saison de ski. Ils mangeaient souvent ensemble à Montréal. Elle était originaire d'Argentine et, grâce aux relations qu'elle entretenait en Amérique latine, était informée de la situation en matière d'adoption au Pérou. Les Dion décidèrent de tenter leur chance. Au début de 1987, ils passèrent de longues heures dans l'appartement de Graciela, à Notre-Dame-de-Grâce, pendant qu'elle parlait au téléphone, en espagnol, avec un correspondant de Cuzco, au Pérou. Stéphane se souvient d'avoir siroté du cognac tout en attendant, interminablement.

La situation semblait toutefois favorable. Enfin, ils reçurent des nouvelles de Cuzco, où une petite fille d'un an vivait dans la famille d'un avocat. Elle n'avait jamais séjourné dans un orphelinat. Le couple était nerveux. Déjà, au début de l'année, l'adoption d'un petit garçon avait échoué. Janine s'était juré de ne pas regarder de photos, cette fois, avant que les démarches aient abouti.

Pour adopter un enfant venu du Pérou, ils devaient commencer par se marier.

«Nous ne pensions pas avoir besoin d'un contrat. C'est une question de génération, j'imagine, la nôtre», expliqua Janine. Ils n'avaient jamais subi de pressions de leurs familles respectives pour se marier. Mais ils étaient contents d'avoir pris cette décision pour une raison aussi importante.

Le printemps était arrivé, il fallait choisir la date. Le sens de l'humour de Stéphane le portait vers l'absurde. Janine était plus sensible à l'humour «tarte à la crème». Son mariage ne faisait pas exception. Elle décida de se marier le 1er avril. Malheureusement cette année-là, c'était aussi le Vendredi saint et les services municipaux seraient fermés. «Eh bien, le lendemain!»

Ils se marièrent le samedi 2 avril 1987 à l'hôtel de ville de Montréal, située dans le Vieux-Montréal. Ce ne fut donc pas un poisson d'avril, mais presque. Tout le monde, parents et amis, se pressa dans l'appartement d'Outremont: Denyse et Léon, la mère de Denyse, Marie-Thérèse, ainsi que des frères et sœurs et des amis. Ils découpèrent un gâteau de mariage recouvert de meringue et accomplirent ainsi un pas de plus vers l'adoption.

～

Peu après, Stéphane s'envolait seul pour la vieille capitale de l'Empire inca, Cuzco, au cœur de la cordillère des Andes. Janine demeura à Montréal pour s'occuper des formalités de l'adoption. «Réunir toute la paperasse nécessaire pour une adoption internationale est un travail à temps plein. Il faut satisfaire les systèmes juridiques du Pérou et du Québec, se présenter devant les tribunaux, affronter la bureaucratie...»

La carrière de Janine à l'Université Laval était florissante et, tout comme Stéphane se faisait connaître dans son domaine, elle avait acquis une certaine renommée en raison de ses travaux sur le terrorisme international. Elle décida de se rendre à une conférence d'études stratégiques en Europe. Il n'y avait plus rien à faire à Montréal... sinon attendre. À son retour, une photo l'attendait. Par téléphone, Stéphane lui demanda de le rejoindre au Pérou. Elle s'envola le lendemain.

Même si l'adoption était loin d'être assurée, Stéphane s'occupait de l'enfant depuis son arrivée, trois mois plus tôt. Il s'était installé chez l'avocat où vivait la petite fille et, avec l'aide d'une grand-mère, apprenait à la connaître. Il se découvrit une véritable vocation de père. Son ami Thérien estime que la relation de Dion avec l'enfant n'entre pas dans la même catégorie que son indifférence habituelle pour les questions pratiques. C'est une exception de taille. «Ses liens avec sa fille sont extrêmement forts, dit-il. Il s'en est toujours occupé avec un esprit très pratique.» Lorsque Stéphane arriva au Pérou, l'enfant avait 16 mois et il s'immergea aussitôt dans les détails concrets de sa vie: l'alimentation, les couches, les diverses méthodes pour l'apaiser lorsqu'elle pleurait. Pourtant, il était lui-même malade en permanence. Il n'avait jamais eu un estomac très solide. L'altitude et les bactéries locales avaient eu raison de sa digestion.

Mais il n'aurait pu supporter d'abandonner l'enfant. Le lien était déjà extrêmement solide entre le *gringo* dégingandé, et la petite fille aux yeux noirs. Il l'emmenait partout avec lui dans un harnais.

La famille fut réunie pour la première fois à l'aéroport de Cuzco. Stéphane, Janine et Jeanne, un vieux nom français qu'ils aimaient. De plus, il était traditionnel dans la famille de Janine de donner au premier-né de chaque génération une forme du prénom Jean. L'enfant fut donc appelée Jeanne

Yessica (ce deuxième prénom étant celui qu'elle avait reçu à sa naissance).

Janine aussi eut le coup de foudre. «C'était une petite fille merveilleuse, un bébé adorable, avec ses cheveux noirs. [...] Et elle était si petite!» Leur médecin de famille leur révélerait ultérieurement le retard de croissance de l'enfant. «Elle le rattrapera en trois ans», ajouta-t-elle. Elle aurait raison.

Janine commença à prendre des photos de sa fille à Cuzco. Sur tous ces instantanés, l'enfant serre déjà très fort la main de son père.

~

De retour à Montréal, Stéphane continuerait de s'attacher à sa fille. Il s'occupait d'elle lorsque Janine était à Québec. Il l'accompagnait à la garderie et passait la chercher après ses cours. Il l'installait dans son harnais et, à l'université, tout le monde finit par faire sa connaissance. «C'était extraordinaire de les voir. La relation entre eux était si étroite qu'on aurait dit qu'ils formaient une famille depuis la naissance de l'enfant», commenta Graciela.

Le soir, les repas, chez les Dion-Krieber, étaient l'occasion de discuter de la politique au Moyen-Orient ou des dernières grèves en France. Pendant ce temps, le bébé se tortillait sur les genoux de Stéphane, qui était heureux comme un roi. Lorsque le couple fit le projet d'aller passer l'année sabbatique de Stéphane à l'Institut Brookings de Washington, trois ans plus tard, tous deux se renseignèrent sur ce que la capitale américaine pouvait offrir aux enfants. Sur le point de s'embarquer pour un voyage qui changerait le cours de sa vie, Stéphane voulait surtout savoir où se trouvaient les piscines publiques où il pourrait emmener sa fille.

Stéphane savait dès le départ qu'il ferait un père différent de Léon. Il aurait le temps que son père n'avait jamais eu. Il passait des heures à jouer avec Jeanne. Il inventait des personnages et, à la maison, mettait en scène des pièces fantaisistes dans lesquelles Papa tenait tous les rôles. Il y avait Miss

Pineapple, le professeur d'anglais, et Madame Tartempion, qui enseignait tout le reste. «Jeanne, Jeanne, demandait-il d'une voix de fausset, *as-tu bien étudié aujourd'hui*[11] ? »

Il y avait aussi un petit garçon, *le P'tit Stéphane*[12]. Jeanne en faisait ce qu'elle voulait : « Bon, aujourd'hui je veux que tu sois le P'tit Stéphane. » Alors, une nouvelle voix suraiguë se faisait entendre : « Bonjour, Jeanne, je veux jouer avec toi, mon amie. »

« C'était comme si elle croyait qu'il existait réellement, dans mon corps, et sur sa demande », expliquerait-il des années plus tard, quelques jours après Noël 2006. Jeanne, qui allait avoir 19 ans, était assise près de lui et ne put s'empêcher de rire lorsqu'il se remit à parler avec les voix de ses personnages imaginaires. Ils évoquèrent leurs promenades à la Maison hantée du parc de La Ronde. Jeanne tenait absolument à la compagnie du P'tit Stéphane. Mais une fois à l'intérieur de la Maison hantée, elle se ravisait en s'écriant : « Non, non! Je veux que tu sois mon papa! »

~

En septembre 1991, Stéphane, Janine et Jeanne vivaient à Washington, non loin des tours gothiques de la National Cathedral, avenue Wisconsin. Ils avaient loué un petit appartement et, une fois de plus, leur budget était serré. Mais ils ne s'en souciaient guère. Ils n'auraient pas voulu laisser passer cette occasion de vivre et de travailler dans la capitale des États-Unis.

Une année intéressante que celle qu'ils avaient passée à Washington, songerait plus tard Janine. Un mois avant leur arrivée, en août, le président d'Irak, Saddam Hussein, avait envahi le Koweit et, dès la mi-janvier, les États-Unis étaient partis en guerre contre lui. Janine travaillait toujours à sa thèse de doctorat et, un petit poste de télévision posé sur son pupitre, elle suivait l'évolution de la guerre sur CNN. C'était la première fois qu'une guerre était retransmise en direct. Janine était prise par le suspense. « Cette année-là, Washington était la capitale du monde», se souvient-elle, bien que cela n'eût rien de très inhabituel.

Le conflit servirait de toile de fond à ses propres études. Elle s'attela à la tâche et finit par terminer la thèse qu'elle avait commencée à Paris, soit l'étude de groupes terroristes aux États-Unis, en Italie et en Allemagne. Son époux l'avait toujours exhortée à terminer son doctorat et le séjour à Washington était l'occasion rêvée.

«Je disais toujours que j'étais en prison [à Washington]. Stéphane m'avait coupée de tous mes amis. Le Collège militaire m'a demandé de revenir, mais j'ai refusé.» En effet, peu avant leur départ, Janine avait commencé à enseigner au Collège militaire de Saint-Jean-sur-Richelieu, près de Montréal. Peu à peu, elle enrichirait sa banque de cours pour y ajouter les groupes de guérilla, le terrorisme et le maintien de la paix. Ses connaissances du domaine accroîtraient sa renommée internationale. Mais d'octobre 1990 à juillet 1991, elle demeura cloîtrée dans leur petit appartement de Washington. Elle termina son doctorat la veille de la fête nationale des États-Unis, le 4 juillet. Les carrières respectives de Janine Krieber et de Stéphane Dion semblaient véritablement se poursuivre comme tous deux l'avaient souhaité.

CHAPITRE 4

La révélation

Stéphane Dion découvrit son pays en le quittant. En cela, il n'était pas le premier et ne serait pas le dernier, mais il dut partir deux fois. La première fois, c'était pour faire son doctorat à Paris et il ne ressentait aucun besoin particulier d'analyser son identité personnelle ou ses convictions politiques. Certes, on ne peut pas dire que les sommités du monde universitaire français étaient dévorées de curiosité à propos du Canada. En outre, Stéphane traversait une période durant laquelle il ne voulait rien savoir de la politique canadienne.

À Washington, en 1991, la situation était très différente. Du moins dans le Washington officiel, celui du circuit universitaire-diplomatique-politique, qui relie l'Université Georgetown, le Capitole, la Maison-Blanche et le Département d'État. Dion travaillait à l'Institut Brookings qui, à l'instar de toutes les autres concentrations de cerveaux de la capitale, contribue à tenir les responsables de la politique américaine informés des courants idéologiques qui parcourent le monde. Ce qui se passait à l'époque au Canada, aux yeux des voisins, pouvait certainement être considéré comme un courant, voire un torrent. La réforme constitutionnelle avait échoué et le pays semblait sur le point d'éclater. L'avenir du Canada était un sujet brûlant à la National Public Radio, ainsi qu'à l'émission *MacNeil/Lehrer NewsHour* de PBS[1] (sinon à CNN) et le demeurerait tout au long des années 90, au fur et à mesure que le Québec se rapprochait d'un référendum imprégné de drame, de suspense et d'amertume.

«Écoutez, il se passe quelque chose dans votre pays que je ne comprends pas», déclara, au printemps de 1991, Thomas Mann, directeur des études politiques à l'Institut Brookings[2]. Bel euphémisme! Beaucoup de Canadiens étaient tout aussi perplexes. Les partisans de la souveraineté se multipliaient au Québec, tandis que le reste du pays semblait désormais mal disposé à l'égard de la province et de ce qu'il percevait comme ses exigences. Mann demanda aux trois Canadiens invités à l'Institut à ce moment-là d'éclairer sa lanterne. Il s'agissait de Stéphane Dion de l'Université de Montréal, d'Andrew Stark de Harvard et de Keith Banting de l'Université Queen's[3]. «Pourriez-vous rédiger un précis d'ici deux semaines?», leur demanda-t-il. Les trois chercheurs acquiescèrent et fixèrent une date, en mai, pour un séminaire casse-croûte. «Comment refuser à quelqu'un qui vous a offert un bureau et une année de recherches au Brookings?», déclara Dion.

Cependant, depuis son inclination de jeunesse pour le Parti québécois, il avait évité de se mêler de politique. Au cours des années 80, il s'était contenté de voter deux fois libéral aux élections fédérales et une fois pour le parti provincial de Robert Bourassa. Il n'avait pas prêté d'attention particulière aux pourparlers constitutionnels. Il était loin de se considérer comme un expert, mais les remarques de Mann l'avaient fait réfléchir. Il s'installa à son ordinateur vers 11 h, le jour même prévu pour le séminaire et, à midi, lorsque Banting entrouvrit la porte du bureau pour l'inciter à se dépêcher, il était en train d'imprimer son texte. Dion confia à Banting qu'en relisant ce qu'il venait tout juste d'écrire, il s'était soudain rendu compte qu'il était fédéraliste. «Voilà qui l'avait clairement étonné», se souvient Banting[4].

La salle de séminaire était bourrée d'employés du Congrès, d'officiels de la Maison-Blanche, de diplomates de diverses ambassades sises avenue Massachusetts, de membres de la Paul H. Nitze School of Advanced International Studies, juste en face, et d'employés de l'ambassade du Canada, située avenue Pennsylvania. Sans compter bon nombre de chercheurs et de politiciens assortis, qui travaillaient dans la plus puissante capitale du monde. «Le Brookings faisait les choses en grand», admit Dion. La semaine précédente, il avait donné une conférence sur ses propres travaux en administration publique à un maigre auditoire de 15 personnes, tous des collègues.

Le séminaire se divisa en trois volets: la situation vue sous l'angle du Québec (Dion) et du Canada anglais (Stark), ainsi que les scénarios possibles en Amérique du Nord après une séparation du Québec (Banting). Mann se dit si satisfait du travail de ses collègues, qu'il leur demanda ensuite s'ils accepteraient de collaborer pour rédiger «*a monograph*». Dion, qui n'était pas très familiarisé avec le mot anglais, accepta aussitôt, très désinvolte. «Bien sûr. Pourquoi pas?» Les deux autres eurent l'air un peu étonné, se souviendra-t-il plus tard, de se retrouver soudain mobilisés pour produire un livre. Ils prièrent R. Kent Weaver, chercheur américain spécialiste des affaires canadiennes au Brookings[5], de coordonner la rédaction de l'ouvrage et se lancèrent dans un travail qui prendrait un an. Au printemps 1992, le Brookings organisa un lancement à grand déploiement de l'ouvrage, intitulé *The Collapse of Canada?*[6]. C'est sur l'insistance de Dion que l'on ajouta le point d'interrogation au titre. À l'époque, il se montrait plus optimiste que ses collègues sur l'avenir du Canada.

Le livre suscita tout un émoi. Selon Banting, la réaction des médias canadiens fut «exceptionnelle». «J'ai été interviewé par la CBC, grâce à un lien satellite depuis le bureau de Washington, et j'ai passé beaucoup de temps avec les journalistes de la radio canadienne. Mes deux collègues également. C'est le nom du Brookings qui a suscité ce tapage. Il a fallu un certain temps pour que les médias comprennent qu'il s'agissait d'un recueil de textes de fond principalement rédigés par des Canadiens et non le fruit d'une étude analytique totalement abstraite, entreprise par une équipe de statisticiens du

Brookings.» Un journaliste de la CBC l'a exhorté à «calmer les gens, au siège de la CBC, en leur expliquant que le Brookings n'était pas en train de prédire l'éclatement du Canada. Et des animateurs plutôt hostiles ne cessaient de me demander d'où nous avions tiré nos données. Si le même livre avait été publié par une maison d'édition canadienne, il n'aurait probablement pas reçu une fraction de l'attention dont l'ont gratifié les médias canadiens.»

Pour Stéphane Dion, ce fut un tournant. Contraint de réfléchir à la situation de son pays, non seulement il découvrit qu'il croyait en un fédéralisme canadien, mais il comprit aussi pourquoi. Dans son essai, il analysa les raisons pour lesquelles le fédéralisme convenait bien à la province de Québec et, dans le même élan, il remit en question ce qu'il appellerait plus tard les «mythes nationalistes» répandus au Canada. «Nous avons discuté de cette interprétation du fédéralisme», préciserait Andrew Stark au début de 2007. À ce moment-là, les deux anciens invités du Brookings seraient déjà des amis de longue date. «Stéphane considérait cela comme analogue à la séparation des pouvoirs aux États-Unis. Selon lui, l'existence de deux différentes sources de pouvoir gouvernemental était un aspect positif[7].» Tout comme l'exécutif, le législatif et le judiciaire étaient chacun conçus aux États-Unis pour limiter l'étendue des pouvoirs des deux autres, la dynamique fédérale-provinciale obligeait les deux ordres de gouvernement à jouer franc jeu au Canada. Ce principe était le fondement intellectuel de sa conception du fédéralisme.

Dion acceptait donc la séparation des pouvoirs décrite dans l'*Acte de l'Amérique du Nord britannique*[8]. Mais c'était aussi un fédéraliste au sens classique du terme, pour lequel des provinces fortes constituaient un pays fort. Lorsqu'il serait ministre, il reviendrait d'ailleurs souvent sur ce thème dans ses discours. «Notre fédération est décentralisée. C'est très clair si on la compare aux autres grandes fédérations», déclara-t-il dans un discours prononcé à l'Université d'Ottawa en 1998. «Et c'est d'ailleurs une bonne chose. [...] Mais en même temps, ces provinces ne doivent pas se comporter comme 10 républiques égoïstes, et il est des responsabilités plus globales qui relèvent d'un gouvernement fédéral[9].» Il s'occuperait plus tard de composer avec les étirements en tous sens, inhérents à la dynamique canadienne.

Dion donna à son essai le titre «Explaining Quebec Nationalism[10]» et commença par analyser un monde accablé de tensions ethniques. L'Union soviétique s'était morcelée en une fin de semaine d'août 1991 et il semblait peu probable que d'autres pays, comme la Yougoslavie et l'Éthiopie, demeurent intacts. Néanmoins, Dion allégua dans son essai que le conflit Canada-Québec était de nature différente, parce que le Canada différait des pays en question. «Créée en 1867, la Confédération canadienne n'est ni un régime totalitaire décadent, ni une nouvelle démocratie, ni un pays instable du tiers-monde. C'est un État riche et moderne, un État-providence.» Ce dernier qualificatif faisait allusion aux services sociaux offerts à la population canadienne par les deux ordres gouvernementaux. Le Canada était donc une démocratie libérale, dans laquelle les citoyens jouissaient de la liberté d'expression et du droit de vote[11]. À maintes reprises au cours de sa carrière politique, Stéphane Dion reprendrait son image du Canada, qu'il voyait comme un phare, capable de guider d'autres nations. «Nous devons transmettre le bon signal au reste du monde», affirmerait-il, dans l'anglais un peu gauche qui finirait par le caractériser, comme le sac à dos qu'il portait toujours. Si le Canada était incapable d'assurer son propre avenir, quel pays serait capable d'assurer le sien?

Selon toute évidence, Stéphane Dion ressentait au plus profond de lui-même la crainte du Québec de perdre sa langue, le français, noyé dans la mer d'anglais qui caractérise l'Amérique du Nord. Il comprenait très bien que cette crainte fût à l'origine des conflits politiques dans la province. Il l'exprima ainsi dans un article qu'il écrivit pour une revue américaine de sciences politiques: «L'histoire du Québec est hantée par la peur de l'anglicisation, obsédée par les exemples de la Louisiane, voire d'autres régions du Canada où le français ne survit qu'à l'état de folklore[12].» Dans *The Collapse of Canada?*, il décrivit une contradiction dans les progrès de la position souverainiste au Québec. D'un côté, le nationalisme était alimenté par la confiance dans la renaissance économique et culturelle qu'avait engendrée la Révolution tranquille et le sentiment qu'à présent, le Québec était capable de se débrouiller seul. Mais un autre facteur contradictoire avait provoqué une nouvelle montée de nationalisme : les Québécois s'étaient sentis exclus lorsque l'accord constitutionnel du lac Meech avait été rejeté en 1990. Cet accord, ainsi nommé parce qu'il avait été préparé dans une demeure située au cœur des collines de la Gatineau, avait été négocié entre Brian Mulroney, le premier ministre progressiste-conservateur, et 10 premiers ministres provinciaux, dont Robert Bourassa. Pour Mulroney, l'accord avait pour but de réparer les dommages commis par la signature d'un pacte constitutionnel en l'absence du Québec ; la reconnaissance du Québec comme société distincte était cruciale. Une fois l'accord conclu en juin 1987, les provinces devaient le ratifier dans les trois ans qui suivaient. Mais lorsque arriva le 22 juin 1990, il manquait encore des signatures et toute l'affaire tomba à l'eau.

Dion examina les résultats des sondages qui révélaient la montée des sentiments nationalistes au Québec et écrivit dans l'essai publié par le Brookings : « Je ne crois pas qu'ils soient assez puissants pour provoquer, pour la première fois de l'Histoire, l'effondrement d'un État-providence, mais je puis fort bien me tromper[13]. »

~

L'histoire de l'exclusion du Québec de la Constitution est un autre exemple d'émotions contradictoires engendrées par un événement de ce genre et le reflet du sempiternel dilemme canadien. Faut-il en rire ou en pleurer ? En 1981, Pierre Elliott Trudeau réunit les premiers ministres provinciaux pour une conférence sur la Constitution, dans la somptueuse gare centrale d'Ottawa, réaménagée en Centre de conférences du gouvernement. Trudeau voulait amender et rapatrier l'*Acte de l'Amérique du Nord britannique* qui se trouvait en Grande-Bretagne et y enchâsser une *Charte des droits et libertés*. Les pourparlers stagnèrent jusqu'au soir du 4 novembre 1981, durant lequel trois politiciens rédigèrent une entente dans les cuisines du Château Laurier, où les ministres séjournaient, à l'exception de René Lévesque, qui s'était installé à Hull (aujourd'hui Gatineau), de l'autre côté de la rivière des Outaouais.

Ces trois politiciens étaient Jean Chrétien, à l'époque ministre fédéral de la Justice, et ses deux homologues provinciaux, Roy McMurtry et Roy Romanow, procureurs généraux de l'Ontario et de la Saskatchewan. Ce fut ce qu'on appela plus tard la «nuit des longs couteaux», parce que le lendemain matin, neuf premiers ministres et Trudeau signèrent l'entente, sans le Québec. On s'était bien gardé de prévenir René Lévesque, qui dormait tranquillement et ne découvrit le texte de l'accord qu'au matin, alors qu'il s'apprêtait à prendre son petit-déjeuner. Il se sentit trahi et en fut catastrophé.

Un peu plus tôt cette année-là, Lévesque avait tenté de conclure une entente différente avec ce qu'on a appelé la bande des huit, soit huit premiers ministres (moins l'Ontario et le Nouveau-Brunswick), avec lesquels il faisait cause commune pour essayer d'empêcher Trudeau de rapatrier unilatéralement la Constitution. Désireux de montrer sa bonne foi en essayant de trouver une formule qui plairait à tout le monde, Lévesque avait renoncé à ce qu'il voyait comme le droit naturel de veto du Québec en matière de modifications constitutionnelles (en échange de conditions de séparation plus favorables et d'un dédommagement financier pour la province). Cet accord était désormais caduc, mais il y avait plus. Lévesque estimait que le nouvel accord constitutionnel ferait perdre du terrain au Québec dans le domaine des droits linguistiques.

L'année suivante, l'*Acte de l'Amérique du Nord britannique* serait rapatrié au Canada, qui deviendrait un pays réellement

indépendant après 115 ans, doté de sa propre *Charte des droits
et libertés*[14]. Le dénouement suscita l'euphorie et une grande
fierté. Neuf premiers ministres qualifièrent la journée
d'«historique» et John Buchanan, de la Nouvelle-Écosse, alla
jusqu'à citer *Le roi Lear*[15]. On se félicita mutuellement et les
politiciens présents rejouèrent la scène pour Mike Duffy, de
la CBC. Pendant ce temps-là, Lévesque se murait dans son
isolement. Il mourut six ans plus tard, presque jour pour jour,
mais ce matin-là, au Centre de conférences du gouvernement,
il portait déjà son masque mortuaire.

~

Stéphane Dion ne semble avoir entretenu aucune illusion sur la manière dont on avait traité Lévesque. Son isolement, écrivit-il dans l'essai publié par le Brookings, «était
pour le moins injuste et serait encore considéré comme tel
10 ans plus tard[16]». L'auteur s'efforce d'expliquer la raison
d'être de la législation sur la langue au Québec, en commençant par la *Loi 101*, si controversée, que le Parti québécois de
Lévesque avait adoptée neuf mois après son arrivée au
pouvoir, en 1977.

Le gouvernement provincial (pas uniquement le PQ) s'inquiétait de voir les immigrants envoyer leurs enfants dans
des écoles anglaises et les péquistes se disaient que la population francophone risquait de diminuer progressivement.
Selon la *Loi 101*, les «allophones», soit les Québécois dont la
langue maternelle n'était ni le français ni l'anglais, devaient
faire leurs études en français[17]. Dion ne s'opposait pas à la *Loi
101* et convenait qu'elle avait été un «facteur important» de
la défaite des séparatistes au référendum de 1980. La loi
serait contestée aux termes de la nouvelle *Charte canadienne
des droits et libertés* (ce que Lévesque avait prévu au moment
des pourparlers sur la Constitution en novembre 1981) et
Dion écrivit: «Jamais une loi adoptée au Canada n'a suscité
autant de contestations devant les tribunaux[18].» Son essai
démontre sa compréhension du Québec. Il fournit une

analyse de la manière dont la population interprétait les retombées des travaux de la Commission royale d'enquête sur le bilinguisme et le biculturalisme. En ce qui concerne les effets de la *Loi sur les langues officielles*, de 1969, il conclut: «Les acquis sont indéniables. [...] Mais cette politique fédérale n'a pas rendu bilingues les provinces de langue anglaise, pas plus qu'elle n'a enrayé l'assimilation des communautés francophones hors Québec. Elle n'a pas eu beaucoup d'effets sur les aspirations de la population francophone du Québec – de Montréal notamment –, qui souhaite vivre quotidiennement en français. Elle ne garantit pas un environnement de langue française aux futures générations[19].»

En dépit des contestations judiciaires et des nombreux effets en retour qui se produisirent au Québec et dans d'autres régions du Canada, un sondage effectué auprès des Québécois de langue française dans les années 80 révéla que cette population n'était pas particulièrement désireuse de voter à nouveau sur la séparation. Le référendum de 1980 avait été très révélateur à cet égard. Néanmoins, l'échec de l'Accord du lac Meech incita le Québec francophone à lever les bras au ciel: «*Les Anglais*[20] ne veulent plus de nous[21]!» Dion allègue, toujours dans son essai, que le minimum que tout nouvel accord constitutionnel devrait offrir au Québec devrait être une clause qui donnerait à son Assemblée législative «le devoir de protéger le caractère francophone de la province[22]». Selon lui, il s'agit d'une «requête remarquablement modeste de la part d'un politicologue québécois et francophone. [...] Et je ne puis imaginer qu'elle pourrait être considérée comme excessive par le reste du pays, après réflexion[23]». (Avec le temps, toutefois, il finirait par la considérer lui-même comme excessive. En qualité de chef de l'opposition officielle en 2007, il examina la législation fédérale des années 90 et estima que ce genre de disposition n'était plus nécessaire. De son analyse dans le livre publié par l'Institut Brookings, il dit simplement: «Je ne suis pas d'accord avec moi-même[24].»)

Peter Russell, politicologue torontois qui dirigerait la préparation d'un recueil des discours de Dion lorsque ce dernier serait ministre des Affaires intergouvernementales, estime que *The Collapse of Canada?* devrait être une lecture obligatoire pour quiconque souhaite comprendre la pensée de Dion. «Il y explique de manière très précise pourquoi, à son avis, les nationalistes québécois n'ont pas besoin d'une séparation pour obtenir ce qu'ils désirent. [...] Et il y montre que, contrairement à Trudeau, il ne regarderait jamais de haut le nationalisme québécois», ajoute Russell, qui termina ses travaux pour la commission Laurendeau-Dunton à l'époque où Trudeau était premier ministre. «Stéphane est l'égal de Pierre Trudeau sur le plan intellectuel, mais c'est un meilleur chercheur[25].»

Dion, cependant, ne parvint pas à accepter le jugement admiratif que Russell porta sur son essai. Il s'est toujours montré sévère envers lui-même. «C'est toujours comme ça, je ne suis jamais satisfait et je me dis toujours qu'il faut que je m'améliore[26].» Mais il reconnaît cependant une qualité à son essai : «Malgré tout ce que j'ai pu écrire ensuite de bien meilleur, on n'a jamais cessé de citer cette étude un peu partout.»

~

Stéphane Dion avait eu l'impression d'être professeur invité dans son propre pays. Mais cela, c'était terminé. Il rentra à l'Université de Montréal au début du trimestre de l'automne 1991 et acquit peu à peu le profil d'une autorité sur la question Québec-Canada. À la fin de septembre, il fêta son 36e anniversaire et il deviendrait rapidement l'un des auteurs les plus prolifiques d'articles de fond dans des revues spécialisées. Il serait régulièrement invité à participer à des émissions sérieuses, comme *Le Point* de Radio-Canada. Le pays était de nouveau englué dans une série de pourparlers constitutionnels, qui aboutiraient cette fois à l'Accord de Charlottetown, signé dans la capitale de l'Île-du-Prince-Édouard, et que les Canadiens rejetteraient également à la suite d'un référendum en octobre 1992. Ce texte reconnaissait aussi au Québec le statut de société distincte.

(La perplexité de Thomas Mann, au Brookings, devant la situation politique du Canada, n'avait rien d'étonnant. Pour s'y retrouver dans l'imbroglio constitutionnel de l'époque, des pouvoirs magiques auraient été nécessaires.) Dion voterait en faveur de l'Accord de Charlottetown, bien qu'à son avis, le référendum même ne fût pas une bonne idée. «Je craignais qu'un résultat négatif ne soit interprété comme un rejet mutuel, ce qui a été le cas. C'était comme si on jouait à la roulette russe avec l'avenir du pays[27].»

En effet, un sentiment d'amertume se répandit peu à peu au Québec dans les années 90 et, contre toute attente, le gouvernement libéral de la province semblait se diriger peu à peu vers un référendum sur l'indépendance, comme les péquistes autrefois. En 1991, le gouvernement Bourassa entérina une recommandation de la commission Bélanger-Campeau sur l'avenir politique du Québec, selon laquelle il faudrait organiser un référendum l'année suivante[28]. Tout cela se déroula dans la foulée du référendum sur l'Accord de Charlottetown et aboutit à un rejet. Mais un autre référendum se profilait néanmoins à l'horizon. Tout le monde le voyait venir. Le gouvernement libéral du Québec donna également son aval aux recommandations d'une autre étude en 1991, le rapport du comité Allaire, selon lequel le Québec devait recevoir d'Ottawa une massive dévolution de pouvoirs[29]. Bourassa s'éloignerait ultérieurement d'Allaire, mais entre-temps, cela donnait aux Québécois de nouvelles raisons d'en vouloir à Ottawa. Et c'est dans cette mer déchaînée que plongerait tête première Stéphane Dion, qui se trouvait presque toujours à l'opposé des idées reçues.

Cela commença pour Dion en février 1992, par un discours prononcé au collège Glendon de l'Université York, à Toronto. Il analysa les deux principaux chevaux de bataille du Parti québécois : que le Québec devait recevoir d'importants nouveaux pouvoirs d'Ottawa (aspect sur lequel péquistes et libéraux semblaient d'accord) et que les Québécois payaient deux fois les mêmes services gouvernementaux. Par conséquent, avoir un pays indépendant leur coûterait moins cher.

Un *gouvernement de trop*[30], comme le clamait le PQ. Ce discours placerait Stéphane Dion sur la carte. Des extraits en seraient repris par les médias populaires, par *La Presse* et par *Le Devoir*, lequel se jugeait à la une de l'opinion publique.

Dion dit que les Québécois ne se souciaient pas d'obtenir davantage de pouvoirs. Ce qui les préoccupait, c'était que le statut de «société distincte» du Québec eût été rejeté par le Canada anglais, tandis que les Canadiens anglais fulminaient parce qu'ils croyaient que les Québécois voulaient jouir d'un traitement préférentiel du gouvernement fédéral. «C'est ainsi que deux populations se sont dressées l'une contre l'autre, à partir d'abstractions juridiques à forte charge symbolique[31].»

Dion déclara que le gouvernement fédéral n'offrait pas les mêmes services que les gouvernements provinciaux. «Le mythe populaire à l'époque était que s'il existait un déficit de 30 milliards à l'échelon fédéral, c'était parce qu'il y avait dédoublement. [...] Et cela, c'était justement mon domaine de compétence.» Il continua d'élaborer sur cette question, étonné au départ que les gens n'acceptent pas les résultats de ses recherches et ne lui en soient pas reconnaissants. «Il ne faut pas penser que le pré est toujours plus vert chez le voisin ni croire au père Noël en matière de finances publiques», écrivit-il deux semaines avant le référendum sur l'Accord de Charlottetown, en 1992. «Pour économiser des milliards, il faudra couper durement dans les services à la population. Et si on choisit l'indépendance, il faut savoir qu'on ne pourra pas la financer par la suppression des dédoublements, car il y a peu d'économies à faire de ce côté[32].»

Ses révélations ne troublèrent même pas la surface, l'idéologie populaire prévalut. Pendant un débat organisé dans le cadre de la campagne électorale de 1994, le chef du PQ, Jacques Parizeau, accusa le premier ministre libéral, Daniel Johnson, de dissimuler le coût véritable du dédoublement. Il existait des rapports secrets, affirma-t-il, qu'il publierait dès qu'il serait au pouvoir. «Mais il n'y avait aucun rapport secret. Vous voyez jusqu'où vont les mythes?», rappellerait avec un brin de dédain Stéphane Dion en 2007. Toutes ces années, il avait été exaspéré de constater que ses recherches scientifiques n'avaient pas suffi pour faire changer la population d'opinion. Il allégua que le dédoublement était un mythe, tout comme il affirmerait qu'il n'y avait pas de «déséquilibre financier» entre Québec et Ottawa, plus de 10 ans après, alors qu'il venait d'être élu chef du Parti libéral. Il estimait que donner comme exemple de «déséquilibre financier» l'existence d'un excédent budgétaire à Ottawa était ridicule. Il nierait l'existence de ce déséquilibre, alors même que d'autres affirmeraient pouvoir résoudre le problème historique du traitement inéquitable du Québec par Ottawa.

En moins de temps qu'il en faut pour le dire, Stéphane Dion fut perçu comme le champion du fédéralisme au Québec. «Les médias étaient à la recherche d'un intellectuel francophone qui défendrait la cause du Canada», expliquerait-il plus tard. Il était rarement invité seul sur un plateau de télévision. «Si vous êtes séparatiste, vous serez peut-être considéré comme "neutre". Ce qui veut dire que l'on vous invitera en qualité de commentateur "neutre". Mais un fédéraliste doit absolument avoir un opposant sur le plateau. Alors, on invite un indépendantiste à participer à la même émission.» Pendant la campagne référendaire de 1995, il devint un habitué du *Point*, souvent en compagnie d'un professeur de science politique de l'Université Laval, Guy Laforest. Dans les coulisses de Radio-Canada, les techniciens les avaient surnommés Pixie et Dixie, les deux souris du dessin animé *Huckleberry Hound*[33]. Dion se sentait submergé, car il s'efforçait toujours de poursuivre ses recherches en administration publique, tout en se préparant à plonger dans la mêlée Québec-Canada. «C'était comme une double vie. Complètement fou.» Durant la campagne référendaire de 1995, il se précipitait dans son bureau entre ses cours, afin d'écouter les 15 ou 20 messages téléphoniques qui s'étaient accumulés dans sa boîte vocale, émanant de tous les coins et recoins de la planète, où des gens voulaient savoir ce qui se passait au Québec.

Dion éprouvait un fort sentiment de déjà-vu. Qu'avait-il donc remarqué, à propos de son père? Que Léon n'avait pas été capable de mener sa propre carrière comme il rêvait de le faire? Que «jouer le rôle de Léon Dion» s'était révélé «trop exigeant»? Et voilà qu'une génération plus tard, son fils se détournait de plus en plus de sa recherche, entraîné dans le débat Québec-Canada, le même débat qui avait englouti son père. Léon avait lutté pour faire entendre une voix modérée, la voix du politicologue qui appuyait le fédéralisme tout en étant favorable à l'argument nationaliste d'un statut spécial pour le Québec. Mais au fur et à mesure que Stéphane revêtait l'habit du héros fédéraliste, Léon était de plus en plus exaspéré par le Canada anglais. Avant Noël 1990, Léon Dion s'était présenté aux audiences de la commission Bélanger-Campeau à Québec. Il estimait que la prudence s'imposait avant d'organiser un nouveau référendum. «La raison doit prévaloir sur la passion. Il faut prendre le temps de réfléchir. N'agissons pas sous le coup de l'exaspération. [...] Si nous perdions ce référendum, où nous retrouverions-nous[34]?» Léon estimait que le Canada anglais devait avoir une dernière chance d'accepter le statut de «société distincte» du Québec. Faute de quoi, le Québec devait se préparer à une séparation. Dans son mémoire à la commission, il émet une prédiction lugubre: «Le Canada ne cédera, et cela même n'est pas assuré, que s'il a le couperet sur la gorge[35].»

Des paroles fatidiques. «Il les a regrettées plus tard, déclara son fils. Je lui ai dit qu'il avait commis une erreur.» Stéphane Dion déplore que cette déclaration soit devenue, pour beaucoup de gens, le legs de son père, alors que Léon «avait tant fait pour les sciences politiques et pour rapprocher les deux solitudes. C'était triste». Après les audiences Bélanger-Campeau, Léon se décrirait comme un «fédéraliste fatigué». Stéphane ne tarderait guère à être caricaturé sous les traits du «fédéraliste fatigant». En réalité, Léon n'avait pas changé son fusil d'épaule, insisterait plus tard Stéphane. «Il a toujours cru au Canada[36].»

De temps à autre, les prises de position énergiques de Stéphane Dion étaient accueillies par des louanges. «Comme c'est rafraîchissant d'entendre un discours qui tranche avec celui qu'entonne en perroquet pratiquement toute la classe politique québécoise au sujet du partage des pouvoirs», écrivit audacieusement l'éditorialiste de *La Presse*, Marcel Adam. Il applaudit Dion pour son courage et le félicita également d'avoir démontré que «l'intelligentsia nationaliste du Québec se comportait comme les moutons de Panurge[37]».

Lysiane Gagnon, qui publia une analyse perspicace dans *La Presse* et le *Globe and Mail*, partageait l'opinion de Dion sur la dévolution des pouvoirs. Il est un secret bien gardé, dit-elle, qu'aucun politicien fédéral n'est prêt à dévoiler (par crainte de déclencher un tollé dans l'Ouest canadien), à savoir que le Québec détient déjà plus que sa part équitable de pouvoirs dans la plupart des secteurs mentionnés par le rapport Allaire. Elle cite Dion, qui affirme que le débat sur la question démontre à quel point les services véritablement offerts aux Québécois étaient mal connus. «Comme c'est vrai[38]!», ajoute-t-elle.

Dans l'ensemble cependant, on s'acharna à répéter à Dion qu'il avait tort. L'argument du dédoublement était particulièrement exaspérant. Voyons, il existait des études! N'était-il donc pas au courant? Le consensus était très clair. «Pour la première fois de ma vie, mais non la dernière, j'allais devoir affronter un consensus, se remémorerait-il plus tard. Personne n'avait fait le même raisonnement que moi. Je me suis donc dit que si je ne l'exprimais pas, personne ne le ferait à ma place. Et pourtant, l'argument contraire était faux, cela me paraissait tellement évident.» Il continua donc d'expliquer son raisonnement, d'un point de vue purement scientifique. «Il n'est pas possible de diviser le pays pour ce genre de raison [le dédoublement]. Mon opinion n'était pas sentimentale, du genre "j'aime le Canada" et ainsi de suite. C'était simplement un raisonnement scientifique à l'encontre d'une idée que je jugeais entièrement fallacieuse.»

Il était le fils de son père, certes, mais son entrée dans le discours public montrait à quel point il était aussi le disciple de Michel Crozier. En effet, le sociologue français croyait

par-dessus tout à l'individualisme et à la capacité des individus d'instaurer le changement. Son raisonnement allait à
l'encontre de la théorie marxiste selon laquelle les êtres
humains ne sont que des fétus de paille emportés par les
grands courants de l'Histoire. Selon cette école de pensée,
lorsqu'un être humain exceptionnellement puissant s'élevait
au-dessus du reste de la population, par exemple Napoléon
Bonaparte, sa prise de pouvoir était principalement la
concrétisation d'une volonté des masses pour répondre à un
besoin collectif[39].

Le rôle crucial de l'individualisme sert de trame au parcours intellectuel de Dion, affirme son ami et ancien étudiant
à l'Université de Montréal, Denis Saint-Martin. «Stéphane
croit que nous décidons. Les humains font leur propre histoire. Nous ne sommes pas déterminés par nos origines ethniques. Nous ne sommes déterminés ni par nos origines
sociales ni par l'Histoire[40].» Cette théorie servit de fondement
à son opinion sur l'indépendance du Québec. «Ce n'est pas une
question simplement politique, mais aussi philosophique. [...]
Il est contre ce raisonnement [...]», déclara Saint-Martin.
Dion rejeta la théorie que les intellectuels nationalistes
avaient passé 40 ans à fignoler: que chaque peuple a droit à
son propre État et qu'un mouvement irrésistible poussait le
Québec vers l'indépendance depuis 1837 et la Rébellion des
patriotes contre le Haut-Canada.

Dion n'avait certainement pas besoin de l'intérêt des
médias. «Pas du tout, poursuit Saint-Martin. Dans le monde
universitaire, il y a des gens que l'on voit constamment à la
CBC, à Radio-Canada, avec leur titre de professeur de telle
ou telle université. Mais quand on regarde leur curriculum
vitæ, il n'y a rien. Ils n'ont jamais écrit un livre, jamais écrit
un article. Ce ne sont pas des professeurs, mais on les
retrouve dans les médias. Les gens pensent qu'ils sont bons,
qu'ils sont connus, mais ils ne sont ni l'un ni l'autre. [...] Alors
que Stéphane a commencé à intervenir dans les médias parce
que, pour lui, c'était le devoir d'un intellectuel. [...]
Évidemment, il s'est fait beaucoup d'ennemis[41] [...]»

Vers le milieu des années 90, Dion était devenu au Québec l'un de ces intellectuels bien connus du public, soit un rôle plus prisé au Canada français que dans les régions d'expression anglaise. Dans la société française, comme dans les autres cultures latines, il est parfaitement acceptable de se considérer ouvertement comme un intellectuel ou d'analyser le mode de vie des intellectuels, d'une manière qui, dans un milieu anglo-saxon, pourrait être jugée prétentieuse. Dans un clip vidéo affiché sur le site Web de sa campagne de 2006, Dion parle avec nostalgie de ses années à Paris. Il avait rapidement pris l'habitude de lire chaque jour *Le Monde*, parce qu'il savait que tous les gens qu'il fréquentait là-bas le liraient aussi. Indubitablement, au cours de la journée, la conversation s'orienterait vers l'un des articles et chacun aurait son opinion sur le sujet traité. « On n'a pas l'équivalent vraiment ici [...] de vie intellectuelle très, très dense, qu'on peut avoir à Paris », dit-il. Alors qu'il se préparait à quitter la France, ses amis lui demandèrent comment il survivrait sans pouvoir lire *Le Monde* chaque matin[42].

Il est vrai que certains cinéastes, par exemple Luis Buñuel (un Espagnol, en somme) se sont moqués des élites intellectuelles de Paris, en les représentant sous les traits de personnages prétentieux et extrêmement snobs[43]. Mais Stéphane Dion ne donne pas cette impression dans son clip vidéo. Son langage corporel, soit ses petits haussements d'épaules et hochements de tête, ne produit pas du tout cet effet. En outre, il n'a jamais fait preuve de snobisme. (Il définit un intellectuel comme « quelqu'un qui est à l'aise avec les idées » et la seule personne qu'il qualifia d'intellectuel, durant une discussion sur ce sujet, fut son ami et compagnon de pêche François Goulet. À Noël 2006, leurs familles s'étaient réunies au chalet des Dion, dans les Laurentides. Goulet fut aussi son chauffeur pendant les années passées au gouvernement[44].)

≈

En 1995, l'année du deuxième référendum du Québec sur la souveraineté, Stéphane Dion se faisait sérieusement malmener. Les forces du «oui» avaient perdu en 1980, mais cette fois, le premier ministre provincial Jacques Parizeau et son gouvernement péquiste étaient convaincus qu'ils allaient gagner. Dion commença cette année périlleuse en réprimandant les libéraux provinciaux, à l'occasion de leur réunion à Québec en janvier. «Votre parti a commis une terrible erreur en affectant de s'allier avec le Parti québécois à la suite de l'échec de l'Accord du lac Meech», déclara-t-il, pendant une discussion sur le rapport Allaire et ses recommandations en faveur de pouvoirs plus étendus au Québec. «Vous avez voulu accompagner les Québécois dans leur poussée de fièvre nationaliste, mais, ce faisant, vous en avez conduit plusieurs dans les bras de votre adversaire. En somme, vous avez attisé un feu que vous ne savez pas très bien comment contrôler, maintenant.» Le chef libéral, Daniel Johnson, ancien premier ministre provincial, fils et frère d'un ancien premier ministre provincial, ne cacha pas son irritation. «De son poste d'universitaire, M. Dion n'avait pas à s'embarrasser de la conjoncture et des impératifs du Parti libéral à cette époque-là[45].»

Le chroniqueur Michel David se montra plutôt acide dans le quotidien de la ville natale de Dion, *Le Soleil*. Sous le titre «L'impertinent», il tourna en dérision non seulement le fils, mais encore le père. Tout en estimant que Léon Dion avait été la proie «d'un vieux fond d'ambivalence qui a caractérisé notre histoire collective», il n'avait trouvé «aucune trace de cette ambivalence chez le fils». Stéphane Dion, poursuivit-il, «est devenu la coqueluche intellectuelle des fédéralistes-à-tout-prix». Il dit que les gens avaient «été indisposés par l'arrogance de M. Dion». Avait-il seulement été invité? Peu importait. Il ne le serait plus[46]. Dans *Le Devoir*, Pierre Graveline se montra encore plus mordant: «Un fils spirituel de Pierre Trudeau nous est né», annonça-t-il, écorchant ainsi le nerf le plus à vif qu'il pouvait trouver. Au Québec, Trudeau était soit détesté, soit vénéré. «Le nouveau gourou se voit contraint de descendre de sa tour d'ivoire pour faire la leçon à son pauvre peuple de cancres qui ne veulent décidément rien comprendre», poursuivit Graveline[47].

Si la route était déjà très accidentée en janvier, elle le deviendrait encore plus au cours de l'année. Après la victoire de Dion à la course à la direction du Parti libéral en décembre 2006, les devins de la politique commencèrent à prédire qu'il aurait du mal à se rendre populaire au Québec. Comme si c'était nouveau! Pourtant, il est difficile d'imaginer une année plus angoissante que 1995, à une époque où les enjeux étaient si énormes pour les Québécois des deux camps. «Vous ne pouvez pas avoir idée de l'ambiance au Québec à ce moment-là, pendant le référendum de 1995», commenta Yves Picard en août 2006. Organisateur de la campagne pendant la course à la direction, il était installé dans un restaurant de la vieille ville, non loin des remparts de pierre et des plaines d'Abraham, site d'une bataille qui était loin d'être terminée au Québec. «Il fallait vraiment avoir du cran à cette époque-là», conclut-il[48].

Le pire se produisit en mars 1995. Cela a été horrible, soupirerait Dion des années plus tard. La date du référendum n'avait pas encore été fixée, mais divers scénarios de séparation étaient en gestation, exactement comme le politicologue canadien Keith Banting avait imaginé la restructuration de l'Amérique du Nord dans son chapitre de *The Collapse of Canada?* (Quinze ans après la publication du livre, Banting estimait toujours que le Canada ne se trouverait pas dans une situation favorable si le Québec décidait de se séparer. Il ajouta que le Canada «n'avait toujours pas décidé de quelle manière il se gouvernerait[49]».) Il est de fait que les questions qui touchaient à la séparation étaient fort épineuses. Qu'arriverait-il à la portion québécoise de la dette fédérale? Le Québec pourrait-il continuer d'utiliser le dollar canadien? Un Québec souverain connaîtrait-il une récession? Que ferait le gouvernement du Canada?

Stéphane Dion participa à un séminaire sur la séparation, parrainé par l'Institut C.D. Howe de Toronto, en mars 1995, et se trouva en butte au courroux de Jacques Parizeau et d'une large part des forces du «oui» au Québec.

La controverse éclata à la suite d'une remarque émise durant le séminaire par Stanley Hartt, que Stéphane Dion aurait approuvée. Hartt, Québécois anglais et ancien conseiller de Brian Mulroney, aurait apparemment exhorté le Canada anglais à *faire souffrir*[50] le Québec si le «oui» l'emportait.

Parizeau sortit de ses gonds. De Québec, il qualifia ces remarques d'odieuses et de révoltantes, et se dit éberlué que des Québécois acceptent d'aller à Toronto pour trahir les leurs. (Michel Bélanger, qui présidait les forces du «non» au Québec, se trouva lui aussi accusé d'avoir appuyé Hartt.) Bref, tout cela relevait de la comédie burlesque. Mais c'est Dion qui subit le plus fort de l'offensive. On l'accusa de fomenter dans l'ombre une conspiration qui visait à plonger son propre peuple dans la détresse.

En réalité, ce n'est pas ce qui avait été dit au séminaire, du moins pas dans ce contexte[51]. Pour couronner le tout, ce n'était même pas Dion qui avait émis la remarque. Hartt publia un article dans la *Gazette* de Montréal, en expliquant ce qu'il avait voulu dire: si la situation économique du Québec se dégradait après une séparation, le nombre des partisans de l'indépendance ne pouvait que diminuer. «Soyons bien clairs: Dion ne possède pas le pouvoir de déclencher une récession au Québec. Même l'Institut C.D. Howe en est incapable[52].»

L'infortuné Dion en était demeuré abasourdi. Il s'efforça d'expliquer ce qu'il avait dit pendant le séminaire. «J'ai simplement avancé que si après une victoire du "oui", des difficultés économiques surgissaient au Québec, le mouvement en faveur de la souveraineté pourrait passer sous les 50 p. 100, affirma-t-il à la presse canadienne. Mais je n'ai jamais proposé de provoquer des difficultés économiques[53].» Pendant des années, par la suite, il en resterait quelque peu traumatisé, incapable d'admettre qu'on l'eût si férocement éreinté pour quelque chose qu'il n'avait pas dit. Il fut considéré comme un traître. «Une tempête s'est levée contre moi. Le bureau de

Parizeau était contre moi. Les journalistes me harcelaient. Mais ce n'était pas moi. Je n'ai pas dit cela. Cette tempête a été la première crise et elle s'est révélée la pire, parce que nous étions seuls», reconnaîtrait-il en décembre 2006.

À ce moment-là, il était chef du Parti libéral, avait été deux fois ministre fédéral et disposait du personnel et du soutien logistique qui permettait aux membres du Cabinet de traverser des champs de mines. Et en 2000, durant le processus d'adoption d'un texte législatif controversé sur les règles de sécession, il avait dû accepter la protection de la Gendarmerie royale du Canada. Mais rien de tout cela n'avait été aussi déplaisant que l'affaire du C.D. Howe. «Lorsqu'on est ministre, on a de l'aide. Mais un simple professeur est seul. Les gens allaient presque jusqu'à m'attaquer [physiquement]. Et je n'avais aucun appui, aucune aide psychologique. [...] Tout ce que je pouvais faire, c'était répéter, répéter, répéter que ce n'était pas moi. [...] J'ai trouvé tout cela horrible [...]»

Le vacarme allait s'amplifier en mars 1995 parce que quelques semaines plus tôt, Radio-Canada avait révélé que Dion, le champion du fédéralisme, faisait des recherches pour les forces fédérales du «non» et avait signé des contrats d'une valeur d'environ 14 000 $. Les critiques hurlèrent aussitôt au conflit d'intérêts, mais Dion fit remarquer que personne ne protestait du fait que des universitaires séparatistes acceptaient régulièrement des contrats du gouvernement péquiste à Québec[54].

La date du référendum au Québec fut finalement fixée au 30 octobre 1995. Le gouvernement Parizeau diffusa la question en août: «Acceptez-vous que le Québec devienne souverain, après avoir offert formellement au Canada un nouveau partenariat économique et politique, dans le cadre du projet de loi sur l'avenir du Québec, et de l'entente signée le 12 juin 1995, oui ou non?»

Les forces du «non» jugèrent immédiatement la question compliquée et confuse. Stéphane Dion, qui écrivait de plus en plus souvent dans les journaux, publia une critique de la question dans *La Presse*. «Il faut dire à ces chefs souverainistes, en les regardant dans les yeux, que s'ils se sentent diminués dans le Canada, c'est leur problème, mais que les Québécois en majorité sont fiers de leur appartenance au Québec et au Canada[55].»

L'entente du 12 juin, mentionnée dans la question, était une allusion au projet de loi n° 1, soit un accord tripartite sur les aspects techniques de la séparation, signé ce jour-là à Québec par les trois principaux promoteurs de l'indépendance: Jacques Parizeau, le premier ministre du Québec, Mario Dumont, chef de l'Action démocratique du Québec (ADQ), et le dernier arrivé dans le bloc séparatiste, Lucien Bouchard. L'entente engageait le Québec à essayer de négocier une souveraineté-association économique et politique avec le Canada, si le «oui» l'emportait, mais précisait que le Québec se séparerait unilatéralement si aucun partenariat de ce genre n'avait pu être négocié au bout d'un an.

Dion était peut-être la coqueluche des fédéralistes, mais Lucien Bouchard était devenu celle, beaucoup plus charismatique, des souverainistes. Entre eux, l'animosité ne tarderait pas à surgir. Bouchard avait été un ami intime, un condisciple en droit à l'Université Laval et un partisan politique de Brian Mulroney qui, lorsqu'il était premier ministre, avait offert à son ancien camarade un poste diplomatique de choix, celui d'ambassadeur du Canada en France, en 1985. Après l'élection de Bouchard comme député fédéral en 1988, Mulroney l'introduisit dans son équipe ministérielle et fut catastrophé lorsque, deux ans plus tard, Bouchard démissionna pour se placer à la tête d'un nouveau parti fédéral dont la raison d'être était la séparation du Québec.

Dans la lutte pour l'indépendance, le Bloc québécois devint une force avec laquelle il fallait compter, après qu'il eut raflé 54 des 75 sièges du Québec aux élections fédérales de 1993. Bouchard semblait être l'héritier spirituel de René Lévesque. Il possédait le magnétisme personnel qui faisait défaut à Parizeau et, à la fin de 1994, un étrange coup du sort allait contribuer à accroître son prestige. Victime de la «bactérie mangeuse de chair» (fascite nécrosante), il dut être amputé d'une jambe. C'est donc appuyé sur sa canne qu'il se lança dans la campagne référendaire, tout en faisant preuve d'un stoïcisme qui susciterait l'admiration et, en 1996, faciliterait son élection à la tête de la province.

Devant la puissante alliance des forces séparatistes et une offensive aussi énergique qu'adroitement conçue pendant les trois dernières semaines de la campagne, les fédéralistes semblaient s'affaiblir. Au fur et à mesure que l'on se rapprochait du jour J, le «oui» gagnait régulièrement du terrain dans les sondages.

À la mi-octobre, Stéphane Dion et son collègue François Vaillancourt, professeur d'économie à l'Université de Montréal, adoptèrent une démarche entièrement nouvelle. Alors qu'ils étaient dans des camps opposés sur la question de l'indépendance, ils décidèrent d'écrire un article en collaboration. Vaillancourt, exactement comme Dion, était un penseur original, qui ne craignait pas la controverse. Souverainiste, il s'était félicité de l'élection du PQ en 1976. Néanmoins, au cours des années, il avait émis des commentaires qui avaient fort intéressé les fédéralistes. En 1982, il avait été invité à prononcer un discours, à l'occasion de la première réunion à Montréal du groupe Alliance Québec, qui visait à protéger les droits des Québécois anglais. Il affirma que les anglophones bilingues avaient un rôle crucial à jouer dans les relations que la société de langue française entretenait avec le reste de l'Amérique du Nord. «Si vous n'avez pas d'anglophones bilingues, vous resterez isolés[56].» Vaillancourt estimait qu'un Québec indépendant connaîtrait une récession économique, du moins à courte échéance.

Au début d'octobre 1995, il se retrouva en train de débattre cette question avec Stéphane Dion et quelques autres professeurs, à la cafétéria, pendant le repas. «Très intéressant, tout cela. Nous devrions travailler ensemble là-dessus», avait remarqué Dion. «Nous avons poursuivi la discussion dans le bureau de Stéphane et quelques heures plus tard, nous avions tracé les grandes lignes de notre article», se souvient Vaillancourt. Le fruit de ce labeur parut dans *La Presse*. Les deux chercheurs avaient dressé une liste de 12 points sur lesquels fédéralistes et souverainistes pouvaient se mettre d'accord. «Ce travail m'intéressait, car je me disais que le pire scénario serait de voter pour la souveraineté sans comprendre ce que cela entraînait pour l'avenir, raconte Vaillancourt. Je jugeais d'une malhonnêteté extrême de promettre à la population que les portes du paradis s'ouvriraient dès que le Québec serait souverain.»

Dion et Vaillancourt décrivirent les principes communs: que le Québec disposait d'une autonomie supérieure à celle des autres provinces dans certains domaines clés, que le Québec serait toujours une minorité au sein du Canada. «La souveraineté du Québec est et demeurera un objectif légitime.» Cela ne reposait pas sur la xénophobie, expliquèrent les auteurs, mais sur des «valeurs démocratiques et libérales». Ils énoncèrent ensuite les conséquences d'une victoire du «oui», parmi lesquelles des bouleversements économiques à court terme, un accroissement de la dette du Québec, un exode de 250 000 personnes, la perte du dollar canadien comme devise officielle et le renforcement de la langue française au Québec[57]. Tous deux jugèrent l'expérience très enrichissante. Vaillancourt qualifia Dion de «chercheur très rigoureux» et ils demeurèrent en contact. Dion prit l'habitude de téléphoner à Vaillancourt, y compris pendant la course à la direction du Parti libéral en 2006, pour solliciter son opinion sur des questions d'économie. «Je ne suis pas vraiment un patriotard, déclara Vaillancourt. Je suis plutôt un souverainiste de droite.» Puis il ajouta en riant: «Disons, plus exactement, un souverainiste en faveur de l'économie de marché.»

Cette collaboration, qui suscita les louanges des deux forces en présence, n'offrit toutefois qu'un bref intervalle de paix au cœur d'un duel particulièrement acrimonieux. Le 30 octobre 1995, le pays se figea pour regarder les résultats osciller toute la soirée, dans un sens ou dans l'autre. En fin de compte, seulement 54 288 voix séparèrent les gagnants – le «non» – des perdants, soit 50,58 % contre 49,42 %. Le suspense avait été digne d'un scénario concocté à Hollywood.

Furieux, Parizeau s'en prit à «l'argent» et au «vote ethnique», soit aux anglophones et aux allophones de l'île de Montréal et des Cantons-de-l'Est qui, selon lui, avaient dérobé la victoire aux forces du «oui». Ses commentaires déclenchèrent de vives critiques et il dut démissionner l'année suivante. Il fut remplacé par Lucien Bouchard.

Pour les fédéralistes, il n'y avait pas non plus de quoi pavoiser. On était passé trop près d'une défaite. Ils s'étaient rendu compte de ce qu'ils avaient failli perdre. Dion déclara que la victoire du «oui» n'aurait pas entraîné la souveraineté, mais la confusion. La question posée aux électeurs était ambiguë. Par ailleurs, il fut consterné d'apprendre par les sondages des jours qui avaient précédé le référendum que la majorité des Québécois étaient persuadés qu'une séparation ne les priverait ni de leur passeport canadien ni du dollar canadien.

Cette illusion n'avait toutefois rien d'inattendu, car c'était bien ce que le projet de loi n° 1 avait fait croire à la population. Le document signé par les trois chefs souverainistes à Québec devait rassurer les Québécois qui envisageaient de voter «oui», en leur affirmant qu'ils continueraient à recevoir leurs prestations d'assurance-emploi et leurs crédits d'impôts pour enfants (qui relevaient pourtant de la compétence fédérale). En outre, le projet de loi n° 1 parlait de modifier les accords internationaux dont le Canada était signataire, notamment l'Accord de libre-échange nord-américain (ALENA), comme s'il s'agissait de petits détails insignifiants. «Tout cela était très effrayant. On n'avait pas l'impression d'avoir remporté une victoire», reconnaît Geoffroi Montpetit, qui commencerait à travailler pour Dion l'année suivante. «Je me souviens que l'un de mes amis, à Montréal, m'a dit avoir voté "oui" simplement pour montrer qu'il était en faveur de donner plus de pouvoirs au Québec. Il n'avait pas la moindre idée de ce qui était en jeu[58]!»

Montpetit était adjoint spécial du ministre des Affaires étrangères André Ouellet en 1995. Il se souvient: «Les gens des ambassades ne cessaient de nous téléphoner, complètement abasourdis, pour nous demander à quel jeu nous étions en train de jouer.»

Stéphane Dion détestait la démarche nationaliste «douce» qui caractérisait les forces du «non», l'idée que contester les affirmations des souverainistes ne ferait qu'envenimer la situation ou le refus de démontrer qu'une victoire du «oui» aurait de graves retombées.

Aux yeux de maints fédéralistes, la timidité des forces du «non» au Québec se reflétait dans l'attitude de l'ancien premier ministre provincial, Daniel Johnson, qui allait jusqu'à refuser de prononcer le mot «Canada», préférant faire allusion à une «union économique». Il avait pris cette habitude pendant la campagne électorale de 1994, campagne qu'il avait d'ailleurs perdue au profit du Parti québécois. Lorsque Jacques Parizeau avait affirmé, durant un débat des chefs de partis en 1994, que le Québec pourrait économiser 3 milliards de dollars en éliminant le dédoublement des services, Johnson avait rétorqué: «Accepteriez-vous de remplacer tous les avantages de l'union économique par les créations du PQ[59]?»

Effectivement, au lendemain fripé du deuxième référendum en 15 ans sur la séparation du Québec, amertume et récriminations étaient au rendez-vous chez les fédéralistes. À Ottawa, le premier ministre Jean Chrétien jura que tant qu'il serait là, il ne permettrait pas qu'une telle situation se reproduise.

CHAPITRE 5

Promenade sous la neige

En décembre 1995, Stéphane Dion dut prendre une décision. On ne lui avait laissé, pour réfléchir, que jusqu'au 6 janvier, l'Épiphanie, la fête des trois rois mages qu'une étoile avait guidés jusqu'à Bethléem et à la grotte où était né Jésus. Pour Dion, cela avait toujours été un jour de chance. C'était souvent lui qui recevait la tranche de galette des rois dans laquelle se trouvait la petite figurine royale[1].

Toutefois, la date du 6 janvier 1996 n'avait aucun rapport avec ces festivités familiales. C'était le premier vendredi de l'année et, ce jour-là, Dion devait accepter ou refuser une offre étonnante de Jean Chrétien. Cette fin de semaine-là, le premier ministre quittait le Canada pour conduire une mission commerciale en Chine et au Pakistan, et voulait connaître la réponse. Le 25 novembre, il avait demandé à Dion de se joindre à son équipe ministérielle, afin de jouer un rôle important dans le combat pour l'unité.

Pour Dion, c'était une décision extrêmement grave. Sa première réaction avait été négative. Mais après en avoir discuté avec son épouse, Janine, il avait été tenté d'accepter l'offre. Néanmoins, il était allé passer Noël à Québec, pour voir sa famille et pour discuter seul à seul avec son père. Tous deux décidèrent d'aller se promener par les rues enneigées de Sillery. Pendant que Léon s'efforçait de suivre les longues enjambées de son fils, Stéphane sollicitait l'avis de son père : devrait-il accepter l'offre de Chrétien[2] ?

« Non, non, non, répondit Léon, tu ferais une terrible erreur ! Tu as 40 ans, ta carrière est extrêmement prometteuse. Tu vas certainement obtenir ta permanence à l'Université de Montréal. Mais si tu entres en politique à ton âge, oublie tout ça ! Jusqu'à la fin de tes jours, tu seras un universitaire pour les politiciens et un politicien pour les universitaires. »

Il s'agissait d'une rude mise en garde, que Stéphane se remémorerait par une autre nuit d'hiver, 11 ans plus tard. Le jeudi qui précédait Noël 2006, il avait pris l'avion à Winnipeg pour rentrer à Ottawa. Il était presque minuit et il savait qu'il ne serait pas au lit avant 2 h du matin. Il avait été élu chef du Parti libéral quelques semaines auparavant et devrait consacrer le plus gros de la semaine des fêtes au travail. « Mon père avait raison, dit-il, c'est exactement ce qui s'est produit. »

$\sim$

L'invitation de Chrétien était arrivée sans préavis. Au matin du 25 novembre 1995, Dion se trouvait depuis la veille chez des amis à Ottawa, car il devait donner une communication à l'Université Carleton. Le référendum sur la souveraineté du Québec s'était déroulé un mois plus tôt. Personne n'en était encore remis. Les forces du « non » l'avaient emporté par une infime majorité et le discours de Dion portait justement sur la manière dont les fédéralistes avaient torpillé leur propre campagne référendaire en ne s'affirmant pas suffisamment. Sa communication était prévue pour l'après-midi lorsque Janine lui téléphona de leur appartement de Montréal. Elle venait de recevoir un appel d'une femme qui prétendait que *le premier ministre*[3] voulait parler à Monsieur Dion.

– Quel premier ministre ? avait demandé Janine.

– Monsieur Chrétien, c'tte affaire !

Dion crut tout d'abord à une supercherie de ses étudiants. Après tout, il était facile d'imiter Chrétien. Mais lorsqu'il eut composé le numéro que Janine avait noté, il constata que c'était bien celui du Bureau du premier ministre. Quelques instants plus tard, la voix rocailleuse de Jean Chrétien était en ligne. «Où êtes-vous?», demanda-t-il à Dion. Lorsque ce dernier eut répondu qu'il se trouvait à Ottawa, le premier ministre l'interrogea sur les raisons de sa visite. Dion lui parla de son discours sans cacher qu'il avait l'intention de critiquer Chrétien lui-même. «Venez donc me voir et vous m'expliquerez tout cela», déclara le premier ministre.

C'était Aline Chrétien qui avait attiré l'attention de son époux sur Stéphane Dion. Jean Chrétien avait le plus grand respect pour le jugement de son épouse. Celle-ci avait souvent vu le politicologue montréalais défendre la cause fédéraliste à l'émission de Radio-Canada, *Le Point*. La veille, elle avait persuadé son mari de «venir voir ce type» parler à la télévision. Chrétien, impressionné, avait émis l'idée de faire sa connaissance. «Ce serait effectivement une très bonne idée, Jean», avait répondu Aline. C'est ainsi que dès le lendemain matin, Stéphane Dion recevait cet appel[4].

Même si Dion avait consacré une grande partie des années 90 à défendre le fédéralisme canadien, il ne savait pas où se trouvait le 24 Sussex. Ses hôtes l'assurèrent qu'il pourrait s'y rendre à pied en une vingtaine de minutes. Chrétien l'attendait et commença par lui demander le texte de son discours. Dion se souvient qu'ensuite, le premier ministre ne lui posa qu'une seule question: «Croyez-vous possible d'éviter un nouveau référendum?»

Dion ne pensait pas que cela serait possible. Mais il croyait que Chrétien pouvait toujours dire qu'il n'accepterait pas les résultats d'un référendum provincial, à moins que la question ne soit claire et nette. À son avis, la question référendaire d'octobre 1995 était tout le contraire.

Pendant qu'ils discutaient, Aline Chrétien fit une brève apparition.

– Comment ça va ?

– J'essaie, j'essaie, répondit son époux.

Chrétien invita Dion à manger. Pendant le repas, il lui proposa de venir à Ottawa. Dion n'oublierait jamais la manière dont le premier ministre avait formulé son offre : « Je serais très honoré si vous consentiez à venir vous asseoir à la table de mon Cabinet. »

Dion commença par atermoyer. La politique n'était pas son but dans la vie, pas plus que celui de son épouse. Il expliqua à quel point le monde universitaire était important pour lui. D'après lui, il aurait plus d'influence comme professeur que comme politicien.

« Je suis encore étonné qu'il ne m'ait pas mis à la porte, se souvient Dion. C'était vraiment arrogant de ma part, vraiment prétentieux. Mais… c'était ce que je croyais à l'époque. Mon père m'avait enfoncé dans le crâne qu'il n'y avait rien de plus important dans la vie que de devenir professeur d'université. [...] J'en étais convaincu. »

Chrétien, cependant, insista. « C'est une bonne vie. Les politiciens peuvent faire avancer les choses. [...] Vous pourriez m'aider à préserver l'unité du pays. Vous avez des idées très arrêtées. »

Lorsque Dion relata cette rencontre, 10 ans plus tard, il était difficile de croire que les deux hommes avaient ainsi parlé de *sauver* le pays. Sentimental, un peu trop sirupeux pour être vraisemblable. « Je vous assure, ça s'est vraiment passé de cette manière, affirma Dion. L'important ici, c'est que le premier ministre de mon pays m'offrait de faire partie de son Cabinet, alors que je n'étais même pas membre du parti, que je n'avais aucune expérience de la politique. Il ne me connaissait absolument pas. Je crois l'avoir rencontré une seule fois auparavant. Nous nous étions croisés avant un enregistrement. Nous nous étions serré la main, c'est tout. Nous n'avions jamais eu de conversation. »

Chrétien, pour convaincre Dion, lui assura qu'il n'avait pas coutume d'inviter n'importe qui à se joindre à son équipe ministérielle. Il avait toujours été très clair avec ses partisans :

«Vous avez envie de vous présenter aux élections, c'est très bien, mais cela ne veut pas dire que vous deviendrez ministre.» Dion ne se laissa pas convaincre.

Néanmoins, au cours de leur entretien, devant les fenêtres qui s'ouvraient sur la rivière des Outaouais, Dion expliqua à Chrétien que l'un de ses amis, un nommé Pierre Pettigrew, avait envie de faire de la politique et serait l'homme idéal. Il avait été adjoint de Pierre Trudeau et s'était présenté aux élections fédérales sous la bannière libérale, mais sans succès. Il était expert-conseil en commerce international. «Peut-être, peut-être…, répondit Chrétien, mais c'est à *vous* que je m'adresse maintenant!»

Dion se dit qu'il pouvait difficilement rabrouer son premier ministre et tourner les talons. «Bon, très bien, je vais réfléchir.» Chrétien était satisfait. Ils se serrèrent la main et Chrétien lui dit, en prenant congé: «J'espère que vous accepterez.»

À Montréal, Janine crut que son mari lui faisait un poisson d'avril (prématuré). «Tu n'as jamais fait de politique, s'exclama-t-elle, ébahie. Pourquoi te demande-t-il cela?» Mais l'idée lui plaisait. Elle lui rappela tout ce qu'ils avaient osé accomplir ensemble. Ils étaient partis à Paris faire leur doctorat, alors qu'ils ne se connaissaient pas encore très bien, et sans beaucoup d'argent; ils étaient partis à Washington, alors qu'ils n'étaient pas beaucoup plus riches et que Janine aurait préféré rester à Montréal; ils avaient adopté une enfant sans avoir la moindre expérience du rôle de parents. Ils avaient survécu à toutes ces aventures et l'expérience les avait endurcis. «Nous n'avons jamais eu peur de l'inconnu, dit-elle. Pourquoi ne pas courir ce nouveau risque? C'est dans notre nature. Nous n'avons pas peur des risques.»

Au début de décembre, Stéphane Dion s'envola pour la Belgique, l'Espagne et l'Allemagne où il devait prononcer une série de discours sur l'unité canadienne. «J'ai retrouvé des amis, en Espagne. Ils étaient convaincus qu'être en même temps Catalans, Espagnols et Européens était une bonne chose. En Allemagne, j'ai aussi découvert cette mentalité de peuple qui ne faisait qu'un, dit-il. Du coup, j'ai changé d'avis. J'ai commencé à penser que l'unité n'était pas un problème purement canadien, mais qu'il touchait le monde entier. Nous avions le devoir de montrer qu'il était possible de bâtir des États forts, des pays forts, à l'aide de peuples de langues différentes.» Cette transition marqua le troisième stade de son évolution. De séparatiste il était devenu fédéraliste et d'observateur il était devenu activiste. Comme l'année 1995 s'achevait, il était prêt à entrer en politique. «Janine, j'ai changé d'avis. Je crois que tu as raison. Nous devrions aller à Ottawa», déclara-t-il à son épouse.

Entre-temps, cependant, Janine avait elle aussi changé d'avis. «Je ne crois pas. Les souverainistes sont en colère parce qu'ils ont perdu le référendum, lui rappela-t-elle. Ils vont être horribles, mesquins. [...] Si tu deviens ministre, ils ne te lâcheront pas. Notre vie deviendra un enfer.» Il se souvient encore de cette discussion. Janine était également inquiète pour leur fille, Jeanne. L'année du référendum au Québec avait été extrêmement pénible pour toute la famille. Néanmoins, elle affirma qu'elle le soutiendrait dans sa décision. Il se dit que le moment était venu d'en discuter avec son père.

≈

Pendant que tous deux marchaient sous la neige, en cette fin d'année, Léon affirma que son fils devait absolument refuser l'offre de Jean Chrétien. Stéphane savait parfaitement que Léon avait lui-même opposé un refus à de nombreux politiciens au cours des années. Mais il rappela à son père qu'il n'était pas dans la même situation que lui, que Janine Krieber n'était pas Denyse Dion. Janine accepterait sa décision, quelle qu'elle fût, alors que Denyse n'avait jamais voulu que Léon se lance en politique.

«Écoutez, il ne faut pas exagérer», s'exclamera Denyse en 2006, lorsqu'on avancera que c'était elle qui avait tenu son mari en dehors de la politique. «S'il avait voulu le faire, il l'aurait fait.» Selon elle, Léon avait utilisé l'avis de sa femme comme prétexte lorsqu'il n'avait pas envie de faire quelque chose. Il se disait désolé, mais... «Léon n'était pas fait pour la politique, affirmera Denyse. Quand Stéphane est entré en politique, je lui ai posé la question: "Qu'est-ce que tu vas faire lorsque tu voteras blanc et que tous les autres voteront noir?" Il a dit: "Je ferai tout pour qu'ils pensent blanc." Je lui ai demandé: "Et si ça n'arrive pas, qu'est-ce que tu feras?" Il a répondu: "Je verrai." Alors, je lui ai dit: "Va-t'en en politique." Parce que si j'avais posé la même question à Léon, il aurait répondu: "Je démissionnerai!" Voyez-vous la différence?» Un véritable politicien veut changer les cœurs et les esprits. «Avec Léon, c'était: "Voici ce que je pense et si vous n'êtes pas d'accord, bonsoir!"»

Convaincre un père qui avait des idées si arrêtées n'était pas facile. C'est pourtant ce que Stéphane essaya de faire pendant cette promenade sous la neige. Une heure plus tôt, tous deux étaient confortablement installés dans la maison du boulevard Liégeois. Léon avait félicité Stéphane pour un article qu'il venait d'écrire pour un périodique. Et voilà que maintenant, il voyait la carrière universitaire de son fils partir en fumée. Léon était sceptique.

Stéphane, cependant, persista, jusqu'au moment où il réussit à découvrir l'argument qui ferait changer son père d'idée. «En d'autres circonstances, je te donnerais raison», dit-il. Mais lorsqu'on avait proposé à Léon de faire de la politique, la situation, au Canada, était stable. «J'ai été invité à un moment où le pays est en danger et, à tort ou à raison, le premier ministre pense que je suis l'homme de la situation. [...] Et tu sais, Papa, je crois qu'il a raison. Si je ne le fais pas, personne d'autre ne le fera.»

CHAPITRE 6

Ministre de l'unité

Les raisons pour lesquelles la reine Victoria choisit Ottawa pour en faire la capitale du Canada en 1857 font certes l'objet de nombreuses hypothèses, mais personne n'a encore suggéré qu'il s'agissait peut-être de jouer un tour à ces coloniaux turbulents qui étaient incapables de se décider entre Kingston, Québec, Toronto ou Montréal. La jeune reine jugea le site idéal, à la limite entre l'Ontario et le Québec, et fut très impressionnée par des représentations pittoresques du site[1]. Savait-elle à quel point on y gelait en hiver? On l'ignore. Peut-être rit-elle sous cape en imaginant ses sujets en train de grelotter le jour de l'inauguration, le 31 décembre 1857.

Il est de fait que les températures hivernales d'Ottawa peuvent être intimidantes. La bise s'engouffre dans les rues O'Connor et Metcalfe depuis la Colline du Parlement. Arpenter le centre-ville en hiver relève de l'exploit, surtout qu'à 16 h 30, la nuit est déjà tombée. C'est justement l'un de ces corridors arctiques que Stéphane Dion, le nouveau ministre des Affaires intergouvernementales, prit en janvier 1996 afin d'installer ses pénates dans un édifice fédéral, au 66 de la rue Slater, près de la rue Metcalfe.

Le titre du ministre définissait son travail: Dion servirait d'intermédiaire entre le premier ministre fédéral et les premiers ministres provinciaux. Mais sa mission véritable, aux yeux de Jean Chrétien, consisterait à dresser un plan qui, si le spectre d'un nouveau référendum se profilait au Québec, permettrait à Ottawa de se trouver à pied d'œuvre au lieu de s'évertuer à rattraper son retard, comme la dernière fois.

La démarche nationaliste «douce» ne s'était pas révélée efficace et Chrétien était donc prêt à entendre les idées plus énergiques du politicologue québécois, qui mettait en doute les arguments souverainistes et ne craignait pas de démolir les mythes dont faisait l'objet la fédération canadienne. Et cela, quel que fût le prix personnel à payer. Dion ne craignait pas de dire aux gens qu'ils avaient tort et il ne s'en privait pas. Le nouveau ministre devrait donc s'attaquer à la question de l'unité sans faire dans la dentelle : s'exprimer ouvertement sur les conséquences éventuelles de la séparation pour le Québec et préparer un plan en cas de sécession.

Lors de leur première rencontre au 24 Sussex, deux mois auparavant, Dion et Chrétien avaient discuté de la nécessité de règles parfaitement claires dans le cas d'une éventuelle séparation. Et dès ses premiers jours au ministère des Affaires intergouvernementales, il avança un argument qui enfonça un pieu dans le cœur des indépendantistes : «On ne peut pas considérer d'une part le Canada comme divisible et d'autre part le territoire du Québec comme sacré», dit-il à la presse canadienne, peu après son entrée en fonction[2].

Au cours des années suivantes, Dion lutterait pour un plan d'action qui comporterait d'énormes risques et finirait par créer un précédent, au Canada comme à l'étranger. On était bien loin du professeur réservé des années 80, qui hésitait à parler de politique partisane. Il passait beaucoup de temps à voyager, encore plus de temps à travailler dans son bureau, souvent des nuits entières. Il serait félicité, décrié et, surtout, incompris. Le parcours du combattant!

Le 26 janvier 1996, Chrétien remania son Cabinet. À Ottawa, petite capitale administrative, les rumeurs du remaniement couraient déjà depuis plusieurs semaines, alors que Chrétien était encore à l'étranger. Le premier ministre nomma Stéphane Dion aux anciennes fonctions de Marcel Massé, soit

aux Affaires intergouvernementales. Massé se retrouva au
Conseil du Trésor. Chrétien faisait confiance au jugement de
Massé, natif de Montréal, qui était à la fois ministre pour le
Québec et président d'un comité spécial du Cabinet sur
l'unité nationale. Chrétien consolida encore son équipe qué-
bécoise en enrôlant l'ami de Dion, Pierre Pettigrew, qui fut
nommé ministre de la Coopération internationale et de la
Francophonie. Dion et Pettigrew ne tardèrent pas à être sur-
nommés «Les deux colombes» par les médias du Québec,
allusion aux «trois colombes», Pierre Trudeau, Jean
Marchand et Gérard Pelletier, qui avaient été appelés à
Ottawa une génération plus tôt.

Stéphane Dion était presque inconnu à l'extérieur du
Québec, à l'exception des milieux de sciences politiques qu'il
fréquentait. La cérémonie d'assermentation, à Rideau Hall,
fut un moment d'émotion pour lui et aussi pour son père
qui, très fier, était venu de Québec. Néanmoins, Dion n'avait
invité ni sa mère, Denyse, ni son épouse, Janine, à Rideau
Hall. «Janine m'a confié plus tard qu'elle en avait été un peu
vexée, mais je ne voulais pas en faire une fête de famille.
J'estimais que j'étais seul concerné par cette affaire», expliquerait Dion des années plus tard. En effet, après qu'il eut
été élu chef du Parti libéral en 2006, son équipe voulait le
persuader de laisser les médias s'approcher de sa famille.
«Mais dès le départ, je voulais protéger ma famille. Je suis
comme ça. Je ne voulais pas mélanger vie publique et vie
privée. Il y a un très beau mot en anglais pour désigner cela,
c'est *privacy*. Nous n'avons pas l'équivalent en français, car
le mot englobe plus que la vie privée. Je crois en l'importance de la *privacy*[3].»

Dès son entrée en fonction, en janvier 1996, Dion s'attela à
une tâche cruciale. Sa relation avec Chrétien, tout aussi pri-
mordiale, deviendrait très étroite. Adjoint de longue date de
Jean Chrétien, Eddie Goldenberg décrirait cela comme une
relation «de type père-fils[4]». Dion affirme que le temps passé
au Cabinet de Chrétien serait «une bonne école de politique». Chrétien, d'ailleurs, en conviendrait. «Vous savez, j'ai

peut-être été pour Dion ce que Mitchell Sharp avait été pour moi[5]», avança Chrétien, faisant allusion au ministre libéral qui lui avait servi de mentor dans les années 60.

La meilleure description de Jean Chrétien est peut-être celle du gourou politique suprême, Dalton Camp: «Il a l'air du gars qui conduit la voiture des voleurs.» Chrétien aimait jouer au mal dégrossi, affligé de tics, avec ses bizarres haussements d'épaules, l'image même du «*p'tit gars de Shawinigan*[6]». Mais en réalité, c'était un politicien coriace et plein d'astuces, qu'il ne fallait surtout pas sous-estimer. Les réunions du Cabinet devaient être brèves et pertinentes. Les notes rédigées par ses adjoints ne devaient pas dépasser une page. Il n'aimait ni regarder la télévision ni lire les journaux. Mais il lisait des livres d'histoire et des biographies, et se plaisait à discuter de politique comparée avec Stéphane Dion. «Sans lui, je n'aurais jamais fait de politique. Nous avons eu de nombreuses discussions et, à maintes reprises, j'ai constaté que c'était lui qui avait raison et moi qui avais tort[7].» Quant à Chrétien, il comprit ce qu'il avait offert à Stéphane Dion. «C'était un politicologue qui s'y connaissait parfaitement en sciences politiques. Mais pour moi, la politique était un art. De fait, l'art de la politique a été ma vie.»

Dès le départ, Dion jouit de privilèges qui ne seraient offerts à personne d'autre. Ce n'était pas un béni-oui-oui. Il avait tenu tête à Chrétien lors de leur première rencontre, au 24 Sussex. Il avait critiqué ouvertement la stratégie fédérale au moment du référendum et réagi sans enthousiasme lorsque le premier ministre lui avait offert une place dans son Cabinet.

Goldenberg, dans son livre, raconte que le nouveau ministre avait réprimandé sévèrement Chrétien, le jour où ce dernier avait entamé une réunion du Cabinet par quelques plaisanteries. «Monsieur le Premier Ministre, la question est grave et nous n'avons pas le temps de raconter des blagues.» Goldenberg poursuit: «Aucun autre ministre n'aurait osé parler sur ce ton à un premier ministre, seul Dion pouvait le faire impunément[8].»

Il est de fait que l'absence d'humour de Dion devint légendaire sur la Colline. Et pourtant, il ne détestait pas la plaisanterie. Geoffroi Montpetit, que Dion engagea comme conseiller en politique et rédacteur de discours au début de 1996, se souvient du jour où Goldenberg lui-même avait sermonné Dion: «Vous êtes ministre, maintenant, vous devez utiliser un porte-documents», allusion flagrante au vieux sac à dos en nylon bleu que Dion transportait toujours avec lui.

Dion se présenta effectivement à sa première réunion du Cabinet muni d'un porte-documents, qu'il posa sur la table d'un geste théâtral. Puis il l'ouvrit pour en extirper son sempiternel sac à dos en nylon bleu[9].

Dion jouissait de nombreux privilèges. La résidence d'été du premier ministre, sur le lac Mousseau, dans les collines de la Gatineau, n'était ouverte qu'aux amis les plus proches de la famille Chrétien. En 10 ans, Goldenberg n'y avait été invité que deux fois. Mais Stéphane Dion et Janine Krieber s'y rendaient fréquemment. Stéphane adorait la pêche, tout comme Aline Chrétien. Le lac, d'ailleurs, était poissonneux. John Diefenbaker, autre pêcheur passionné, l'avait fait ensemencer d'achigans lorsqu'il était premier ministre.

Les deux couples devinrent amis. «Si ma femme n'avait pas été sociable, il n'y aurait pas eu d'invitations», déclara Jean Chrétien sans ambages. Janine admirait Aline, qui avait su poursuivre ses activités personnelles, parmi lesquelles les langues et la musique. Elle appréciait ses sages conseils. «Je crois que, d'une certaine manière, elle est devenue un modèle pour moi[10].»

Dion ne perdit pas de temps à s'immerger dans son travail. Sa mission était, littéralement à ses yeux, de sauver le Canada, comme le lui avait demandé Chrétien. Mais pour commencer, il devait s'habituer à son personnel et distinguer les courants internes du pouvoir. Il avait consacré une carrière à étudier les bureaucraties, y compris les hauts fonctionnaires d'Ottawa. Il était bien préparé pour travailler avec des gens talentueux et volontaires. Son sous-ministre était George Anderson, bureaucrate d'expérience, doté d'un impressionnant curriculum vitæ[11], qui partageait les intérêts de Dion en matière de nationalisme et ses vues sur la nature des systèmes politiques.

«On m'a dit que vous devriez être mon sous-ministre», déclara Dion sur un ton plutôt abrupt à Anderson, lors de leur première rencontre[12]. Dion, en effet, se méfiait de son sous-ministre ou, plutôt, du système bureaucratique dont il était issu. Il avait l'impression que Goldenberg, principal conseiller de Chrétien, avait confié à Anderson la mission de tenir la nouvelle recrue à l'œil. «J'espère avoir été nommé pour collaborer avec quelqu'un d'intelligent et d'énergique qui accomplira une tâche importante et non pour surveiller le nouveau ministre», répondit Anderson, lorsqu'on l'interrogea sur sa relation avec Dion. «J'avais beaucoup d'estime et d'amitié pour George Anderson longtemps avant d'entendre parler de Dion et je voulais qu'il occupe ce poste, bien avant que Chrétien songe à faire de Dion un ministre», explique Goldenberg[13].

L'une des tâches d'Anderson consistait à tenir informé le Bureau du Conseil privé (qui collabore avec le premier ministre et le Cabinet), ce qu'il faisait par l'intermédiaire du secrétaire du Cabinet[14]. «Je n'ai jamais pensé que mon travail était de le freiner», commente Anderson. En qualité de sous-ministre des Affaires intergouvernementales, Anderson avait deux patrons: son ministre et le secrétaire du Cabinet. C'était lui qui devait effectuer «la quadrature du cercle», comme il dirait plus tard. Il lui arrivait de recevoir des signaux divergents, surtout lorsque Dion voulait aller de l'avant et que les autres, y compris des ministres aguerris, souhaitaient au contraire faire preuve de circonspection[15].

Ce genre de situation résumerait l'histoire de la carrière politique de Dion. Il avait des idées bien arrêtées et controversées sur la manière dont il fallait régler la question du séparatisme au Québec (c'était d'ailleurs pour cette raison que Chrétien l'avait choisi). Il recommandait des mesures qui effrayaient carrément ses collègues du Cabinet, surtout le caucus québécois. Il n'aurait peut-être pas gain de cause chaque fois, mais il bénéficierait toujours du soutien de Chrétien. Et rien ne l'irritait davantage que ceux qui n'étaient pas capables de faire un pas en avant sans réclamer un sondage. «Combien de fois, au début, lorsque je soumettais mes idées, ai-je entendu "Stéphane, le terrain n'est pas là, le terrain n'est pas bon." Vous ne devinerez jamais combien de fois j'ai entendu cela! Je crois que chaque sondage déclenche des réactions excessives. Nous devons avoir le courage de nos convictions. Le terrain, je veux bien, il faut le connaître, mais il ne faut pas le laisser nous dicter notre conduite[16].»

Dion était considéré comme un impatient, certes. Mais il gagna aussi le respect de ses collègues. Goldenberg, homme de petite taille au sourire malicieux, doté d'un cerveau de la taille du Manitoba, apprit à respecter Dion. Il avait accueilli Dion à la gare routière d'Ottawa, par un dimanche soir de janvier 1996, afin de l'emmener manger, sans vraiment savoir à quoi s'attendre. Tard dans la soirée, Chrétien lui avait téléphoné d'Asie pour connaître ses impressions. «Votre choix se révélera soit un succès spectaculaire, soit un échec tout aussi spectaculaire. Rien d'intermédiaire. Mais je ne peux pas prédire lequel des deux», répondit Goldenberg[17].

Après avoir travaillé pendant des années avec Dion, sur la Colline, Goldenberg pencherait pour le succès, mais... «Dion n'est pas un politicien typique. Il est très futé. Il se fixe des normes extrêmement sévères et il attend la même chose des autres.» Il décrivit Dion sous les traits d'un ministre qui faisait toujours ses devoirs, lisait toujours ses dossiers (ainsi que ceux des autres) et faisait travailler ses collègues. «Les gens le jugent arrogant, mais c'est faux. Il est très droit, il a beaucoup de considération pour les autres. Il n'est pas très fort sur le bavardage, mais il a un certain charme [...] et il est en politique parce qu'il y croit[18].»

Chrétien avait réuni un comité mixte de ministres, d'officiels et de membres du Bureau du premier ministre, afin d'échanger des idées sur la manière de procéder dans le cas d'un nouveau référendum. (À certains moments, on avait l'impression qu'il y avait plus de comités sur le Québec que de ministres.) À l'origine, ce comité avait été surnommé le G3, car il était composé de trois ministres : en plus de Stéphane Dion, il y avait le ministre de la Justice, Allan Rock, et Marcel Massé. Mais le nombre de membres augmenta peu à peu.

La première réunion, durant laquelle Dion devait faire un exposé, fut houleuse. Anderson lui avait fourni des notes, mais lorsque la présidente, Jocelyne Bourgon, pria Dion de commencer à parler, celui-ci répondit que c'était impossible, parce qu'il n'était pas d'accord avec le contenu du document qui avait été rédigé par son ministère. On avait l'impression, en le lisant, que le Canada devait être protégé du Québec et que chacun constituait un bloc monolithique. Anderson était présent et il demanda à Dion de lire le document. Mais Dion refusa, expliquant que ces notes ne reflétaient pas ce qu'il avait l'intention de dire, en tant que ministre : «Mon but n'est pas de protéger le Canada du Québec, il n'est pas non plus de trouver des moyens d'éviter la séparation en obligeant les Québécois à demeurer au Canada contre leur volonté. Ce n'est pas là le nœud du problème. C'est que si la séparation se déroule en dehors de la loi et si elle n'est pas accomplie avec clarté, la situation deviendra très confuse à Vancouver ou à Toronto, tandis que ce sera le chaos à Montréal. Le problème de la séparation n'est pas un problème entre les Québécois et les autres Canadiens. Avant tout, c'est un problème entre Québécois. Il y a, au Québec, sept millions de personnes qui sont divisées de manière à peu près égale et qui ne disposent d'aucune règle claire pour résoudre leur différend. Cela, c'est inacceptable dans une démocratie[19].»

Jocelyne Bourgon demanda à Dion de revenir la semaine suivante armé d'un document qu'il jugerait adéquat. Dion aurait toujours l'impression qu'après cette réunion, quelqu'un avait pris Anderson à part pour lui dire quelque chose comme : «Travaillez avec votre ministre. Il a été choisi par le premier ministre. Il n'est pas votre porte-parole, il est votre ministre. Vous devez collaborer avec lui.» Anderson constata que Dion était bien décidé à faire connaître ses idées. «En

Stéphane Dion, bébé, coiffé de son petit béret, à Québec en 1956.
Photo aimablement fournie par Mme Denyse Dion.

Léon Dion avec son jeune fils Stéphane (sur ses genoux) et son aîné Patrice, sur les marches du perron de leur maison de Québec, en 1956. *Photo aimablement fournie par Mme Denyse Dion.*

Les enfants Dion, de gauche à droite: Stéphane (né en 1955),
Patrice (né en 1953), Francis (né en 1959),
Georges (né en 1956) et France (née en 1961).
Photo aimablement fournie par Mme Denyse Dion.

Denyse Dion, la mère
de Stéphane. Photo non
datée, prise à Québec.
*Photo aimablement fournie
par Mme Denyse Dion.*

Léon Dion, politicologue (à droite), en conversation avec
le premier ministre du Québec, Robert Bourassa, vers 1990.
Photo aimablement fournie par Mme Denyse Dion.

Denyse et Léon Dion dans la salle de séjour de leur maison de Sillery,
à Québec, vers le milieu des années 80.
Photo aimablement fournie par Mme Denyse Dion.

Un jeune Stéphane Dion barbu, pendant qu'il faisait son doctorat à Paris,
la ville qui, dit-il, l'a «civilisé», au printemps 1981.
Photo aimablement fournie par Janine Krieber.

Janine Krieber et Stéphane Dion à l'occasion de l'une
des nombreuses fêtes organisées dans leur appartement
de Montmartre, à Paris, au début des années 80.
Photo aimablement fournie par Janine Krieber.

Stéphane Dion et Janine Krieber découpent leur gâteau de noces pendant la réception organisée dans leur appartement de Montréal, le 2 avril 1987.
Photo aimablement fournie par Janine Krieber.

Stéphane Dion, à Cuzco, au Pérou, en 1987, entourant d'un bras protecteur Jeanne, la petite fille d'un an qu'il vient d'adopter.
Photo aimablement fournie par Janine Krieber.

Stéphane Dion patauge avec Jeanne, âgée de quatre ans environ, dans une piscine de Washington, pendant son année sabbatique (1990-1991).
Photo aimablement fournie par Janine Krieber.

Janine Krieber, Stéphane Dion et Jeanne, âgée de cinq ans environ, dans leur appartement de Montréal, au début des années 90.
Photo aimablement fournie par Janine Krieber.

Stéphane Dion, nouveau ministre des Affaires intergouvernementales, avec son chef, le premier ministre Jean Chrétien, à Ottawa, en 2003. On peut y lire: «Stéphane, un vieux professeur en surveille un autre, qui est plus jeune. Amicalement, Jean Chrétien» *Photo Tom Hanson pour CP.*

Stéphane Dion et Janine Krieber avec leur fille Jeanne, âgée de 18 ans, lors d'un après-midi ensoleillé dans le Vieux-Port de Montréal, en 2005.
Photo aimablement fournie par Janine Krieber.

Stéphane Dion exhibe fièrement
sa prise à ses compagnons,
à Cognashene, dans la baie
Georgienne, en août 2002.
De gauche à droite: Bill Deeks
et Peter Russell.
*Photo aimablement fournie
par Susan Sewell Russell.*

Stéphane Dion, ministre
de l'Environnement, prend
un poisson globe dans l'océan
Indien, au large de Perth, en
Australie, en octobre 2005.
*Photo aimablement fournie
par Jamie Carroll.*

dépit de tous les efforts qu'il faisait pour me freiner, se souvient Dion, il a décidé qu'il était préférable de m'épauler, plutôt que de me mettre des bâtons dans les roues. [...] Et son aide a été extraordinaire. Il était vraiment très, très efficace. »

Anderson ne se rappelle pas cette fameuse réunion. Il ne se souvient pas non plus d'avoir entretenu avec Dion des relations difficiles au départ. En fait, il semble s'être montré remarquablement tolérant envers quelqu'un qui critiquait le travail de son personnel en public. C'est d'ailleurs un qualificatif qu'Anderson lui-même utiliserait pour décrire Dion. Il décela chez son ministre « une certaine gaucherie », mais « l'une de ses qualités est qu'il ne prend pas les choses personnellement. Il accepte qu'on lui parle très durement et, le lendemain [...] c'est comme si rien de tout cela n'était arrivé. En six ans, je ne me souviens pas de l'avoir entendu insulter quelqu'un. Je ne veux pas dire qu'il a le cuir épais, mais je l'ai trouvé exceptionnellement tolérant. Pendant toutes les années où j'ai travaillé pour lui, je ne l'ai jamais entendu jurer. [...] Et il s'exprimait dans un français superbe[20]. »

En peu de temps, Dion et Anderson s'étaient mis à travailler en équipe. Heureusement pour eux, d'ailleurs, car ils allaient voir des obstacles gigantesques se dresser devant eux.

～

Pour Stéphane Dion, la controverse publique fit surface quelques jours après son entrée en fonction, en 1996. De fait, il semble l'avoir recherchée, tant par son langage corporel que par les situations conflictuelles dans lesquelles il pouvait se retrouver. Il aurait été excellent en inspecteur Clouseau.

Au début de février, le Cabinet fédéral se déplaça à Vancouver. Là, pendant deux jours, les ministres discutèrent du sujet prioritaire pour tout le monde, une stratégie d'unité nationale. Un peu auparavant, Lucien Bouchard avait été élu premier ministre du Québec (en remplacement de Jacques Parizeau). Dans la province, les sondages révélaient que, pour la majorité des répondants, la séparation n'était qu'une question de temps. Bouchard avait Dion dans son collimateur. Les relations entre les deux étaient plutôt tendues et cette animosité aggraverait les frictions entre le gouvernement Chrétien et le Parti québécois.

Déjà, on commençait à se demander si le choix de Dion avait été judicieux. «Cette tâche de réconciliation incombe maintenant à un néophyte de la politique, un jeune loup fédéraliste quasiment inconnu du Canada anglais et, n'ayons pas peur des mots, cordialement détesté des souverainistes québécois», écrivit Paul Gaboury dans *Le Droit*, quotidien de langue française de la Région de la capitale nationale. Il ajouta que Bouchard et les autres premiers ministres attendaient Dion «dans la cage aux lions»[21]. Le chef libéral au Québec, Daniel Johnson, n'avait pas oublié que, l'année précédente, lors d'une conférence à Québec, Monsieur le professeur Dion avait vertement critiqué les libéraux qui avaient appuyé l'idée d'un autre référendum au début des années 90. En règle générale, on ne pouvait parler d'entente cordiale entre les libéraux fédéraux et ceux du Québec. Si l'on ajoutait Dion à cette équation, la situation risquait de devenir explosive. Il faut dire que Dion avait le don de se mettre les gens à dos. Johnson argua qu'un professeur d'université pouvait se payer le luxe de ne pas peser chacun de ses mots, mais «faire de la politique active plutôt que s'installer dans une chaire, c'est deux choses et ça fait une différence[22]».

Lors de la réunion de Vancouver, le comité spécial de Massé sur l'unité nationale déposa un rapport final, accompagné d'une lettre de Massé à Chrétien, dans laquelle l'auteur faisait part de l'urgence de faire comprendre le message fédéraliste au Québec[23]. Les décisions prises par les ministres pendant ces deux jours de discussions sur la côte ouest («[...] les ministres recommandent un effort coordonné pour accroître la visibilité et la présence du Canada au Québec[24]») joueraient un rôle dans la gestation du scandale dans lequel serait impliqué, un peu plus tard, le Parti libéral. Ce scandale ébranlerait un parti puissant au début du XXIe siècle et ses ramifications s'étendraient jusqu'au chef qui remplacerait

Jean Chrétien en 2003. Mais entre-temps, en 1996, Stéphane Dion découvrait un concept nouveau, le secret du Cabinet. On attendait de lui qu'il comprenne cela sans qu'on ait besoin de le lui expliquer. On avait tort.

Les ministres réunis à Vancouver discutèrent d'une stratégie en deux volets. Le plan A était le «fédéralisme renouvelé», que Chrétien avait promis au Québec avant le référendum du 30 octobre 1995. Le premier ministre avait continué sur cette lancée en présentant son plan pour l'unité à la Chambre des communes en novembre. Le Parlement canadien reconnaîtrait le Québec comme société distincte au sein du Canada (l'un des principes de l'Accord du lac Meech), donnerait au Québec un droit de veto sur les changements constitutionnels importants qui pourraient toucher la province[25] et accorderait une dévolution de pouvoirs aux provinces.

Personne, au Cabinet, n'appelait cette stratégie du nom de «plan A», car cela aurait obligé les ministres à admettre qu'il existait un plan B, ce qu'ils n'étaient pas prêts à faire. Le plan B était le fruit d'un réalisme nouveau, le reflet d'une fermeté à l'égard du Québec, incarnée par l'arrivée de Stéphane Dion au Cabinet. Ce plan B contenait les règles d'une stratégie de sécession. Comment le gouvernement fédéral traiterait-il le Québec après une séparation? Quelles étaient les règles fondamentales d'une sécession? (Dès le départ, le gouvernement péquiste du Québec rejeta l'idée que le gouvernement fédéral pouvait fixer des règles de base.)

Depuis le référendum de 1995, le Canada anglais demandait au gouvernement Chrétien, sur un ton de plus en plus pressant, de concocter un plan. Dans l'ensemble, le reste du pays n'avait pas manqué de constater que le camp fédéral avait souffert d'une certaine langueur. Les Canadiens, qui, le soir du référendum, avaient eu peur de perdre leur pays tel qu'il existait à leurs yeux, étaient de plus en plus exaspérés. C'est pourquoi le plan B deviendrait peu à peu le fondement de mesures énergiques, prises par le gouvernement Chrétien.

Déjà, on avait pu déceler les signes avant-coureurs d'une action fédérale. Dion avait dit qu'un Québec indépendant pourrait être divisé et son collègue Allan Rock avait annoncé que le plan d'unité nationale traiterait de la légalité d'une séparation du Québec[26]. Dion se faisait malmener par la presse au Québec, parce qu'il parlait de séparation. Lysiane Gagnon, chroniqueur à *La Presse*, jugea ses remarques dange-reuses. «Un intellectuel qui ne parle que pour lui-même peut très bien spéculer sur l'après-souveraineté et jouer avec des concepts abstraits, écrivit-elle. Mais entre les spéculations d'un intellectuel indépendant et les déclarations d'un ministre investi de la responsabilité politique, il y a un monde – le monde qui sépare la spéculation du chantage, la théorie de la pratique, la froide logique du feu de l'action[27].»

Naturellement, au Cabinet, une fois son équipe straté-gique en place (Dion, Rock, Pettigrew, Massé et quelques autres), Chrétien avait hâte de discuter des scénarios qui s'of-fraient pour le plan B. Mais à l'issue des réunions de Vancouver, le premier ministre affirma à des journalistes curieux que ledit plan B n'existait que dans leur imagination: «La stratégie d'unité nationale est connue. Nous en parlons depuis longtemps. Il s'agit d'harmoniser, de simplifier, de décentraliser, de réorganiser la fédération pour qu'elle fonc-tionne mieux. [...] C'est ça qui est notre plan A, B, C, D. Il n'y a pas de plan A ou de plan B[28].»

Et voilà que sur ces entrefaites, débarqua l'inspecteur Clouseau, prêt à répondre aux questions des journalistes, totalement ignorant de ce que le premier ministre était en train d'affirmer à la meute qui l'entourait. Lorsqu'on l'inter-rogea, Stéphane Dion répondit volontiers que le plan A consistait en une réconciliation du Québec et du reste du Canada, et que le plan B définissait effectivement «les règles de la sécession». Le lendemain, les manchettes du *Devoir* affichaient: «Chrétien contredit Dion».

«Oh là là! Bienvenue en politique!», commenta Dion, à propos de sa première échauffourée à titre de ministre fédéral. Lorsqu'il aperçut les manchettes du *Devoir* le lendemain, à

Montréal, il en fut horrifié. Paul Martin, ministre des Finances et député d'une circonscription montréalaise (LaSalle-Émard), l'invita chez lui. «J'étais certain que c'était pour me réprimander, à cause de l'article, mais non, il m'a parlé de mon père, qu'il avait connu autrefois. Au bout d'un moment, j'ai moi-même mis la question sur le tapis. Il m'a regardé d'un air étonné: "Quel article?" Je lui ai montré *Le Devoir* et il m'a dit: "Personne ne l'a lu, ne vous inquiétez donc pas[29]!"»

Dion comprit ce jour-là qu'il ne devrait pas se ronger les sangs chaque fois qu'il ferait la une des quotidiens. Mais il ne parvint jamais à vaincre sa passion pour la lecture des journaux. À l'instar de Brian Mulroney, il lisait tout, absolument tout ce qui pouvait être publié à son sujet. C'était compulsif. En décembre 2006, à son arrivée à Ottawa, après une journée épuisante passée à voyager, il bouillait d'exaspération dans son taxi, parce qu'il n'avait pas encore eu la possibilité de lire les journaux. Il était passé minuit, le taxi parcourut longtemps les rues obscures à la recherche d'un kiosque à journaux encore ouvert, jusqu'à ce que, de guerre lasse, Dion abandonne finalement sa quête.

~

Au printemps 1996, le gouvernement Chrétien n'avait pas encore réussi à élaborer un plan d'action dans le cas d'un nouveau référendum au Québec. Puis la situation se mit à évoluer très vite. Et c'est là que Lucien Bouchard commit deux graves erreurs tactiques, si l'on en croit l'équipe qui travaillait fiévreusement au 66, rue Slater, dans les bureaux du ministère des Affaires intergouvernementales, au centre-ville d'Ottawa.

Au Cabinet, on n'était pas d'accord sur la prochaine étape. Certains suggéraient de demander à la Cour internationale de justice, à La Haye, de rendre une décision sur la légalité d'une séparation du Québec. Mais les juristes du ministère des Affaires étrangères s'opposèrent à cette idée. «Ils estimaient que ce serait un signe de faiblesse», expliqua Dion.

Pendant ce temps, l'affaire Bertrand faisait son chemin jusqu'à la Cour supérieure du Québec.

De quoi s'agissait-il? Guy Bertrand était un avocat de Québec, ancien activiste du Parti québécois, qui avait intenté une action contre le gouvernement provincial pour empêcher le référendum de l'automne 1995. Le 8 septembre, sa requête était rejetée. Néanmoins, la Cour avait formulé plusieurs conclusions à l'encontre de la légalité de la voie choisie par le gouvernement du Québec pour en arriver à la séparation, notamment qu'elle transgressait les droits de Bertrand en vertu de la Constitution.

Selon la Cour, le projet de loi n° 1, qui établissait les conditions de la séparation, prévoyait que le Québec ferait une déclaration unilatérale d'indépendance si les négociations pour une union douanière avec le Canada (souveraineté-association) n'aboutissaient pas[30]. Bertrand ne s'en tint pas là. Mais Ottawa n'avait pas la moindre intention de s'en mêler, car les juristes fédéraux ne voyaient pas comment une victoire était possible. Tout cela était encore hypothétique.

«Nous pensions que le tribunal rappellerait que, sans référendum, il ne pouvait y avoir de procès, dit Dion. C'est pourquoi nous ne voulions pas intervenir. Et nous étions presque sûrs que le gouvernement du Québec tiendrait le même raisonnement. Et puis, non! Le gouvernement du Québec est allé devant le tribunal – grave erreur! – pour alléguer que cette affaire ne relevait pas de la Cour supérieure du Québec, que ce n'était qu'une question de politique et de droit international.»

Évidemment, il s'agissait d'un coup de chance inespéré pour l'équipe fédérale[31]. Le 12 avril 1996, le gouvernement du Québec présenta une requête en vue de faire déclarer irrecevable l'action de Bertrand, au motif que les tribunaux canadiens n'étaient pas compétents pour juger la question de l'accession du Québec à la souveraineté[32].

Du coup, le ministère fédéral de la Justice changea d'avis. La requête du Québec devait être entendue à compter du

13 mai. Le vendredi précédent, le ministre de la Justice, Allan Rock, annonça que les juristes fédéraux interviendraient dans l'affaire Bertrand, parce qu'Ottawa devait répondre à l'affirmation du gouvernement du Québec, selon laquelle le tribunal n'avait pas de rôle à jouer dans l'unité canadienne. « Cette intervention du gouvernement du Québec était ce qui pouvait nous arriver de mieux, se souvient Dion. En tant que juristes, ils étaient mortifiés. Ils se disaient : "Mais ça ne va pas ! C'est impossible ! Nous devons leur faire face[33] !" »

Néanmoins, les collègues de Dion au caucus étaient très énervés à l'idée qu'Ottawa et Québec allaient peut-être régler leurs comptes dans une salle d'audience. Chrétien, quant à lui, appuyait l'idée d'une intervention judiciaire d'Ottawa. Dion se souvient de la réaction de ses collègues québécois du caucus : « *As-tu perdu la tête* ? »

De fait, aucun n'avait envie de faire face aux tribunaux dans un procès qui mettait en cause Guy Bertrand. C'était un drôle de bonhomme, l'un des fondateurs du Parti québécois en 1968, un faucon qui avait lutté pendant des années pour une déclaration unilatérale d'indépendance. René Lévesque l'avait surnommé « l'ayatollah en pantoufles ». Mais il s'était apparemment retourné contre le PQ lorsque Jacques Parizeau, une fois parvenu à la tête du parti en 1988, l'eut mis au rancart. Les médias et la classe politique du Québec considéraient Bertrand comme un bouffon et un traître. Le caricaturiste de *La Presse*, Serge Chapleau, le représenta affublé d'un nez et de chaussures de clown[34].

Bertrand donne une explication différente de sa conversion au fédéralisme. « Je crois que tout a commencé lorsque le Bloc québécois est devenu l'opposition officielle à Ottawa », déclara-t-il à Barry Came, de *Maclean's*, autour d'un plat de *saucisses*[35], dans un restaurant de Québec. « Je me suis demandé quel autre pays du monde autoriserait l'élection d'un parti voué à sa destruction ? C'est alors que je me suis dit que nous avions peut-être une démocratie qui valait la peine d'être sauvée. » Bertrand se dit également touché par la compassion que les Canadiens de partout au pays avaient démontrée à l'égard de Lucien Bouchard lorsqu'il avait perdu une jambe à la fin de 1994. «J'ai vu que la plupart des Canadiens réagissaient à ce drame comme si Bouchard avait fait partie de la famille. Cela m'a ému[36].»

Bouchard, quant à lui, réagit par la fureur à l'annonce d'Allan Rock. Il menaça de déclencher des élections aussitôt. À Ottawa, Chrétien tint bon. Dion résuma ainsi la réponse du premier ministre: «Écoutez, si vous déclenchez des élections, ou vous gagnerez, ou vous perdrez. Dans les deux cas, j'interviendrai devant le tribunal.» Le 13 mai 1996, pendant que s'ouvrait l'audience, Bouchard réunit d'urgence son Cabinet à Québec. La journée se déroula dans le suspense. Bouchard donna une conférence de presse qui fut télédiffusée. À Ottawa, rue Slater, l'équipe du ministère des Affaires intergouvernementales était plutôt inquiète. Dion et Anderson regardèrent la conférence de presse dans une salle de réunion située entre leurs bureaux respectifs.

Anderson avait suivi les résultats du référendum du 30 octobre le cœur battant. «Pendant un long moment, c'est le "oui" qui l'emportait et je me lamentais. Je n'arrivais pas à imaginer un Canada sans le Québec.» Anderson était donc très inquiet à l'idée d'un nouveau référendum. Bouchard «avait une bonne cote dans les sondages et nous craignions qu'il ne déclenche des élections immédiates. [...] Tout le monde était très nerveux», dit-il. Bouchard, en effet, occupait une position avantageuse, il était encore auréolé de son succès de l'année précédente, il avait insufflé de l'énergie aux forces du «oui» et façonné le Bloc québécois pour en faire l'arme tactique des souverainistes à Ottawa. Les résultats du référendum, rappela Anderson, avaient été si incertains qu'on «aurait presque pu dire que le "oui" avait gagné[37]».

Dion et Anderson écoutèrent donc Bouchard parler à la télévision. Tous deux sentaient la température monter dans la salle de réunion. Le premier ministre du Québec accusa le Canada d'être «une prison de laquelle nous ne pouvons pas nous évader» et Bertrand d'être «un agitateur professionnel». Ottawa essayait de nier les droits fondamentaux du

Québec, poursuivit-il, en insistant pour que les voisins du Québec aient non seulement leur mot à dire – « comme M. Chrétien se plaît à le répéter » – mais encore le dernier mot[38].

Rue Slater, on attendait le dernier mot… de Bouchard. Anderson était convaincu que Bouchard déclencherait des élections, parce qu'il se trouvait en position de force et savait qu'Ottawa n'avait pas encore concocté de stratégie en cas de référendum. Le suspense était à son comble lorsque Bouchard annonça : « J'annule ma réunion avec M. Chrétien. »

C'était tout? Il se contentait d'annuler une réunion. Dans les bureaux de Dion, un soupir de soulagement collectif se fit entendre. De l'avis de George Anderson, Bouchard venait juste de commettre une erreur tactique. Une grave erreur.

Dion s'en prendrait aux commentaires de Bouchard, qui avait accusé le Canada d'être une prison. En mai, il avait remporté des élections partielles à Saint-Laurent-Cartierville, dans la banlieue nord de Montréal, et avait pris son siège de député fédéral. Dans un discours à la Chambre des communes le 16 mai 1996, il avait invité les leaders indépendantistes « à se ressaisir ». Il avait mentionné tout particulièrement cette comparaison du Canada à une prison. Puis il utilisa son discours pour faire connaître sa position sur une séparation : « C'est maintenant, dans le calme, non pas à deux semaines d'un référendum, qu'il faut établir, dans le respect du droit, les règles de sécession. [...] Le gouvernement du Canada récuse la prétention du gouvernement du Québec, qui entend fixer seul et changer à volonté la procédure par laquelle doit s'exprimer ce droit. Une déclaration unilatérale d'indépendance serait contraire à la primauté du droit et à la démocratie[39]. »

Seulement trois jours plus tôt, cependant, ce lundi matin dans la salle de réunion, George Anderson n'aurait jamais cru que le gouvernement fédéral disposerait du temps nécessaire pour « établir dans le calme » les règles de quoi que ce soit. Il avait frisé l'apoplexie en regardant parler Bouchard, car ce dernier aurait pu démolir Ottawa. « Bouchard ne se retrouverait jamais dans une situation aussi avantageuse que ce jour-là, explique Anderson. De nouvelles élections auraient pu aboutir à une forte majorité, ce qui aurait donné lieu à un autre référendum et, cette fois, il l'aurait remporté.» En mai 1996, le gouvernement fédéral était bien loin d'être prêt. Les deux camps – Ottawa et Québec – s'étaient retrouvés face à face et Bouchard avait été le premier à reculer.

«À ce stade, conclut Anderson, c'étaient MM. Chrétien, Dion et Rock qui étaient maîtres du terrain et ils voulaient profiter à tout prix de cet avantage. Si Bouchard avait déclenché des élections, il aurait défini l'argument de base. Tout ou rien.» Il y aurait eu un référendum, suivi de l'élection d'un premier ministre provincial populaire, suivie d'un autre référendum, soit tout un cheminement long et douloureux, qui aurait pu porter un coup fatal au fédéralisme canadien.

∼

Stéphane Dion s'installait dans son rôle de ministre et prenait plaisir à prononcer des discours un peu partout au pays. Il commençait à les imprégner d'un sentiment nouveau, qu'il n'avait encore jamais exprimé et qu'il tenait en dehors de sa pensée rationnelle sur la stratégie fédérale en cas de référendum. «Le Canada est peut-être le pays où les êtres humains, de quelque origine qu'ils soient, ont les meilleures chances d'être traités en êtres humains. C'est pour cela que j'aime ce pays et que je ne veux pas le voir se déchirer», dit-il à Calgary en juin 1996[40].

Dans une autre allocution, à Toronto en novembre, il dit: «Moi qui suis un p'tit gars de Québec, habitant maintenant à Montréal, j'ai ma façon à moi d'être Canadien, je ne suis pas obligé de l'être comme quelqu'un de Winnipeg. Mais je sais, par instinct, que le fait de partager le même pays avec cette personne de Winnipeg fait d'elle et de moi de meilleurs êtres humains[41].» De plus en plus, il choisit une démarche plus personnelle pour faire comprendre l'idée qu'il n'était pas en faveur de la centralisation et ne croyait pas au rassemblement des pouvoirs à Ottawa. Il apprenait à devenir un politicien.

Ce qui ne l'empêchait pas de conserver la structure mentale du chercheur universitaire. En 1996, il engagea comme rédacteur de discours et adjoint spécial Geoffroi Montpetit, jeune politicologue qui avait obtenu son diplôme à l'Université d'Ottawa trois ans plus tôt. En mars, ils collaborèrent pour rédiger le premier discours, pendant une fin de semaine, dans les bureaux de la rue Slater. La communication portait sur l'idée que Dion avait du fédéralisme. Ils étaient en train de discuter lorsque Dion s'exclama : « Je sais que les politiciens ne veulent pas dire ces choses-là et nous devons exprimer cela correctement. » En 2007, Montpetit ne se souviendrait plus de quoi il s'agissait exactement, mais une chose l'avait frappé : « Je me suis dit que je travaillais pour un ministre qui ne se considérait pas comme un politicien[42]. »

Tous les collaborateurs de Dion au cours des années affirment qu'il était très exigeant en matière de discours. George Anderson déclara sans ambages : « Lorsqu'il s'agissait d'écrire des discours, il était vraiment impossible. » Anderson se souvient d'en avoir rédigé « quelques-uns, à l'occasion, mais le problème était qu'ils n'étaient pas SES discours ». (La relation entre ces deux hommes est fascinante ; on a l'impression d'entendre parler les deux moitiés d'un vieux couple qui, de temps à autre, se tapent mutuellement sur les nerfs. Un jour, Dion réveilla son sous-ministre à 3 h du matin – « À quoi bon dormir ? » – pour étudier un dossier avec lui[43]. Quant à Anderson, la manière dont Dion fixait son ver à l'hameçon ne lui avait pas vraiment plu – « Il n'était pas toujours le parfait gentleman… » – lorsqu'ils étaient allés ensemble à la pêche, dans les collines de la Gatineau.)

Dion passait des heures à démontrer les faits et à développer un argument pour chaque discours. Sa liste de correspondants, dans le monde universitaire et politique, était exhaustive. Peter Russell, politicologue de l'Université de Toronto, se sentirait un jour obligé de réunir les discours de Dion en un recueil : « J'ai découvert l'heureux mariage de la rigueur scientifique de Dion et de son amour passionné pour son pays, écrivit-il dans son avant-propos. Dans sa contribution quotidienne au dossier qui est, depuis une génération, la principale préoccupation du milieu politique canadien, celui de l'unité nationale, Stéphane exposait sa vision du génie de ce pays, le Canada. Il m'est apparu de plus en plus clair qu'aucun autre personnage de la vie publique canadienne n'arrivait aussi bien que lui à articuler ce que les Canadiens avaient réalisé ensemble depuis la création de la fédération en 1867 et ce qu'ils étaient en mesure de réaliser ensemble à l'avenir[44]. »

Pour Stéphane Dion, écrire, c'était du sérieux. Au cours des années, Janine Krieber lirait tous ses écrits, exactement comme Denyse Dion avait joué un rôle primordial dans le travail de Léon. « Pour moi, une phrase a un sujet, un verbe et un complément », dit Janine, en expliquant qu'elle aidait son mari à élaguer son style[45]. Même si Dion écoutait les conseils et les idées de son épouse, ses discours étaient essentielle- ment le fruit de son labeur personnel. « Un discours a une musique », affirma-t-il au cours d'un repas dans le Bureau du chef de l'opposition, en janvier 2007. Et il consacra le quart d'heure suivant à expliquer ce qu'était le travail du rédacteur. Son style est clair, dans les deux langues. « J'essaie d'être Columbo et non Agatha Christie. En général, chez Columbo, on connaît la fin dès le début, mais on ignore comment se rendre à la fin. Chez Agatha Christie, il faut lire le roman jus- qu'au dernier paragraphe si l'on veut tout comprendre. C'est là que se trouve le dénouement. Cela, c'est possible dans un roman. Mais dans mes discours, le sujet même est loin d'être palpitant. Pour le rendre palpitant, il faut dire quelque chose de surprenant dès le commencement[46]. »

Une fois ministre des Affaires intergouvernementales, Dion dut réorganiser sa vie. Janine resta à Montréal avec leur fille, Jeanne. Le matin, elle la déposait chez des amis avant de partir pour Saint-Jean-sur-Richelieu et le campus du Collège militaire, au sud de Montréal. Stéphane passait les fins de semaine en famille. Le reste du temps, il vivait à Ottawa. Les jours allongeaient et la tension entre Ottawa et Québec dur- cissait. Dion allait à la Chambre pour la période de questions.

Ensuite, ses journées se passaient en réunions ou en conférences, un peu partout en ville. Parfois, il se rendait à l'aéroport. On le voyait sortir de l'édifice du Centre et longer la file de limousines noires qui attendaient les ministres sur la Colline. François Goulet était au volant d'une Oldsmobile ou d'une Chrysler, ou de la voiture qu'il conduisait à ce moment-là. La voiture était toujours grise, car seule la différence de couleur permettait à Dion, daltonien, de distinguer sa voiture des autres.

~

À Québec, l'affaire Bertrand parvenait enfin devant le tribunal. En août 1996, le juge Robert Pidgeon rejetait la requête du gouvernement du Québec, soit de faire déclarer irrecevable l'action de Bertrand. Les juristes fédéraux estimaient «devoir protéger l'intégrité de la Constitution et maintenir le rôle des tribunaux comme principaux gardiens de la Constitution et de la primauté du droit[47]».

Stéphane Dion était en train de jouer au golf, en compagnie de son oncle Marcel, lorsqu'il apprit la nouvelle. Sa première réaction fut de conseiller au gouvernement fédéral de court-circuiter entièrement l'affaire Bertrand et d'aller devant la Cour suprême du Canada. «J'ai argumenté très énergiquement, mais là aussi, tout le monde était opposé, à l'exception d'Allan Rock et du premier ministre.» Chrétien réunit son Cabinet et, après une très longue discussion, on décida de soumettre le dossier à la Cour suprême.

«Avec l'aide de Mary Dawson [juriste principale du ministère], j'ai rédigé trois questions à soumettre à la Cour.» Il fallait qu'elles fussent parfaitement conçues. «Je me souviens que quelques heures avant de les diffuser publiquement, nous continuions d'apporter des modifications. Pour moi, il était clair qu'il fallait faire une distinction entre le gouvernement du Québec et la population du Québec. Je protégeais la population du Québec contre les abus de pouvoir du gouvernement du Québec et je voulais que cela soit parfaitement clair. Donc, j'ai continué d'apporter des changements jusqu'à la fin.»

Les questions furent diffusées le 26 août 1996 et déposées quatre jours plus tard devant la plus haute instance judiciaire du pays:

1. *L'Assemblée nationale, la législature ou le gouvernement du Québec peut-il, en vertu de la Constitution du Canada, procéder unilatéralement à la sécession du Québec du Canada?*

2. *L'Assemblée nationale, la législature ou le gouvernement du Québec possède-t-il, en vertu du droit international, le droit de procéder unilatéralement à la sécession du Québec du Canada? À cet égard, en vertu du droit international, existe-t-il un droit à l'autodétermination qui procurerait à l'Assemblée nationale, à la législature ou au gouvernement du Québec, le droit de procéder unilatéralement à la sécession du Québec du Canada?*

3. *Lequel, du droit interne ou du droit international, aurait préséance au Canada dans l'éventualité d'un conflit entre eux, quant au droit de l'Assemblée nationale, de la législature ou du gouvernement du Québec de procéder unilatéralement à la sécession du Québec du Canada*[48]*?*

Il fallut aux juristes gouvernementaux jusqu'au 28 février 1997 pour déposer leurs arguments par écrit devant la Cour suprême. Ce fut un travail d'équipe. L'affaire serait plaidée devant le tribunal par un groupe dirigé par Yves Fortier, sous l'égide d'Anne McLellan, qui serait procureur général du Canada au moment où la décision serait rendue. Dion participa de près au déroulement des événements, de même que son sous-ministre, George Anderson. «Je voulais être sûr qu'il n'y aurait pas le moindre soupçon de nationalisme canadien dans notre argumentation. En effet, l'argument écrit est toujours le même: "Il est impossible de morceler un pays aussi beau que le Canada !" Voyons, il faut oublier tout cela ! Il est impossible de morceler de cette manière un pays régi par les règles de droit. Il est impossible de morceler de cette manière un pays démocratique et respectueux des règles de droit. Je voulais un argument avec lequel les indépendantiste, seraient d'accord. Ce n'était pas la cause, ce n'était pas la substance. Il ne s'agissait pas de déterminer s'il pouvait ou non y avoir sécession, mais de comprendre *comment il pouvait y avoir sécession*. Il n'incombait pas aux juges de décider si nous devions rester unis ou, au contraire, nous séparer. Leur rôle était de nous dire comment nous pouvions le faire. »

Le sort en était jeté. La décision avait été grave et tout ce que Stéphane Dion, Allan Rock, Jean Chrétien, leurs juristes et leurs collaborateurs pouvaient faire, une fois leur dossier déposé, c'était attendre le verdict de la Cour suprême du Canada. Le gouvernement de Lucien Bouchard refusa de participer, en alléguant que le droit du Québec de se séparer du Canada était un point qui devait être débattu en vertu du droit international. Le Parti québécois ne reconnaissait pas l'autorité d'un tribunal canadien. La Cour suprême décida de nommer un *amicus curiæ* (« ami de la Cour ») pour présenter la position du Québec et choisit un avocat souverainiste de Québec, André Joli-Cœur. Le gouvernement du Québec ne réagit pas à cette décision.

≈

Au début de 1997, les relations entre Stéphane Dion et Lucien Bouchard s'étaient détériorées jusqu'à la rupture, du moins du côté du premier ministre. Dion avait accusé Bouchard de faire deux poids deux mesures : le Québec pouvait se séparer du Canada, mais personne ne pouvait se séparer du Québec si cela se produisait. Bouchard répliqua vertement : « M. Dion est un enragé (*firebrand*). Je le laisse à ses activités d'enragé. Il n'existe pas pour moi[49]. »

Au cours de l'été 1997, Dion décida de prendre quelques jours de congé. Janine et lui louèrent un chalet près de

Sainte-Véronique, dans le nord des Laurentides, au bord d'un lac situé à égale distance d'Ottawa et de Montréal. C'était l'endroit idéal pour oublier le travail. Mais, naturellement, Dion lisait les journaux tous les jours. Il apprit que Bouchard avait envoyé une lettre courroucée au premier ministre du Nouveau-Brunswick, Frank McKenna. Le 23 juillet 1997, ce dernier avait écrit au Quebec Committee for Canada (QCC): «Non seulement je vous offre mon appui sans équivoque, mais encore j'applaudis vos efforts et votre esprit d'initiative dans le cadre de la formation et de la poursuite des travaux de ce groupe[50].»

Le PQ détestait ce regroupement de Montréalais de langue anglaise, qui s'était formé l'année précédente, soit en 1996, et qui avait lancé une campagne auprès de la population en exhortant les conseils municipaux de partout au Canada à émettre des résolutions sur l'unité, qui lieraient leurs municipalités au Canada, dans le cas d'une séparation du Québec. Le slogan du comité était «*Staying Canadian*» («Rester Canadiens») et 40 municipalités du Québec avaient déjà promis leur appui.

Pour le PQ, cela frisait l'incitation à la partition, bien que le comité n'eût pas utilisé ce terme. Dans sa lettre au premier ministre McKenna, Bouchard écrit: «Votre intervention dans ce dossier constitue non seulement une ingérence sans précédent d'un premier ministre provincial dans les affaires québécoises, mais vient appuyer une position fondamentalement antidémocratique que le droit et l'histoire des peuples ont maintes fois rejetée[51].» McKenna affirma qu'il n'avait fait que manifester son appui à l'unité canadienne.

Cette année-là, McKenna était l'hôte de la conférence annuelle des premiers ministres. Lorsque Bouchard arriva à l'hôtel de St. Andrews-by-the-Sea, où elle devait se dérouler, il déclara aux journalistes que «depuis la naissance de la démocratie au Québec, tous les premiers ministres ont défendu l'intégrité du territoire [du Québec]. Je ne serai pas celui qui aura permis son morcellement[52]»! Quant à McKenna, il était en proie à une émotion tout aussi puissante: «Je ne suis pas prêt, en tant que Canadien, à me fermer les yeux et à traverser toute cette histoire en somnambule, comme si de rien n'était [53].»

Dion, théoriquement en vacances, réfléchit à ce que Bouchard avait écrit à McKenna. «Je me suis posé une question: quand un premier ministre provincial avait-il déjà écrit que le premier ministre du Canada était opposé à la démocratie? Nous ne pouvions pas laisser passer cela, nous devions réagir.»

Et c'est ce qu'il fit. Le 11 août 1997, Dion envoya une lettre ouverte à Bouchard, affirmant qu'il avait lu sa lettre «avec intérêt» et qu'il la considérait comme «une contribution au débat public» sur la manière dont le Québec pourrait se séparer. Il entreprit ensuite de démolir les arguments principaux du PQ: qu'une déclaration unilatérale d'indépendance était conforme au droit international, qu'une majorité de 50% + 1 suffisait et que le droit international rejetait toute modification de la frontière après la séparation. Dion fit remarquer que la situation du Canada était «tout à fait inhabituelle sur la scène internationale». En effet, le Canada maintenait qu'il accepterait la sécession si les Québécois en manifestaient clairement le désir. Cette attitude contrastait, par exemple, avec celle des États-Unis, qui voyaient leur pays comme une «union indestructible» ou avec celle de la République française, qui se disait «indivisible». Dion cita ensuite les chefs d'État qui avaient appuyé la fédération canadienne, parmi lesquels se trouvait le président des États-Unis, Bill Clinton (sans préciser que Clinton avait subi d'énergiques pressions d'Ottawa pour faire une déclaration positive du genre «merveilleux partenaire des États-Unis», etc., dans les derniers jours avant le référendum au Québec).

Puis Dion entreprit de citer un autre politicien qui s'était exprimé sur le Canada: «Le Canada est une terre de promesse et d'espérance, [...] c'est un pays bien connu pour sa générosité d'esprit [...] où chaque citoyen et chaque groupe peut s'affirmer, s'exprimer et réaliser ses aspirations.» Il révéla ensuite que ces paroles avaient été prononcées par Lucien Bouchard lui-même, lorsqu'il était secrétaire d'État au gouvernement fédéral, en 1988[54]. Dion poursuivit en affirmant qu'un consensus clair sur la séparation était nécessaire. «Il serait trop dangereux de tenter une telle opération dans la division, sur la base d'une majorité courte, "molle", selon l'expression à la mode, qui pourrait fondre devant les difficultés.» Sur l'intégrité du territoire, Dion écrivit: «Il n'est pas un paragraphe, pas une ligne dans le droit international qui protège le territoire du Québec, mais pas celui du Canada.»

Il rappela ensuite à Bouchard que le chef du Bloc québécois, Gilles Duceppe, qui avait succédé à Bouchard, avait lui-même affirmé que la situation des peuples autochtones du Québec devrait peut-être faire l'objet d'une étude d'un tribunal international. «Ni vous ni moi, personne ne peut prédire que les frontières d'un Québec indépendant seraient celles qui sont aujourd'hui garanties par la Constitution canadienne.»

De là, Dion fit remarquer une contradiction de la prise de position du gouvernement du Québec: «En effet, vous soutenez à la fois: 1) que la procédure pouvant mener à la sécession est un enjeu purement politique qui ne concerne pas le droit établi et 2) que le droit établi vous donne raison contre ceux qui contestent la procédure que vous entendez suivre[55].»

Il n'envoya pas la lettre immédiatement. «Le Bureau du premier ministre était contre, mon bureau était contre, mes fonctionnaires étaient contre.» Alors, Dion la fit lire à Jean Chrétien. Il avait téléphoné à Chrétien et lui avait dit: «Personne ne veut me laisser envoyer cette lettre. [...] Pourtant, je crois crucial que nous réagissions. Je ne suis pas prêt à laisser quelqu'un qualifier mon premier ministre d'antidémocratique.» Chrétien avait accepté de la lire. «C'est une très bonne lettre. Envoyez-la!»

Bouchard ne répondit pas. Il ne le pouvait pas. Dion n'existait pas pour lui. Néanmoins, le 12 août 1997, Bernard Landry, le vice-premier ministre de Bouchard, prit la plume. Il écrivit que la lettre de Dion confirmait simplement sa conviction que le gouvernement fédéral était de plus en plus entraîné vers une position antidémocratique. Le gouvernement du Québec, poursuivit Landry, était le seul à détenir un plan ordonné, ce qui n'était certainement pas le cas d'Ottawa, car le Québec avait proposé de négocier avec le Canada, après un vote favorable à la souveraineté.

« Je suis sûr que Bouchard n'aurait jamais fait cela », remarqua Dion, au sujet de la lettre de Landry. Néanmoins, il ne réagirait pas avec sa promptitude habituelle. Il ne la recevrait que le mercredi 20 août et, entre-temps, sa vie aurait connu un profond bouleversement.

~

Stéphane Dion était de retour à Ottawa le lundi 18 août 1997. Pris par le plaisir de la lutte intellectuelle avec ses adversaires, notamment Lucien Bouchard, il était dans son élément. Son père, Léon Dion, avait appuyé la décision de son fils, comme il le lui avait promis pendant leur promenade sous la neige, en décembre 1995. Ils se voyaient souvent, se téléphonaient souvent et, au début de cette semaine d'août, avaient justement discuté des derniers événements sur le front politique. Stéphane jugeait précieux les conseils de son père et tenait Léon informé de ses plans.

Au matin du 20 août, il reçut un coup de téléphone dans son bureau d'Ottawa : son père était mort.

Le passionné de baseball n'était plus. Son fils réunit silencieusement ses dossiers, rangea son pupitre, salua ses collaborateurs et se prépara à prendre la route de Québec, de Sillery, de la maison familiale du boulevard Liégeois où il avait grandi. Il devait réconforter sa mère, Denyse, et pleurer la disparition de l'être qui avait le plus profondément marqué de son empreinte l'homme qu'il était devenu. C'était face à Léon que Stéphane avait analysé ses propres idées, fait le point sur lui-même et appris une leçon importante, à savoir qu'il devrait être prêt à s'embarquer seul pour son voyage à contre-courant. Certes, d'autres personnes l'avaient aidé à comprendre cela, avec les années. Mais c'était le père qui avait eu le plus d'influence sur le fils. Stéphane aimait profondément Janine et Jeanne, sa mère, ses trois frères et sa sœur. Il était proche de nombreux membres des familles Dion et Krieber. Pourtant, à partir de ce matin-là, il y aurait, dans sa vie, un grand vide qu'il ne serait jamais capable de combler.

~

Un peu plus tôt, ce matin-là, Léon et Denyse Dion étaient seuls chez eux et faisaient leurs plans pour la journée. On était en août, le temps était magnifique. Léon, comme il en avait coutume, avait décidé de faire trempette. La piscine, au cœur du jardin, était agrémentée d'une terrasse sur laquelle fauteuils et chaises longues évoquaient d'heureuses réunions familiales. Léon avait bien vieilli, ses traits s'étaient adoucis. On lisait l'amabilité et la gentillesse dans les rides profondes qui étaient peu à peu apparues sur son visage.

Il ne savait pas nager, mais adorait patauger dans la partie peu profonde. Lorsque ses enfants étaient jeunes, il avait essayé d'apprendre à nager, mais sans succès, car il avait constaté que l'eau l'effrayait. Il se servait de bouées, ne s'aventurait jamais dans la partie profonde et s'assurait toujours que Denyse ou quelqu'un d'autre se trouvait dans les parages.

Ce matin-là, au moment où il se préparait à aller se baigner, le téléphone sonna. Denyse alla répondre. Elle savait que Léon l'attendrait au bord de la piscine, qu'il ne descendrait pas seul dans l'eau. Elle bavarda donc au téléphone un moment ou deux avant de raccrocher. À l'instant même, le téléphona sonna de nouveau. C'était l'une de ses voisines, qui lui demandait si elle n'avait pas entendu quelqu'un appeler «Au secours! Au secours!». Denyse n'avait rien entendu. Elle regarda à l'extérieur. Personne. Autour de la piscine, le jardin était vide. Terrifiée, elle se précipita dehors, s'approcha de la piscine et, là, au fond de l'eau, gisait le corps inerte de son époux.

Dans tous ses états, Denyse parvint toutefois à tirer Léon hors de l'eau et à pratiquer la respiration artificielle, mais c'était trop tard. L'ambulance arriva très vite pour emmener Léon à l'hôpital. Malheureusement, il n'y avait plus rien à faire.

Denyse ne saurait jamais ce qui était arrivé. Léon semblait avoir basculé dans la piscine à l'endroit où il avait coutume de s'agenouiller pour tremper une main dans l'eau, afin de vérifier la température. L'un de ses genoux était faible, depuis longtemps. Denyse pensa que sa jambe avait pu se dérober sous lui, l'entraînant en avant. On se demanda s'il n'avait pas fait un infarctus ou un accident vasculaire cérébral. Mais tout cela resta à l'état de conjectures. La famille de Léon ne saurait vraiment jamais ce qui s'était passé.

La malheureuse Denyse était rongée par le sentiment de culpabilité. Plus de neuf ans après la noyade de Léon, elle soupira, debout devant la fenêtre qui donnait sur la piscine : « Si j'avais laissé cette fenêtre ouverte ce jour-là, peut-être que je l'aurais entendu. J'aurais pu faire quelque chose. »

La piscine n'avait guère changé depuis cette journée d'août. La maison non plus. Tout était comme le jour où Léon était sorti dans le jardin pour la dernière fois. Denyse et les enfants puiseraient du réconfort dans l'immuabilité du décor quotidien. Dix ans après la mort de son père, Stéphane Dion parlerait de la stabilité émotionnelle que lui avait procurée l'idée que la maison, sa chambre d'enfant et tous les souvenirs se trouvaient toujours là.

Néanmoins, il faudrait beaucoup de force de caractère à Denyse pour accepter de vivre avec les souvenirs, de voir la piscine tous les jours. En 2006, le bureau de Léon n'avait pas changé. Ses livres, ses papiers étaient restés là, comme s'il était simplement sorti pour marquer une petite pause dans sa journée de travail. La seule chose que Denyse avait ajoutée dans le bureau, car elle était convaincue que cela ne le dérangerait pas, c'était sa propre collection d'objets en verre soufflé, sur un guéridon. Mais le fauteuil de Léon était toujours là, la planche posée sur les bras afin de lui permettre d'écrire et d'étaler ses documents.

Dans une autre pièce, Denyse conservait de nombreux albums de photos de famille : ses parents en France, la famille de Léon au Québec, le jeune couple à Paris, les enfants nés à Québec, toute la petite famille, adolescents, adultes, mariages, petits-enfants, sans compter tous les animaux familiers qu'ils avaient eus au cours des années. Méticuleusement, Denyse notait la date et, parfois, ajoutait des petites remarques humoristiques en marge. La photo du fauteuil vide de Léon, la planche posée sur les bras du siège, occupait une page.

Le premier ministre Jean Chrétien assista aux funérailles de Léon Dion, de même que Lucien Bouchard, ce qui en disait long. John Meisel, ami de longue date de Léon et de Denyse, précisa que l'église était bondée. Il n'avait jamais vu de cérémonie aussi impressionnante. Car nonobstant sa conception libérale de la présence à la messe du dimanche, Léon Dion reçut, de l'Église catholique de ses ancêtres, de magnifiques adieux.

Denyse étonna une large part des fidèles en rédigeant et en lisant elle-même l'éloge funèbre de son époux. Ceux qui ne croyaient pas qu'elle en aurait la force ne la connaissaient sans doute pas assez bien. « Léon ne possédait pas la vérité, il était constamment à sa recherche, la cernait dans ses moindres nuances, admettait parfois, sans indulgence pour lui-même, s'être trompé. » Elle ajouta qu'il avait toujours beaucoup exigé de ses enfants. « Il leur a appris ce qu'était l'excellence, essayant toujours d'obtenir le meilleur d'eux-mêmes. Il leur a inculqué la droiture, le courage, le désir de se battre pour leurs convictions et pour une société meilleure. Il leur a aussi enseigné la bonté et l'amour envers leurs semblables. » Elle poursuivit en expliquant qu'il avait toujours fait preuve d'« une grande générosité » à l'égard des journalistes. « Je l'ai entendu leur donner de longs cours au téléphone sur le sujet de leurs prochaines chroniques, sans jamais s'impatienter ou demander d'être cité. Jamais je ne l'ai vu vindicatif après avoir lu une critique ou un article qui dénaturait sa pensée. Il était toujours prêt à les aider de ses conseils et de son amitié», affirma Denyse. L'éloge funèbre de Léon fut publié dans *La Presse* après les obsèques[56].

L'une des personnes présentes à l'église se souvint d'avoir entendu Denyse déplorer cette sempiternelle querelle Québec-Canada, qui lui semblait si futile et incapable de se terminer. Mais ces remarques ne parurent pas dans la version autorisée que publia *La Presse*, alors peut-être même Denyse ne les a-t-elle jamais émises. Guy Lévesque, l'ami de jeunesse de Stéphane, se souvient d'avoir aperçu son vieux camarade un peu à l'écart, isolé des autres par son chagrin.

Denyse Dion croyait peut-être que son mari avait enfin trouvé la paix. Mais au cours des années à venir, elle constaterait qu'il n'en était rien. Avec irritation, elle lirait des articles, dans la presse du Québec, qui, selon elle, trahissaient la mémoire de son mari ainsi que l'image de son fils Stéphane. «Il y a des gens qui ont dit que Léon s'était noyé parce que son fils était entré en politique, affirma-t-elle, en 2007. Je me suis fâchée lorsque j'ai vu des articles idiots, comme "Dion contre Dion", quand j'entends des journalistes idiots dire que Léon Dion s'est suicidé parce que son propre fils est entré en politique. Ça me rend..., s'exclama-t-elle en levant les bras au ciel. C'est complètement faux, c'est vraiment stupide!» Elle secoua la tête avec colère. «Des idiots!»

Effectivement, en décembre 2006, un article intitulé «Dion contre Dion», avait été publié dans un quotidien montréalais, *Le Devoir*. L'auteur évoquait certains mythes afin de pouvoir – naturellement – ensuite les ridiculiser, et reprenait l'idée que tuer son père était l'une des métaphores les plus rebattues de la littérature contemporaine[57]. L'article mettait en relief l'éclairage freudien, sous lequel, disait-on, beaucoup de gens, notamment les souverainistes, interprétaient la relation entre Stéphane et Léon Dion, soit que Léon était mort de honte après avoir vu son fils s'embourber dans la politique fédérale. L'article citait Patrice Dion, le fils aîné: «Il n'y avait aucune espèce de conflit entre les deux», mais éprouvait le besoin de citer quelqu'un qui aurait déclaré que Stéphane avait probablement écrit son mémoire de maîtrise sur le Parti québécois pour faire enrager son père et une autre source selon laquelle Stéphane voulait «empêcher les Québécois de devenir des Léon Dion»! Denyse Dion avait rendu son verdict: «Des idiots!»

Dans la maison du boulevard Liégeois, Denyse avait également conservé les lettres que Léon et elle avaient échangées pendant près de trois ans, après la Deuxième Guerre mondiale. «Je les ai brûlées quand il est mort», avoua-t-elle en 2006, assise sur le canapé, un album de photos sur les genoux. «Quoi? Tu les as brûlées? Non!» s'exclama son fils Francis, venu d'Ottawa en visite ce jour-là. Ces lettres étaient intimes, allégua-t-elle. C'était une bonne raison.

Néanmoins, lorsque Stéphane apprit la nouvelle, il en fut attristé, parce que sa mère lui avait promis de les lui léguer. Denyse continuerait d'affirmer qu'elle les avait brûlées. Peut-être l'a-t-elle fait. Peut-être que non. Après tout, c'est son secret.

~

Pendant les dernières journées d'août 1997, ce fut son travail et la présence de Janine et de Jeanne qui permirent à Stéphane Dion de reprendre le dessus. Il ressentit cruellement l'absence de son père, cette semaine-là. Des années plus tard, pendant la course à la direction du Parti libéral, il confierait que ce qui lui manquait le plus, c'était l'échange d'idées avec son père.

Cependant, au cours de l'été 1997, il devait assister à des réunions et rédiger des discours. Sur son pupitre, une lettre l'attendait, celle de Bernard Landry.

Le 26 août 1997, il y répondit. Il déclara que la communauté internationale, loin de reconnaître un Québec indépendant et de se ranger derrière lui, interpréterait la situation comme une affaire interne au Canada et jugerait préférable de laisser les Canadiens régler leurs problèmes entre eux. Dans sa lettre à Landry, il adopta un ton professoral pour reprocher au vice-premier ministre du Québec «d'avoir peu réfléchi à ses arguments». Il conclut: «Monsieur le Vice-Premier

Ministre, vous pensez qu'être Canadien vous empêche d'être pleinement Québécois. Je pense qu'être à la fois Québécois et Canadien compte parmi les plus belles chances que la vie m'ait données[58].»

Landry tint une conférence de presse à Québec le lendemain, soit le 27 août 1997. Il affirma que Dion avait tort d'affirmer que depuis 1945, les Nations Unies n'avaient pas reconnu un seul État nouvellement indépendant sans l'aval du pays d'origine. Landry cita l'exemple de la Slovénie, parmi la cinquantaine qu'il disait pouvoir donner. Malheureusement, il était trop occupé pour échanger d'autres lettres avec Monsieur Dion. «Un *desperado* a plus de temps pour écrire qu'un homme d'action tel que moi[59].»

Dion, très enthousiaste à l'idée de lui répondre, s'installa avec empressement devant son clavier le 28 août 1997: «Un homme d'action tel que vous a besoin d'informations exactes», commença-t-il. Il entreprit ensuite de décrire avec force détails et précisions comment la Slovénie était devenue indépendante de la Yougoslavie. Il conclut sur un ton plus léger en disant à Landry (comme il l'aurait fait à n'importe lequel de ses étudiants): «Je suis tout à fait disposé à discuter avec vous des 49 autres cas de reconnaissance internationale que vous avez en tête[60].»

Dion résume ce qui se passa ensuite: «À partir de ce moment-là, Bouchard interdit à tous les membres de son gouvernement de se lancer dans un débat avec Dion[61]!» C'en était fini des billets doux de Québec, mais Dion continuerait d'écrire à un cercle de plus en plus vaste, utilisant ce qu'il en était venu à considérer comme l'un de ses outils les plus efficaces pour transmettre son message.

Le 6 février 1998, il écrivit à Claude Ryan, éditeur du *Devoir*, fédéraliste qui désapprouvait néanmoins certains aspects de la stratégie de Dion. Dans sa lettre, Dion lui donna un aperçu de quelques idées qui avaient, selon toute évidence, surgi durant les réunions du Cabinet. «Si le gouvernement péquiste devait arracher une victoire référendaire à coup d'astuces, à la faveur d'une question et d'une procédure ambiguës, le gouvernement du Canada estime qu'il aurait le devoir de ne pas y consentir. Il continuerait de façon pacifique à assumer ses responsabilités et permettrait ainsi aux Québécois de jouir pleinement de leur appartenance canadienne en dépit de la tentative unilatérale de sécession. » Et même si la sécession pouvait avoir lieu dans un cadre sanctionné par la loi, écrivit-il, il y aurait encore d'énormes problèmes[62]. Les Québécois seraient divisés et les deux gouvernements devraient résoudre plusieurs casse-tête : la répartition de la dette, la question du territoire et les transferts fiscaux.

Bouchard n'avait pas déclenché d'élections en mai 1996 et, au fur et à mesure que les mois passaient sans l'annonce d'un nouveau référendum, les fédéralistes d'Ottawa respiraient de plus en plus facilement. Mais Dion était toujours persuadé que le gouvernement Chrétien serait en sursis tant qu'il n'aurait pas formulé de plan d'action clair et net en cas de référendum. La situation devenait de plus en plus dangereuse, contrairement à ce que l'on aurait pu croire.

On attendait toujours des nouvelles de la Cour suprême. Finalement, elle annonça qu'elle rendrait son verdict le 20 août 1998, soit un an exactement après la mort de Léon Dion. Stéphane Dion et son équipe, notamment Mary Dawson, s'étaient évertués à rédiger trois questions, deux ans auparavant. On avait ajouté au dossier des pages de documentation juridique, car c'étaient les avocats du ministère de la Justice qui présentaient les arguments. Mais le principal, au bout du compte, était de savoir comment seraient accueillies les trois questions fondamentales sur ce que le gouvernement du Québec avait le pouvoir de faire. Les réponses de la Cour suprême du Canada se révélèrent relativement brèves :

À la *Question 1* (le gouvernement du Québec pouvait-il réaliser unilatéralement la sécession ?), la Cour répondit : « Le Québec ne pourrait, malgré un résultat référendaire clair, invoquer un droit à l'autodétermination pour dicter aux autres parties à la fédération les conditions d'un projet de sécession. [...] La proposition inverse n'est pas acceptable non plus : l'ordre constitutionnel canadien existant ne pourrait pas demeurer indifférent devant l'expression claire, par une majorité claire de Québécois, de leur volonté de ne plus faire partie du Canada[63]. »

La Cour laissait les parties – les gouvernements du Québec et du Canada – décider de ce qui constituait « une majorité claire à une question claire », dans les circonstances selon lesquelles pourrait avoir lieu un nouveau référendum. Dans le cas d'une majorité, la Cour laissait également le Canada et le Québec « déterminer le contenu des négociations et le processus à suivre. La conciliation des divers intérêts constitutionnels légitimes relève nécessairement du domaine politique plutôt que du domaine judiciaire, précisément parce que cette conciliation ne peut être réalisée que par le jeu des concessions réciproques qui caractérise les négociations politiques ».

À la *Question 2*, soit si un droit à la sécession unilatérale existait en droit international, la Cour répondit que certains avaient rappelé le « droit reconnu à l'autodétermination qui appartient à tous les "peuples" ». Néanmoins, elle ajouta que bien que le Québec présentât maintes caractéristiques d'un « peuple », il ne répondait pas aux critères qui auraient permis de le considérer comme un peuple qui aurait besoin du droit de sécession en vertu du principe de l'autodétermination. « Le Québec ne constitue pas un peuple colonisé ou opprimé, et on ne peut pas prétendre non plus que les Québécois se voient refuser un accès réel au gouvernement pour assurer leur développement politique, économique, culturel et social[64]. » La Cour conclut que le Québec ne jouissait pas du droit à la sécession unilatérale en vertu du droit international.

À la *Question 3*, à savoir si c'était le droit interne ou international qui aurait préséance dans le cas d'un conflit entre les deux, la Cour déclara que les réponses qu'elle avait fournies aux deux premières questions rendaient caduque la troisième.

Les deux camps revendiquèrent la victoire. «La Cour a répondu exactement ce que je voulais qu'elle réponde, soit que l'on ne peut pas faire sécession unilatéralement [...] mais qu'il est tout de même possible de faire sécession», dirait Dion de l'une des journées les plus satisfaisantes de sa carrière. «Par conséquent, une sécession unilatérale se ferait en dehors du droit, avec toutes les conséquences que cela pourrait entraîner, mais alors on dit aux gens: "ce serait un geste d'*anarchie*" [...] Le mot *"clair"* revient constamment dans cette décision, une majorité *claire*, une question *claire*, tout doit être *clair*. Une majorité claire à une question claire et c'était exactement ce que je réclamais[65].»

Pendant ce temps, Bouchard lui aussi criait victoire. Il affirmait que le jugement de la Cour suprême donnait au Parti québécois ce dont il avait besoin en démontrant que le reste du Canada devrait négocier avec un Québec qui avait voté en faveur de la sécession. «J'ai découvert pendant la dernière campagne référendaire, que l'une de nos faiblesses, dans le camp souverainiste, était que tout reposait sur la négociation avec le reste du Canada des conditions de l'accès à la souveraineté, déclara Bouchard. Naturellement, c'est comme pour danser le tango, il faut être deux[66].»

Bouchard maintenait malgré tout que le gouvernement du Québec ne reconnaissait pas l'autorité de la Cour suprême en ce qui touchait à la sécession du Québec. Son gouvernement avait refusé de prendre part aux délibérations. Néanmoins, il semblait étonné que la Cour suprême eût laissé sans équivoque les questions politiques aux politiciens. Il affirma que c'était pourtant le rôle des juges de décider de ces questions. La Cour suprême avait également refusé de rendre une décision sur les conditions de la négociation, abandonnant également ce soin aux politiciens. «J'estime toujours que c'est l'affaire des tribunaux, insista Bouchard. Mais M. Chrétien et Dion, les Einstein de la politique, ont décidé que cela, c'était la meilleure chose du monde. [...] Et voilà, ce que nous avons ici, c'est le produit de leur esprit inventif.»

Bouchard déclara clairement qu'un autre référendum était prévu pour l'avenir, sous un gouvernement péquiste. Mais ce qu'il n'avait peut-être pas compris, c'est que son adversaire, à Ottawa, sous la forme du ministre des Affaires intergouvernementales Stéphane Dion, n'avait pas encore dit son dernier mot. Dion et son chef, le premier ministre Jean Chrétien, estimaient que Bouchard avait déjà commis de graves erreurs de jugement et ils pensaient être capables de lui damer le pion en un coup audacieux qui, croyaient-ils, était ce qu'ils pouvaient faire de mieux pour le pays. Dion était sur le point de prendre le plus grand risque de sa carrière. L'année 1998 se terminerait bientôt et la bise qui déferlait en rafales le long de la rue Slater semblait tout droit venue du Cercle polaire.

CHAPITRE 7

La clarté

Le lundi 13 décembre 1999 s'ouvrit la phase finale du duel pour l'unité, mettant aux prises Lucien Bouchard et son adversaire, Stéphane Dion. Entre les deux combattants, l'affaire avait toujours été personnelle et l'enjeu était de savoir si le Québec resterait au Canada ou deviendrait indépendant.

En ce jour de décembre, à la Chambre des communes, le ministre des Affaires intergouvernementales entreprit de présenter la position fédérale en déposant le projet de loi sur la clarté, soit les conditions que le gouvernement fédéral fixait à une sécession du Québec.

Bouchard était toujours premier ministre provincial et avait toujours Dion dans le collimateur. Il avait remporté des élections provinciales en novembre 1998. Mais la victoire n'avait pas été facile pour le Parti québécois (d'ailleurs, les libéraux l'avaient emporté en popularité) et Bouchard avait déclaré aux Québécois qu'il voulait attendre une conjoncture plus propice pour déclencher un nouveau référendum.

Ce n'est donc pas par hasard que le gouvernement fédéral avait déposé son projet de loi à ce moment précis. Les Québécois qui étaient en faveur d'un nouveau référendum s'étaient révélés de moins en moins nombreux à l'automne 1999 et, de l'avis de certains analystes, c'était peut-être parce qu'au Québec, on se rendait de plus en plus compte qu'une séparation ne serait pas la promenade en carrosse que Lucien Bouchard et le Parti québécois avaient promise. Un statisticien de l'Université Queen's, Matthew Mendelsohn, déclara que la négociation d'une sécession avec Ottawa serait « le commencement d'une querelle qui mettrait fin à toutes les querelles[1] ». Dans *The Gazette*, Don Macpherson, chroniqueur à la fois astucieux et plein d'humour, cita l'analyse de Mendelsohn dans l'un de ses articles de fond qui semblait suggérer que Stéphane Dion avait orchestré le virage de l'opinion publique. « Il a beau avoir l'air d'un éternel étudiant, avec ses lunettes et son sac à dos, il n'en possède pas moins l'instinct du coursier prêt à tout pour remporter la course. C'est le plus éloquent des membres québécois du Cabinet qui estiment qu'Ottawa devrait fixer les conditions de la reconnaissance d'un résultat positif dans le cadre d'un nouveau référendum, contre ceux qui estiment préférable de ne pas réveiller le chat qui dort[2]. »

En théorie, le rival de Bouchard au gouvernement fédéral était le premier ministre, Jean Chrétien. Il est incontestable qu'en dépit de la puissante influence de Dion, c'est Chrétien qui prit la décision finale de réclamer à la Cour suprême un jugement sur la sécession du Québec et, dans le sillage de ce jugement, d'enchâsser la position fédérale dans un cadre législatif, la *Loi sur la clarté*. Malgré cela, c'est Dion qui suscitait la colère de Bouchard (« il n'existe pas pour moi »), avec ses remarques pointues et son air de supériorité que la presse du Québec lui reprochait si souvent.

Chrétien ne produisait pas cet effet sur le premier ministre provincial. Un peu partout, on répétait à Dion que Bouchard n'avait que du mépris pour lui. Le premier ministre de Terre-Neuve, Brian Tobin, confia à Dion que Bouchard voyait rouge dès que l'on mentionnait le nom de Dion. « J'imagine donc que je n'étais pas en odeur de sainteté », remarquerait Dion, avec un petit sourire, des années plus tard[3].

Physiquement, Dion et Bouchard étaient tout le contraire l'un de l'autre : le premier, d'une discrétion telle qu'il en était presque transparent, et le second, robuste et intense, sa mèche ténébreuse artistement taillée pour retomber sur les yeux en un mouvement théâtral. Dion parla souvent de la nécessité de contrer l'argument souverainiste, mais il ne dénigra jamais ceux qui avançaient cet argument. Le politico-logue Peter Russell avait précisé, à ce sujet, que Dion ne se montrerait jamais dédaigneux du nationalisme québécois, contrairement à Trudeau. «On ne devrait pas inciter les Québécois à se sentir coupables d'être nationalistes», avait écrit Dion dans un périodique de politicologie en 1995, l'an-née du référendum. Selon lui, il fallait s'opposer à l'argument sécessionniste, non par «antinationalisme» ou «antisécessionnisme»; il allégua que «la sécession n'était pas une idée judicieuse, parce qu'entre autres raisons, elle donnait naissance à une situation incertaine, explosive, qui risquait de créer des tensions parmi les individus et les groupes[4]».

Avec Bouchard, c'était différent. Dion semblait incapable de conserver son impassibilité. Son ton changeait et ses arguments devenaient personnels. Peut-être était-il exaspéré de savoir que l'homme qui avait travaillé dans les luxueux bureaux de l'ambassadeur, avenue Montaigne, à Paris, s'était retourné contre le Canada. Dion se plaisait à envoyer des petites pointes au héros souverainiste. Dans un discours prononcé en 1998 à la Chambre de commerce de Sainte-Thérèse, dans les Basses-Laurentides, sur le dossier économique du gouvernement Chrétien, à l'époque où Paul Martin était ministre des Finances et Marcel Massé à la tête du Conseil du Trésor[5], Dion déclara que Bouchard avait changé son fusil d'épaule, car il avait commencé par reprocher à Martin sa politique d'économie, mais, lorsqu'il avait été lui-même contraint de procéder à une compression des dépenses dans sa province, avait allégué qu'il s'agissait d'une étape nécessaire en direction de la souveraineté. «M. Bouchard est vraiment le maître des virages», affirma Dion. Cela, c'était de la rhétorique politique sans surprises. Mais Dion s'en prit ensuite aux capacités intellectuelles de Bouchard. «Il n'y a aucune logique à son raisonnement.» Bouchard n'était pas «logique avec lui-même[6]». Qu'est-ce que cela voulait dire?

N'oublions pas que ces messieurs avaient tous été à l'école des Jésuites, au Québec[7]. Si Bouchard était incapable de formuler une argumentation logique et complexe après avoir été l'élève des Jésuites, pouvait-il être si malin que cela?

Dion et Bouchard étaient tout aussi antagonistes qu'ils l'avaient été pendant les premières escarmouches de la campagne référendaire de 1995. Bouchard était plus charismatique que Jacques Parizeau et il était capable de charmer un auditoire, avec une habileté que Dion ne possédait pas. C'est pourquoi il s'était montré si dangereux pendant la campagne référendaire. Il savait exactement quels nerfs exciter pour réveiller le ressentiment des Québécois à l'égard du Canada. Et les politiciens fédéraux venus du Québec étaient bien placés pour savoir que cette rancœur sourde n'était jamais très loin de la surface.

« Le Québec forme un milieu culturel très particulier, où chaque enfant est élevé dans une société canadienne-française qui a gardé, dans une certaine mesure, le souvenir des injustices du passé », explique Marcel Massé, qui avait été nommé au Conseil du Trésor en 1996, afin que Dion puisse devenir ministre des Affaires intergouvernementales. À la fin de 2006, Massé serait le secrétaire principal du nouveau chef libéral, Stéphane Dion, et installé dans les bureaux du chef de l'opposition, situés dans l'édifice du Centre[8].

Massé avait grandi dans le Vieux-Montréal et, au cours d'un entretien qui eut lieu peu après qu'il eut été nommé secrétaire principal de Dion, il se remémora sa jeunesse. Il avait étudié le droit en anglais à l'Université McGill, à la grande déception des membres de sa famille, et il se souvenait encore de sa propre rancœur. Il se rappela les paroles devenues célèbres du directeur du CN, Donald Gordon, qui avait dit qu'il faudrait 10 ans pour que des Canadiens français parviennent aux échelons supérieurs dans cette entreprise d'État. « Aujourd'hui, quiconque dirait une chose pareille serait lapidé », convient Massé. Néanmoins, le fait qu'il se soit souvenu d'un incident qui avait eu lieu 45 ans auparavant, lorsque Massé lui-même était à peine dans la vingtaine, montre à quel point cette affaire l'avait marqué. Chaque incident de ce genre avait contribué à retourner le couteau dans une plaie historique. De là à l'apparition des mythes, il n'y avait qu'un pas.

Massé, pourtant, estimait que, dans la foulée de la *Loi sur les langues officielles* de 1969 et des autres législations qui avaient découlé des recommandations de la Commission royale d'enquête sur le bilinguisme et le biculturalisme, le Canada avait changé, tout comme la place du Québec au sein du Canada. Massé représentait l'école de pensée fédéraliste. Le Canada avait évolué « dans un sens extrêmement favorable aux Canadiens français, par exemple dans la fonction publique, mais aussi parce que le Québec avait désormais la capacité de jouer un rôle important, essentiel, dans les progrès du pays », expliqua-t-il. Sa propre carrière en était la preuve. « Et il faut ajouter la contribution de Stéphane à cette série de changements historiques. Il a toujours eu le courage de ses convictions, il n'a jamais eu peur de démanteler les vieux mythes, il a eu le cran de mettre par écrit ou de présenter sous forme de discours ce en quoi il croyait, même si les gens avec lesquels il travaillait, au Québec, à Montréal, voire ici à Ottawa, estimaient qu'il allait trop loin. Et dans le cas de la *Loi sur la clarté*, beaucoup de gens ont pensé qu'il allait trop loin. »

La *Loi sur la clarté* fut la réponse du gouvernement Chrétien à la décision de la Cour suprême, selon laquelle le Québec ne pouvait pas se séparer unilatéralement, et le gouvernement fédéral ne pouvait pas ignorer « l'expression claire, par une majorité claire de Québécois, de leur volonté de ne plus faire partie du Canada ».

Après que la Cour eut rendu son verdict en août 1998, Dion se souvient que Chrétien lui avait dit: « Je veux une loi! » Chrétien voulait de la clarté dans les zones d'ombre que les juges de la Cour suprême (bien malins!) avaient laissées à la discrétion des politiciens. Qu'est-ce qui constituait une expression claire? Que fallait-il entendre par « majorité claire » ?

En août 1998, Dion conseilla à Chrétien d'attendre, en rappelant que la balle était dans le camp de Bouchard. Après que Bouchard eut remporté les élections au Québec en novembre de la même année et affirmé qu'un nouveau référendum aurait lieu dans les deux ans qui suivraient, Dion redonnerait le même conseil. Et au fur et à mesure que les mois passaient, il ne changeait pas d'avis.

En mai 1999, Chrétien invita Dion au 24 Sussex. Tous deux allèrent se promener au bord de la rivière. Le premier ministre répéta qu'il voulait une loi et Dion lui conseilla une fois de plus d'attendre ce que ferait Bouchard. Dion se souvient de la réaction de Chrétien:

– Non! Je veux une loi! Je suis le premier ministre et je veux une loi!

– Très bien, dans ce cas moi aussi, répliqua Dion. Mais une *loi*, une vraie, rien de moins. Pas une simple déclaration à la Chambre.

Chrétien, après qu'ils eurent débattu la question, insista pour que l'on ne sache pas que son gouvernement était en train de concocter une loi. Il donna à Dion le feu vert, mais précisa que seul le premier ministre, et seulement lui, choisirait le moment pour annoncer l'existence de la loi. Lorsqu'ils rentrèrent de leur promenade, Dion s'était entièrement engagé à enchâsser la position fédérale dans la loi et c'était lui qui encourageait le premier ministre. Il craignait en effet que Chrétien ne faiblisse devant la résistance à laquelle il allait, selon toute évidence, se heurter.

«Pourquoi voulais-je une loi? Je voulais montrer que je n'avais pas peur de mettre notre position à l'épreuve de la Constitution. Une simple déclaration… on aurait allégué que nous avions peur d'adopter une loi. C'était une loi ou rien. Et si quelqu'un affirmait que ce que nous faisions n'était pas conforme à la loi, je voulais pouvoir lui répondre: "Dans ce cas, laissons les tribunaux en décider!"»

∼

En juin 1999, Dion publia un article dans la partie «Idées» du *Devoir*. Il y formulait sa conception de la sécession du Québec. Il déclarait être toujours convaincu que le sentiment nationaliste chez les Québécois n'était pas une mauvaise chose en soi, mais que le problème résidait dans la volonté de se séparer du Canada. «La sécession, en démocratie bien établie, est portée par un nationalisme exclusif qui exige que l'on choisisse entre les concitoyens que l'on veut garder et ceux que l'on veut transformer en étrangers», écrivit-il. Il fit une distinction entre le nationalisme des chefs indépendantistes, qui exigeaient ce choix de la population, et un nationalisme ouvert, en vertu duquel les gens se sentaient à la fois Québécois et Canadiens. «L'idéologie du nationalisme exclusif présente notre dimension canadienne comme étant étrangère à nous-mêmes, nous les Québécois. Étrangère, inutile et même pire que cela : nuisible et menaçante.»

Dion accusa Lucien Bouchard de fomenter la discorde parmi les Québécois, en leur affirmant que l'identité collective nationale les empêchait d'être à la fois Québécois et Canadiens. Il décrivit ainsi la position de Bouchard : «Non parce qu'être Canadien, c'est mal. Mais parce qu'être Canadien, ce n'est pas nous.» Car pour Dion, Bouchard disait : «Nous, nous sommes Québécois. [...] Être Québécois, c'est cesser d'être Canadien dans sa tête et son cœur, en attendant de cesser de l'être dans les faits. Tel est le non-dit du débat sur l'identité.» Dion alla plus loin en formulant le message souverainiste sous-jacent, tel qu'il l'interprétait : «Si on se sent Canadien, c'est que quelque part, on n'aime pas le Québec[9].»

Cet article de Dion fit toute la lumière sur la situation dans laquelle se trouvaient les fédéralistes québécois à l'époque et le prix payé par les politiciens fédéraux venus du Québec : «Les Québécois francophones qui deviennent premier ministre ou ministres à Ottawa sont particulièrement cloués au pilori.» Puis il ajouta : «Dans ses discours les plus incantatoires, Lucien Bouchard voit Jean Chrétien comme l'"ennemi", le "matraqueur" du Québec.»

Dion avait toujours eu le talent de présenter les arguments intellectuels en termes humains. On qualifiait l'ancien professeur de terne et, pourtant, ses écrits pétillent de verve, et ce, dans les deux langues. Un esprit embrouillé se traduit souvent, sur papier, par une prose touffue. Certains auteurs s'efforcent de masquer leur manque de compréhension du sujet derrière un jargon opaque. Mais Dion ne tomba jamais dans ce piège et beaucoup de ses écrits possèdent la vivacité musclée du style anecdotique. Dans son article du *Devoir*, Dion révéla qu'à l'occasion d'un récent débat à la Chambre des communes, il avait entendu le chef du Bloc québécois, Gilles Duceppe, traiter Chrétien de «collabo!» et de «Canadien français de service!» pendant que les autres députés bloquistes qualifiaient le premier ministre de «vendu!». À l'extérieur de la Chambre, Duceppe avait continué sur sa lancée en traitant Chrétien d'«oncle Tom!». «Ce sont des propos infamants, qui visent à convaincre les Québécois qu'ils ne peuvent travailler pour le Canada sans se renier eux-mêmes, sans travailler contre le Québec», conclut Dion.

De l'avis de Dion, l'écueil auquel se heurtaient les souverainistes était que depuis plus de 30 ans, la grande majorité des Québécois avaient montré qu'ils ne croyaient pas en un nationalisme exclusif. «Ils se sentent à la fois Québécois et Canadiens, et vivent ces deux identités comme une belle complémentarité, et non comme une contradiction ou je ne sais trop quelle visite chez le dentiste.» Il estimait que le jugement de la Cour suprême du Canada obligeait désormais les chefs indépendantistes à faire preuve de clarté. «Ils ne peuvent pas jouer la confusion pour masquer aux Québécois la rupture avec le Canada que représenterait la sécession[10].»

≈

Chrétien savait qu'il aurait une bataille sur les bras, surtout avec son propre caucus québécois et avec les échelons les plus élevés de la bureaucratie fédérale. Bien que la démarche nationaliste douce eût été considérée comme un échec, compte tenu des résultats serrés du référendum de 1995, elle restait tout de même la stratégie préférée des députés du Québec qui devaient ensuite rentrer chez eux, dans leur circonscription, avec une étiquette de «vendus» collée au front.

D'après Chrétien, «la bureaucratie était contre, entièrement contre. Pourtant, j'ai décidé d'aller de l'avant. [...] C'était une manœuvre très inhabituelle, mais lorsque j'ai pris la décision de commencer à travailler à une *Loi sur la clarté*, j'ai confié le dossier à Dion. C'est devenu sa mission spéciale[11]».

Les députés du Québec étaient terriblement nerveux. Chrétien résuma leur position à sa façon bien à lui: «Pourquoi réveiller le chat qui dort?» Mais il croyait tenir en main un atout, par rapport à la logique souverainiste. «Quel politicien québécois sain d'esprit dirait: "Je ne veux pas de clarté, je veux la confusion"?», expliqua-t-il. (Qui irait argumenter contre l'importance de la clarté? En fin de compte, le titre même de la loi lui gagnerait des partisans.) La décision de formuler une loi n'était pas simple, mais, comme Chrétien l'expliquerait, «lorsqu'on est le chef, on doit faire confiance à son propre jugement. Si les conseillers donnent de mauvais conseils, et si le chef suit ces conseils, c'est sa tête qui se retrouvera sur le billot».

Dion et Chrétien discutèrent avec animation du moment choisi pour déposer la loi. Eddie Goldenberg, qui suivit toute l'action dans les coulisses, écrivit que l'appréhension des ministres et de leurs conseillers, y compris lui-même, n'était pas causée par le principe d'une législation sur la clarté. Ils craignaient plutôt que «la manœuvre de Chrétien ne provoque de dangereuses réactions au Québec. Ils craignaient de réveiller le chat qui dormait... J'étais parmi ceux qui avaient peur que la démarche frontale du premier ministre ne fournisse justement à Bouchard le contexte gagnant dont il avait besoin pour déclencher le prochain référendum[12]».

Malgré tout, Chrétien eut gain de cause. Dion aussi. La *Loi sur la clarté* serait considérée comme la plus grande contribution de Dion à la politique canadienne (et aux yeux de Bouchard et du Parti québécois, sa plus grave erreur). En 2006, l'année où il devint chef du Parti libéral, elle serait encore le fleuron de sa carrière ministérielle. À ce moment-là, Dion aurait d'autres réalisations à son actif, à Ottawa, mais aucune n'exigerait de lui les mêmes sacrifices personnels que la *Loi sur la clarté*.

En invitant Monsieur le professeur Dion à Ottawa, Chrétien avait écouté son propre jugement. «Stéphane n'était pas très à l'aise en politique. Enseigner les sciences politiques est une chose, devenir un politicien en est une autre. Mais je connaissais son potentiel. Il était très curieux, il était érudit, et la seule chose que j'avais, mais qu'il n'avait pas, c'était l'expérience de la politique», déclara Chrétien au cours d'un entretien en 2007. Il se sentait toutefois capable de donner à Dion cette expérience et, en mai 1999, n'hésita pas à lui confier une mission spéciale. Selon lui, Dion était «très compétent, très intelligent, très engagé, très motivé [...] un grand cerveau». Dion était impatient, Chrétien le savait, mais cela ne le préoccupait pas outre mesure. C'était du grand cerveau qu'il avait besoin.

Pendant l'été 1999, on commença à préparer la loi. Dion ne travailla pas seul, mais Chrétien, qui s'inquiétait des fuites éventuelles, avait réuni un petit cercle d'initiés dont le membre clé était Dion. Le groupe comptait également Mary Dawson, juriste principale du ministère de la Justice, avec qui Dion avait collaboré pour rédiger les trois questions soumises à la Cour suprême, George Anderson, sous-ministre des Affaires intergouvernementales en qui Dion avait toute confiance, et Hélène Gosselin, sous-ministre de la Justice. Du Bureau du premier ministre, Chrétien envoya Jean Pelletier, son chef de Cabinet, ainsi que le conseiller principal en politique, Patrick Parisot, et Goldenberg. Il y avait d'autres membres, mais ce groupe formait le noyau. «C'était un grand pas en avant pour moi aussi, je m'en rendais bien compte», dirait Dion. Il était en train de rédiger une loi qui toucherait de près l'avenir du Canada. «Ne parlons surtout pas de loi pour le moment», ne cessa de lui rappeler Chrétien pendant l'été et l'automne 1999. Dion se souvient que Chrétien s'interrogeait sur le calendrier et la marche à suivre. «Je suppose qu'il voulait que le calendrier demeure souple», dit Dion, qui commença à penser qu'il était devenu un agent secret.

En effet, Chrétien insistait pour que tous les appels téléphoniques sur les progrès des travaux eussent lieu à partir de postes fixes, afin d'éviter toute interception. Dion se souvient qu'un jour, il se trouvait en voiture entre Ottawa et Montréal, lorsqu'il avait reçu le message urgent de communiquer avec le premier ministre. François Goulet, son chauffeur, avait aussitôt cherché un endroit où garer la voiture, sous une pluie battante. Dion avait appelé Chrétien d'une cabine téléphonique dont la porte ne fermait pas, et un vent violent l'empêchait de boutonner son manteau. Chrétien voulait lui dire qu'il serait peut-être plus sage de ne pas déposer une loi, mais de la garder «sous le coude», en cas d'urgence.

Pendant ce temps-là, ses collègues du caucus québécois faisaient grise mine. «Ils me regardaient d'un drôle d'air: "Dites-nous s'il y a une loi. Vous le savez et, pourtant, vous ne voulez rien nous dire."» Dion savait que ces députés craignaient d'être battus à plate couture aux prochaines élections fédérales par le Bloc québécois. C'est pourquoi, à l'automne 1999, Chrétien invita les députés du caucus québécois au 24 Sussex. «C'était une bonne idée. Tout s'est bien passé», se souvient Dion.

Chrétien avait réussi à soulager la tension entre les membres de son caucus. L'ennui, c'est que les députés de l'extérieur du Québec eurent vent de l'invitation et se sentirent exclus. Jusqu'au moment où Chrétien se sentirait prêt à annoncer au Cabinet qu'il prévoyait déposer une législation en réponse au jugement de la Cour suprême, il devrait se livrer à un acte de funambulisme.

George Anderson se souvient de la tension des dernières semaines: «Nous avions rédigé l'ébauche, mais lorsque le moment est venu de la soumettre au Cabinet, tout le monde n'était pas d'accord. Stéphane voulait aller de l'avant. Le premier ministre souhaitait plutôt attendre encore un peu. Stéphane tenait le rôle clé, c'est entendu, mais il n'aurait jamais pu faire ce qu'il a fait sans le ferme appui du premier ministre.» La rédaction de cette législation prouve la valeur pratique de la relation spéciale que Dion entretenait avec son supérieur. «[Chrétien] était un peu comme le président d'un conseil d'administration et il n'était pas toujours facile aux ministres de communiquer avec lui, mais Stéphane pouvait se permettre de lui téléphoner sans préavis et de lui parler comme les autres n'auraient jamais osé le faire[13].»

Le 23 novembre 1999, le premier ministre tint une réunion de deux heures, que Goldenberg raconte dans ses mémoires. Chrétien annonça à ses ministres: «Nous sommes tous dans le même bateau et nous ramerons tous ensemble, sinon j'irai chercher d'autres rameurs.» Puis ce fut au tour de Dion: «La Cour suprême du Canada a déclaré que c'était aux politiciens qu'il incombait de déterminer la clarté et, donc, nous avons la responsabilité d'adopter une loi raisonnable, respectueuse de l'Assemblée nationale du Québec et en conformité avec la décision de la Cour suprême du Canada.»

Dion décrivit alors les grandes lignes du projet de loi qu'il était en train de préparer et précisa qu'il aurait besoin d'un plan de communication. La plupart des ministres réagirent favorablement, mais sollicitèrent un délai. Goldenberg sortit de la réunion en compagnie de Dion qui, dit-il, avait rejeté les arguments de ses collègues sur le cheminement de la législation. «Têtu comme il pouvait l'être, Dion m'a rappelé que tout le monde était d'accord sur le contenu et que le premier ministre s'occuperait des considérations politiques, de sorte que le projet de loi pourrait être déposé devant la Chambre le surlendemain[14].»

Le projet ne serait pas déposé le surlendemain, mais presque. Il fallut trois semaines, ce qui constitue un temps record sur la Colline. Le 13 décembre 1999, Stéphane Dion le soumettrait à la Chambre des communes.

∼

Le titre au complet était *Loi donnant effet à l'exigence de clarté formulée par la Cour suprême du Canada dans son avis sur le Renvoi sur la sécession du Québec*. Le projet de loi était composé de trois volets, résumés et paraphrasés comme suit:

1) La Chambre des communes devrait étudier la question référendaire dans les 30 jours de sa diffusion afin de déterminer s'il était déclaré clairement que la province voulait ou non cesser de faire partie du Canada et devenir un État indépendant. La Chambre n'accepterait d'étudier aucune question qui ne présenterait pas clairement ce point ou qui rendrait «ambigu» cet aspect crucial en y ajoutant d'autres possibilités, telles que des ententes économiques ou politiques avec le Canada. Pour prendre sa décision, la Chambre solliciterait l'opinion de tous les partis politiques représentés à l'Assemblée législative de la province en question, des déclarations des autres provinces, du Sénat, des résolutions des groupes qui représentaient les peuples autochtones et «tout autre avis» qu'elle estimerait pertinent.

2) La Chambre des communes, afin de déterminer si «une majorité claire de la population de la province a déclaré clairement qu'elle veut que celle-ci cesse de faire partie du Canada», analyserait l'ampleur des votes majoritaires, le pourcentage des électeurs admissibles et «tous autres facteurs ou circonstances qu'elle estime pertinents». La Chambre prendrait en considération les opinions qu'elle avait promis d'entendre dans la première disposition du projet de loi, ajoutant, là aussi, «tout autre avis qu'elle estime pertinent». Le gouvernement du Canada n'accepterait de négocier avec une province désireuse de faire sécession que si ces conditions étaient réunies.

3) On reconnaissait que la Constitution ne prévoyait pas
le droit d'une province de faire sécession du Canada
unilatéralement et que, par conséquent, il faudrait
modifier ladite Constitution pour que la province
puisse faire sécession. Cela exigerait des négociations
entre le gouvernement fédéral et «notamment» les
gouvernements des 10 provinces. Aucun ministre ne
proposerait une modification constitutionnelle sur
une sécession à moins que les négociations avec le
Canada sur les conditions de la sécession n'englobent
«notamment la répartition de l'actif et du passif, toute
modification des frontières de la province, les droits,
intérêts et revendications territoriales des peuples
autochtones du Canada et la protection des droits des
minorités[15]».

Oh là là !

Au Québec, le texte suscita une levée de boucliers, qui se
concrétiserait par le témoignage officiel du ministre québécois des Affaires intergouvernementales, Joseph Facal, devant
les audiences parlementaires sur la *Loi sur la clarté*, en
février 2000. Quant à Dion, il serait victime de critiques cin-
glantes de la part des médias du Québec. Il aurait même
besoin de la protection de la Gendarmerie royale du Canada,
à la suite de menaces dont la nature ne serait pas précisée.

Selon les dispositions de la loi, il était évident que le
Québec ou toute autre province devrait franchir des obstacles
peut-être insurmontables, afin de se séparer légalement du
Canada. De plus, la sécession d'une province qui avait déjà
répondu à toutes les exigences de clarté relatives à la question
référendaire et qui avait démontré qu'elle représentait l'expression claire de la volonté de la majorité, devrait être ratifiée
par un amendement de la Constitution, ce qui était pratiquement impossible. En effet, la Constitution de 1982 contenait
bien une formule d'amendement, mais qui exigeait que cet
amendement fût approuvé par la Chambre des communes, le
Sénat et au moins les deux tiers des assemblées législatives

provinciales, soit un minimum de sept provinces; ces deux tiers devaient représenter au moins 50% de la population du Canada. Le Québec et l'Ontario étant les provinces les plus peuplées, il était fort possible que Queen's Park se retrouve un jour en mesure de se prononcer sur l'indépendance du Québec.

En 1999, même les fédéralistes convaincus comme l'ancien chef libéral du Québec, Claude Ryan, jugèrent que Dion (et c'est lui, plutôt que Chrétien, que l'on considéra sans équivoque comme le père spirituel de la loi), était allé trop loin. Aucune province, visiblement, ne pourrait jamais répondre à ces exigences. La *Loi sur la clarté* semblait donc rendre impossible ce qu'elle devait faciliter, c'est-à-dire fixer un ensemble de règles selon lesquelles une province *pourrait* faire sécession, si sa population le désirait.

Pourtant, Stéphane Dion rejeta cet argument. Lors d'un entretien, au début de 2007, il affirma que la *Loi sur la clarté* avait été conçue pour aider une province à faire sécession si c'était vraiment ce que sa population souhaitait. Plus précisément à propos du Québec, Dion déclara qu'il ne voyait aucun moyen de faire sécession dans la légalité *en l'absence* de la *Loi sur la clarté*. «Si nous partons du principe que demeurer au Canada est contraire à la volonté de la population, ce sera possible, dit-il. [Personne ne pourra dire] "non, non, vous ne pouvez pas faire sécession." Je ne connais pas vraiment de groupe qui souhaite sérieusement garder les Québécois au Canada contre leur volonté. Poursuivons ce raisonnement: [...] s'ils voulaient se séparer, à quoi bon essayer de les garder au Canada? La plupart des gens seraient très tristes, mais prêts à accepter la volonté clairement exprimée par une majorité claire. Il serait plus facile d'accepter la séparation si la population avait exprimé cette volonté clairement. Et le seul moyen, c'est de respecter les dispositions de la *Loi sur la clarté*. La [sécession] serait déjà très difficile, même dans le cadre de la légalité, expliqua Dion. Je serais triste, comme tout le monde. Pour moi, ce serait une terrible erreur, une tragédie, mais si les gens ne voulaient pas rester au Canada, il serait bien difficile de les y obliger.»

En 2007, le journaliste québécois Benoît Aubin résuma ainsi l'œuvre de Dion : «Aujourd'hui, l'idée qu'un gouvernement péquiste, élu par, disons, 38 p. 100 de la population, puisse déclencher une campagne référendaire, la remporter et provoquer une sécession unilatérale, en improvisant au fur et à mesure, serait inimaginable, grâce à la *Loi sur la clarté*.» Aubin cita ensuite le politicologue de l'Université Laval, Guy Laforest, partisan des souverainistes, qui avait déclaré que l'œuvre de Dion avait été «facilitée par le fait que le PQ n'avait jamais effectué d'analyse sérieuse et approfondie de la situation après avoir perdu le référendum[16]».

Cette omission s'était produite sous le mandat de Lucien Bouchard. Il avait dirigé la campagne référendaire de 1995 et mobilisé les Québécois contre le gouvernement fédéral, comme il le fit en 1999 lorsque Stéphane Dion déposa son projet de loi sur la clarification à la Chambre des communes.

~

Bien avant l'ouverture des débats, Dion se trouva en butte aux critiques de la presse du Québec. Serge Chapleau, du quotidien *La Presse*, se plaisait à le caricaturer sous les traits d'un rat. Un autre jour, il représenta Dion allongé dans le cabinet du psychiatre. «Bonne nouvelle, disait le psychiatre, vous n'êtes pas paranoïaque, les gens vous haïssent pour de bon[17].» L'humoriste Jean-Simon Gagné se montra sans pitié dans *Le Soleil* : «Notre cauchemar constitutionnel a même pris forme. On lui a même donné un nom : Stéphane Dion.» Dion ne pouvait visiblement gagner sur aucun tableau. Gagné se moqua de la manière dont Dion parlait des souverainistes, de «l'air outré d'une mémé qui vient de trouver un cheveu sale dans sa tisane[18]». À la veille des débats sur la *Loi sur la clarté* à la Chambre, c'était Gagné qui était devenu le cauchemar de Stéphane Dion, «[...] le déplorable ministre des Affaires intergouvernementales [...]» Le journaliste imaginait ce que Dion aurait pu faire d'autre dans la vie : «[...] sœur supérieure, pâté au poulet froid, ou grande encyclopédie du xxᵉ siècle, à laquelle il manquerait un tome. Je m'arrête ici. À quoi bon rêver, de toute façon? Pour notre plus grand malheur, Stéphane Dion a choisi la politique[19].»

Ces attaques à répétition étaient difficilement supportables, tant pour Dion que pour Janine Krieber. Il y eut une période durant laquelle elle évita de lire les journaux. Que pensait-on de Dion au Québec? Loïc Tassé, sinologue de profession et assistant de Dion dans sa circonscription de Saint-Laurent-Cartierville pendant quelques années, résuma parfaitement la situation : «S'il pleuvait trop au Québec, c'était la faute de Stéphane. S'il ne pleuvait pas assez, c'était aussi la faute de Stéphane. [...] C'était lui le responsable de toute la misère du monde[20].»

Certes, Dion comprenait que les coups faisaient partie du métier de politicien, mais dans ce cas précis, comme Stanley Hartt l'avait remarqué à l'occasion de la désastreuse affaire du C.D. Howe, l'hystérie collective était dans l'air. Don Macpherson, analyste politique depuis une quinzaine d'années en 1999, déclara n'avoir jamais vu de politicien québécois aussi malmené. «Chrétien n'a jamais été dénigré ou honni comme l'a été Dion, dit-il. Dans le cas de Dion, la rancœur était d'autant plus intense qu'on ne le considérait pas seulement comme un traître à son peuple, mais aussi à sa classe. Ce n'était pas simplement un francophone, c'était un intellectuel francophone[21].»

En 1998, Peter Russell avait suggéré de réunir en un recueil les discours que Dion avait prononcés depuis qu'il était ministre. Dion acquiesça, sous réserve que le livre soit publié en français et en anglais. Russell n'eut aucune difficulté à trouver un éditeur universitaire de langue anglaise et c'est ainsi que McGill-Queen's University Press produisit *Straight Talk*. Mais il ne parvint pas à intéresser les éditeurs du Québec, qui refusèrent de publier le livre en 1999. Finalement, il persuada McGill-Queen's de publier également *Le pari de la franchise*. Il dit plus tard que certains éditeurs québécois avaient déclaré sans ambages leur mépris pour Dion et sa politique.

Naturellement, sur le plan politique, Dion créait des remous au Québec. «Il n'attendait pas simplement qu'on le questionne. Il n'hésitait pas à prendre les devants et à contester les affirmations des nationalistes québécois», se souvient Macpherson[22].

Toutefois, pendant ce temps-là, les Québécois se montraient de moins en moins enthousiastes à l'idée d'un référendum. Lorsque Dion était arrivé à Ottawa en 1996, les sondages révélaient que les deux tiers des Québécois souhaitaient un autre référendum sur la séparation. En 1999, les résultats étaient inversés, à savoir que les deux tiers ne souhaitaient pas devoir se prononcer sur une séparation. Dion, malgré tout, semblait être en train de «modifier l'architecture du théâtre» (pour reprendre littéralement l'expression de l'humoriste Lenny Bruce[23], dans l'un de ses numéros sur scène). Mais la société n'avait jamais accueilli très favorablement ceux qui essayaient d'en bouleverser les fondements. Stéphane Dion avait appris cette leçon très tôt, lorsqu'il avait tenté de confier ses doutes à un prêtre embourbé dans sa foi. Il la réapprit en 1999, avec la *Loi sur la clarté,* à la différence près qu'adulte, il n'était plus obligé de garder son opinion pour lui et, devenu l'un des ministres les plus puissants du Cabinet de Jean Chrétien, il détenait le pouvoir de modifier le droit établi.

Le prix à payer, toutefois, était élevé. François Goulet, l'ami de Dion, se souvient du moment où les agents de la GRC firent leur apparition. Bien qu'il ne puisse donner de détails, des années plus tard, son mince visage se contracte encore lorsqu'il se remémore cette époque-là[24]. «La famille avait reçu beaucoup de menaces et les gardes nous accompagnaient partout», dirait-il par un après-midi de 2007. (Il n'était plus le chauffeur de Dion.) La protection dura quelques mois, pendant lesquels des gendarmes demeurèrent postés autour de la maison des Dion, à Montréal, et devant l'appartement du ministre à Ottawa. Toute la famille devait se plier à certaines consignes. Heureusement, Dion retrouvait la sérénité dès qu'il tenait une canne à pêche. C'était sa passion.

Dion et Goulet passaient les longues heures en voiture à discuter de pêche. Chaque fois qu'ils en avaient l'occasion, en été, ils partaient pour un camp de pêche dans le Témiscamingue, en compagnie du frère de Goulet, Norm, et, parfois, de l'ami d'enfance de Dion, Guy Lévesque. C'était toujours Goulet qui organisait la partie de pêche. Après le travail, le vendredi, ils prenaient la route afin de passer la fin de semaine «entre hommes» dans un chalet dépourvu d'électricité, où ils cuisinaient sur un réchaud au propane. Chaque matin, dès 5 heures, tous partaient sur le lac, dans l'espoir de capturer le repas.

«Nous avons vraiment passé de bons moments», se souvient Goulet. Le premier soir, la tradition voulait que Goulet lui-même prépare le repas, sa recette spéciale de spaghetti, sauce bolognaise. Mais ensuite, ils devaient se nourrir de leurs prises, surtout de l'omble chevalier, de la truite arc-en-ciel et de la truite grise. Aucun de ces poissons n'était très gros, mais quel délice! Une grosse truite ne pesait guère plus d'un kilo, parfois un kilo et demi. «Je me souviens d'une fois où nous nous sommes divisés en deux groupes», dit Goulet dont les yeux se mirent à pétiller devant la perspective de raconter une histoire de pêcheur. Il n'était pas avec Dion (*Monsieur* Dion, comme il l'appela très correctement pendant notre entretien) et, à la fin de la journée, était sûr d'avoir la plus grosse prise. Lorsque la barque de Dion se rapprocha du rivage, Goulet pataugea à sa rencontre, s'exclamant qu'il avait gagné le concours ce jour-là. «Ah oui?», lança Dion avec un sourire malicieux. «Quand il m'a montré son poisson, j'ai dû devenir tout rouge! Les autres étaient morts de rire.»

Goulet explique que Dion est un pêcheur patient. D'un agile mouvement du poignet, il lance sa ligne, généralement munie d'une petite cuillère tournante argentée et d'un ver, qui peut descendre jusqu'à près d'un mètre, en fonction de la saison et de l'énergie combative du poisson. (Ce sont les truites arc-en-ciel et les truites brunes qui donnent le plus de fil à retordre, surtout à la fin du printemps.) Peter Russell, qui estime que la manière de pêcher est très révélatrice, voit en Dion un «brillant» pêcheur. «Il est très patient, dit-il lui aussi. C'est son intuition qui lui indique à quel moment remonter la ligne. Un pêcheur dépourvu de cette intuition va remonter la ligne trop vite, sans laisser au poisson le temps de mordre à l'hameçon[25].»

Au Témiscamingue, l'équipe de pêcheurs passait la soirée autour du réchaud, à discuter de sport, surtout de hockey. Goulet encourageait l'équipe de Boston, Dion celle de Montréal. Dion comparait toujours les joueurs du moment à son héros, Jean Béliveau, mais ils parlaient de toutes les autres étoiles du hockey: Maurice Richard, Bobby Orr, Wayne Gretsky, Mario Lemieux. (En 2007, Dion affirmerait que personne n'arrivait à la cheville de Sidney Crosby.)

Goulet et Dion avaient tous deux été des amateurs de lutte dans leur enfance et ils se remémoraient des matchs frénétiques. Ils discutaient aussi de baseball et des Expos. Cet hiver-là, tous deux attendaient avec impatience le moment de jouer au hockey-balle à Ottawa, sur un terrain situé à proximité de Rideau Hall. «Il était infatigable, un bon coureur, dit Goulet. À l'époque de la *Loi sur la clarté*, nous organisions des parties de hockey-balle tard le soir, sous les lampadaires.» Pour Dion, ces moments de récréation étaient précieux. Il travaillait beaucoup... même pour lui.

En 2007, Goulet était le chauffeur d'un ministre conservateur et, après une heure de bavardage autour d'un café, il dut aller prendre son service. Avant de partir, il résuma: «C'est un grand travailleur, avec qui il est facile de s'entendre et il adore la pêche.» Autre chose? «Ma foi non», répondit-il en se levant. Puis il se retourna avant de sortir, pour ajouter: «C'est bien de l'avoir pour ami.»

Les audiences parlementaires sur le projet de loi n° C-20 s'ouvrirent en février 2000. Le comité législatif, présidé par le vice-président de la Chambre, Peter Milliken, entendit 39 témoins et soumit son rapport à la Chambre des communes le 24 février 2000.

Les témoignages devant le comité révèlent qu'au Québec, le projet de loi s'était heurté à une opposition profondément ancrée, que Dion ne serait pas capable d'apaiser, malgré son succès législatif. La question de l'unité connaîtrait des hauts et des bas, selon les vagues de l'opinion publique.

Le ministre des Affaires intergouvernementales, Stéphane Dion, fut le premier à témoigner. Il déclara qu'en 1980, il n'y avait eu aucun accord entre le premier ministre du Canada, Pierre Trudeau, et celui du Québec, René Lévesque, sur les retombées que le référendum de cette année-là pourrait avoir. Trudeau avait exclu la possibilité de négociations avec le gouvernement péquiste en cas de victoire du «oui». Pour Dion, c'était la dernière occasion de faire accepter son argument en faveur de la clarté et il répéta que la Cour suprême du Canada avait utilisé l'expression «majorité claire» 13 fois dans sa décision sur la question de la sécession. Il reprocha au gouvernement péquiste de vouloir considérer 50% + 1 comme une majorité, alors qu'au moment du référendum de 1995, ledit gouvernement n'avait tenu aucun compte des résultats d'un référendum organisé par les Cris du nord du Québec, à l'issue duquel 95% d'entre eux avaient voté en faveur de l'appartenance au Canada si le «oui» l'emportait. «Est-ce que cette règle du 50% + 1 serait plus universelle pour certains que pour d'autres?», demanda Dion.

Il poursuivit: «Je donne raison à M. Bouchard quand il dit qu'il ne tiendra son référendum que s'il peut le gagner. Je lui donne tout à fait raison. Mon désaccord, cependant, tient à ce que la question ne doit pas faire partie de son arsenal de conditions gagnantes. Il ne doit pas essayer de concevoir une question qui lui permettra de gagner; il doit essayer d'en concevoir une qui lui permettra de savoir ce que les gens veulent: "Voulez-vous cesser de faire partie du Canada pour faire du Québec un pays indépendant?" C'est ce qu'il s'agit de savoir[26].»

Dion affirma au gouvernement du Québec que le moment choisi pour un référendum ne pouvait pas dépendre de considérations tactiques. «C'est une faute morale en démocratie que de chercher à obtenir une décision permanente par des effets de circonstance. On devrait tous se dire que ce n'est pas dans l'intérêt public. [...] L'intérêt de tout le monde est que le soir d'un référendum, si malheureusement il devait y en avoir un autre, le "oui" veuille dire une seule chose, à savoir que nous voulons que le Québec soit un pays indépendant et qu'il ait son siège à l'ONU en tant qu'État indépendant, distinct du Canada.» La majorité devrait être importante, car si l'appui du «oui» se dissipait pendant les négociations, «on se trouverait bien sûr dans une impasse dangereuse et inutile pour tout le monde[27]».

Enfin Dion souleva une dernière question, celle qui avait causé tant d'amertume depuis qu'il avait mentionné ce sujet publiquement au cours de la campagne référendaire de 1995 au Québec. Il avait rédigé un article de fond à ce sujet, pour la revue politique *Cité libre* et, après être devenu ministre, avait toujours refusé de revenir sur ses positions. Il s'agissait de la partition.

Aux termes de la *Loi sur la clarté*, les frontières du Québec ne pourraient pas faire l'objet de négociations en cas de sécession. Dion parla au comité des frontières du nouvel État que serait le Québec, tout en rappelant ce que la Cour suprême avait décidé à cet égard: «Nul ne peut sérieusement soutenir que notre existence nationale, si étroitement tissée sous tant d'aspects, pourrait être déchirée sans efforts selon les frontières provinciales actuelles du Québec.» Puis il ajouta à cela: «Ce que l'on sait, c'est qu'il est possible que, pour qu'il y ait un accord sur la séparation, il faut qu'il y ait au préalable un accord sur la redéfinition des frontières. Le gouvernement du Québec ne peut faire l'autruche; encore la semaine dernière, des leaders autochtones sont venus le lui rappeler.»

Dion conclut par un résumé de ses idées. Pour lui, ce serait l'aboutissement d'une longue odyssée politique, qui avait commencé à l'époque où, jeune péquiste, il se cherchait une identité distincte de celle de son père. Son évolution le conduirait jusqu'au fédéralisme et ferait de lui un intrépide défenseur du Canada. Il dit en terminant que son projet de loi garantissait la clarté dans la mesure des possibilités, étant donné les circonstances. «Une sécession demeure un trou noir chargé d'incertitude[28].»

Ce fut Joseph Facal qui fut chargé de représenter le premier ministre Bouchard et le gouvernement du Québec devant le comité. «Le 30 octobre 1995, 2 308 360 Québécois votèrent "oui" à la question que vous connaissez, commença-t-il. Aujourd'hui, le gouvernement fédéral veut vous octroyer, à vous les 301 élus du Parlement fédéral, le pouvoir de décréter que ces 2 308 360 personnes ne comprenaient pas cette question et qu'il faut donc les protéger contre elles-mêmes. Père, pardonne-leur, car ils ne savent pas ce qu'ils font. C'est ce que le projet de loi C-20 dit aux Québécois. Ainsi doit-on occulter le mal canadien, oubliant que plus de Québécois ont voté "oui" qu'il y a d'électeurs en Saskatchewan, au Manitoba, à Terre-Neuve, en Nouvelle-Écosse et à l'Île-du-Prince-Édouard mis ensemble[29].»

Facal affirma au comité que ce n'était pas une législation fédérale qui allait pouvoir faire disparaître la question de la souveraineté. Puis il s'attaqua au cœur du problème pour le Parti québécois. En effet, le gouvernement du Québec tenait sa légitimité de l'Assemblée nationale, qu'il qualifia d'«unique dépositaire du droit du peuple québécois de choisir seul son statut politique». Facal rappela au comité que «[c'est] parce qu'il a exercé son droit de choisir librement son statut politique que le Québec a, en 1867, contribué à créer le Canada. N'oubliez jamais cela. [...] En adhérant à cette fédération, le peuple québécois n'a ni renoncé à son droit de choisir un autre statut politique, ni voulu soumettre pour toujours son destin à un parlement dont la majorité des membres provient de l'extérieur du Québec.» Et pourtant, dit-il, la *Loi sur la clarté* autorisait une majorité de députés fédéraux venus de l'extérieur du Québec à déterminer si la question était claire, si les résultats du vote représentaient la majorité et si cela était suffisant pour permettre aux négociations sur la sécession d'avoir lieu. Facal se moqua : « Trois articles, trois mécanismes pour contrecarrer l'expression d'une volonté démocratique[30]. »

Joseph Facal entreprit ensuite de disséquer la partie de la *Loi sur la clarté* qui conférait à l'Assemblée législative de toute autre province « sous le couvert de la formule d'amendement contenue dans une Constitution canadienne sans légitimité parce qu'imposée au Québec et jamais entérinée depuis, un droit de veto absolu sur l'avenir du peuple québécois ».

René Lévesque n'avait jamais signé la *Loi sur la Constitution* de 1982, pas plus que ne l'avaient fait les premiers ministres du Québec qui lui avaient succédé. Facal déclara que les Québécois s'entendraient dire que leur référendum, pourtant librement consenti, n'était pas admissible. « Aussi vaut-il mieux tenir compte de l'avis d'un député du Manitoba ou de la Saskatchewan qui saura mieux que l'électeur québécois ce qui est clair et ce qui ne l'est pas. Il comprend, lui. » Et Facal de s'enquérir : « Mesdames et Messieurs les députés du Parlement fédéral, est-ce que vous réalisez le ridicule dans lequel les auteurs du projet de loi C-20 vous font sombrer ? »

Pour couronner le tout, poursuivit-il, la Cour suprême n'avait absolument pas donné au gouvernement fédéral le droit de dicter le contenu d'une question référendaire. « Le gouvernement fédéral a joué avec le feu en s'adressant à la Cour suprême. Il s'est brûlé, récoltant la consécration, du fait que le territoire canadien est divisible sur la base des territoires et des provinces [...] et l'admission qu'en cas de mauvaise foi fédérale, la reconnaissance internationale d'un Québec souverain s'en trouverait facilitée. » Quant à la disposition selon laquelle les administrateurs de la *Loi sur la clarté* seraient en mesure de solliciter « tout avis qu'ils jugeraient pertinent », Facal se montra sarcastique : « L'avis de qui[31] ? »

Après avoir ainsi décrit l'interprétation du Parti québécois, Facal conclut: «Le jour où les Québécois décideront de se donner un nouveau pays, C-20 ne pourra les en empêcher. Vous vous illusionnez si vous pensez le contraire. L'Union soviétique a tenté cela en 1991. En vain. Le projet de loi C-20 est inacceptable pour le Québec, inacceptable aussi pour tous les partis représentés à l'Assemblée nationale.»

À l'instar de Lucien Bouchard et des autres ministres péquistes, il répéta que le gouvernement du Québec n'avait pas besoin de la bénédiction du gouvernement fédéral pour juger du droit des Québécois de décider eux-mêmes de leur avenir. «L'Assemblée nationale adoptera la question qu'elle voudra. Le peuple québécois décidera seul de sa clarté. L'option victorieuse sera celle qui franchira la barre des 50 p. 100 + 1 des voix exprimées. Qui a peur de la volonté démocratique des Québécois[32]?»

Quand arriva le tour de Claude Ryan, l'ancien éditeur du *Devoir* (et vieil ami de Léon Dion) déclara qu'en enchâssant les critères qui devraient guider le Parlement pour décider de la clarté d'une question, le gouvernement fédéral se mêlait directement du libellé de la question. «Il ne s'agit plus d'un véritable fédéralisme, mais d'un régime de tutelle. [...] Elle pourrait même contribuer à orienter l'opinion publique québécoise dans un sens contraire à celui que le gouvernement ou le Parlement fédéral cherche à favoriser.»

Ryan, en effet, considérait comme «irréaliste et dangereux que le gouvernement fédéral ait les mains liées à l'avance par une résolution» du Parlement sur l'orientation de ses actes. Il ajouta cependant qu'il trouvait «normal» que le Parlement du Canada, par une législation s'il le désirait, réunisse ses députés, ses partenaires provinciaux et territoriaux ainsi que les chefs autochtones dans l'éventualité d'une victoire du «oui»[33].

Gordon Gibson, ancien chef libéral de la Colombie-Britannique et attaché supérieur de recherche en Études canadiennes à l'Institut Fraser de Vancouver, se montra farouchement opposé au projet de loi, qu'il jugeait impopulaire dans tout le pays, inutile et, sans aucun doute, inefficace dans la réalité. «Je vous invite à vous imaginer que le projet de loi était en vigueur au moment du référendum de 1995. Imaginez que le "oui" l'a emporté, par 50 p. 100 + 1 et que vous êtes Paul Martin, en train de dire à un banquier new-yorkais, au téléphone à minuit, après le dépouillement des votes, qu'il n'y a pas lieu de s'inquiéter, parce que nous avons une *Loi sur la clarté*. Imaginez l'autre au bout du fil, tout poli, qui rirait dans sa barbe et qui, aussitôt après avoir raccroché, crierait: "Débarrassez-vous de vos huards!" Autrement dit, 50 p. 100 + 1, ça compte, peu importe ce que dit le projet de loi[34].»

~

La Chambre des communes adopta le projet de loi n° C-20 en un temps record, le 15 mars 2000. Stéphane Dion faisait son jogging lorsqu'il apprit, le 29 juin de la même année, que la *Loi sur la clarté* avait reçu la sanction royale.

Il réagit calmement («Ouf! C'est fait!»), bien qu'il fût parfaitement conscient de l'importance de ce qu'il avait accompli. La loi formulait les règles de la sécession. En revanche, elle ne contenait aucune disposition sur ce qui se passerait si le Québec se déclarait unilatéralement en faveur de la sécession. Lucien Bouchard avait clairement établi sa position, avant et après la décision de la Cour suprême: le Québec possédait ce droit et, en tant que nouvelle nation, serait reconnu par le droit international. Cette thèse n'avait pas encore été mise à l'épreuve lorsque Stéphane Dion quitterait le ministère des Affaires intergouvernementales à la fin de 2003.

Néanmoins, les démêlés se poursuivraient. Un nouveau gouffre s'ouvrirait entre les fédéralistes et les indépendantistes. Au début de 2006, Jean-François Lisée, directeur d'un centre de recherches à Montréal et ancien conseiller des premiers ministres québécois Jacques Parizeau et Lucien Bouchard, publierait une analyse dans le magazine québécois *L'actualité*. Dans le style d'Émile Zola, son article s'intitulerait «J'accuse Stéphane Dion[35]».

Lisée affirmait que sans Dion, la *Loi sur la clarté* n'aurait jamais vu le jour. «Que clarifie-t-elle? Grâce à la loi Dion, les parlementaires fédéraux pourront accepter ou rejeter la question référendaire québécoise avant la tenue du référendum.» Il critiqua la participation des députés fédéraux à ces débats et contesta leur droit de juger s'il était ou non permis que la question mentionne des scénarios postérieurs au référendum, y compris un accord économique ou politique avec le Canada. «Conséquence: si cette loi avait été en vigueur depuis 1980, quand bien même 65% des Québécois auraient voté "oui" aux référendums de 1980 et de 1995, le Parlement fédéral aurait été légalement forcé de ne pas tenir compte du résultat.»

Il allégua en outre que la *Loi sur la clarté* trahissait l'esprit et la lettre de la Cour suprême, en ouvrant les négociations à d'autres participants et en mettant sur le tapis la question des frontières. «D'inexcusable, l'attitude de Stéphane Dion devient irresponsable. Avant lui, des politiciens fédéraux avaient parfois brandi, dans des discours, le spectre du "Canada divisible, donc Québec divisible".» Mais avant Dion, personne n'avait osé l'inscrire dans un texte de loi. Dans le reste du monde, la partition «n'est acceptée qu'à regret et *a posteriori*, après que des brutes ont fait parler les armes et couler le sang, comme au Kosovo. C'est vrai partout, sauf au Canada, sauf dans la loi Dion[36]».

Les arguments de Lisée, cependant, avaient été maintes fois remis en question et la Cour suprême avait bel et bien soulevé le problème des frontières si le Québec se séparait. (En réponse à une question, lors d'un entretien en 2007, Dion expliqua que le gouvernement fédéral avait commencé à examiner des scénarios possibles, y compris la mission ingrate de diviser le territoire et de décider qui devrait posséder quoi. «Certains collègues s'étaient attelés à cette tâche, mais je leur ai demandé de ne pas le faire. J'étais sûr qu'il y aurait des fuites.» Révélation intéressante, certes, mais Dion refusa d'élaborer[37].) Aussi courroucé qu'éloquent, le manifeste de Lisée ne faisait que reprendre les vieilles idées en faveur de la lutte pour l'indépendance qui se transmettaient de génération en génération au Québec.

Maclean's et *L'actualité* sont deux magazines proches parents. Au début de 2007, deux journalistes, Benoît Aubin en anglais et Lisée en français voyaient sous un angle entièrement opposé le legs de Stéphane Dion, ministre fédéral de l'unité. Leurs points de vue respectifs reflétaient chacun un aspect fondamental du problème. Aubin ne présentait pas d'arguments particuliers en faveur de la *Loi sur la clarté* (dans son article, il se contentait de brosser un portrait de Dion), mais il convint, sur un ton très neutre, qu'après son adoption, aucun gouvernement péquiste ne serait capable de se séparer unilatéralement, «en improvisant au fur et à mesure». C'était une opinion très positive avec laquelle beaucoup de Canadiens étaient d'accord. Mais, dans l'autre camp, l'ardeur de Lisée transparaissait dans les pages de *L'actualité*.

Il était clair que Dion et les juristes fédéraux avaient interprété la décision de la Cour suprême d'une certaine manière, tandis que les avocats souverainistes du Parti québécois l'avaient interprétée autrement. Jean Chrétien avait raison de dire que la politique n'était pas une science, mais un art.

Du point de vue souverainiste, il semblait impensable, sur le fond, que le Québec, qui s'était joint à la Confédération en tant que partenaire (le principe des deux peuples fondateurs), dût se plier au vote d'un député de Westaskiwin ou de Nanaimo-Alberni. Néanmoins, le fédéraliste Marcel Massé, ancien ministre des Affaires intergouvernementales, interprète différemment cette question cruciale.

En effet, Massé estime que «l'accord initial avait été clairement conclu dans des circonstances qui ont changé depuis. Cela est vrai sur le plan historique». Mais il note que l'*Acte de l'Amérique du Nord britannique* de 1867 a rendu l'Assemblée nationale compétente dans certains domaines (ressources naturelles) et le gouvernement fédéral dans d'autres (défense nationale, politique étrangère). «L'Assemblée nationale ne peut affirmer que la province est souveraine sur tous les plans, car l'accord initial divise les pouvoirs», explique

Massé, en faisant allusion aux dispositions d'origine sur la séparation des pouvoirs. «Dès que les circonstances changent, a-t-on le droit de réviser le contrat initial? [...] Cela n'est faisable dans aucun pays du monde[38].»

Massé rejette également l'argument selon lequel le Québec avait des droits, mais qu'Ottawa n'était pas censé exercer son pouvoir. «J'ai fait des études universitaires en droit international. On peut examiner la souveraineté du gouvernement fédéral et se demander: pourquoi ces souverainetés ne sont-elles pas égales? Pourquoi n'auraient-elles pas leur mot à dire si un morceau de leur territoire, en l'occurrence le Québec, prenait un autre morceau? [...] La notion de souveraineté, interprétée par les séparatistes, est une notion fallacieuse, parce qu'à ce moment-là, beaucoup de groupes auraient cette souveraineté[39].»

Le soir du référendum au Québec, le 30 octobre 1995, le premier ministre Jean Chrétien s'était juré que le gouvernement fédéral ne se ferait plus prendre de court. Il avait introduit Stéphane Dion dans son gouvernement, parce que Dion n'avait pas peur de se battre pour un Canada uni, même si cela lui créait des ennemis. «Le fameux plan B, c'était la *Loi sur la clarté*», expliqua Macpherson, au cours d'un entretien en 2007. «La séparation, aux termes de la loi, ne serait pas facile, bien au contraire. Cette législation avait pour but d'avancer l'idée que dans toute [négociation en vue d'une] sécession, le Canada aussi avait des droits et ne manquerait pas de s'en prévaloir. Cela reste une notion radicale.»

Macpherson n'était pas un partisan enthousiaste de la *Loi sur la clarté*. «Ce qui ne me plaît pas, c'est qu'elle est unilatérale, à savoir qu'un gouvernement majoritaire aurait la liberté de décider si oui ou non il négociera les conditions de la sécession.» Néanmoins, il avait jugé satisfaisant de voir Ottawa prendre le taureau par les cornes. En cela, on peut dire que Macpherson était un fédéraliste... québécois.

Les débats se poursuivirent en 2000. Entre-temps, un phénomène très intéressant avait vu le jour, bien loin des soubresauts intellectuels qui agitaient les animateurs d'émissions sur la politique, les journalistes et les chroniqueurs. Auprès de l'opinion publique, Stéphane Dion – et son patron, Jean Chrétien – commençaient à renverser la vapeur. À l'été 2000, Lucien Bouchard annonça aux Québécois qu'ils devaient se préparer à un nouveau référendum. Il déclara qu'une série de rassemblements aboutiraient à un scrutin, mais ne précisa pas de date.

Peu après, le 27 novembre 2000, des élections fédérales portaient au pouvoir le gouvernement Chrétien, troisième gouvernement libéral majoritaire. Au Québec, les libéraux arrachèrent six sièges au Bloc québécois mené par Gilles Duceppe. Selon toute évidence, la *Loi sur la clarté* avait reçu un accueil positif, tout comme Dion l'avait prévu. « Les séparatistes, consternés, n'étaient pas parvenus à mobiliser une force d'opposition à la législation », écrivit Goldenberg dans ses mémoires. Il rappela avec satisfaction que l'Union européenne avait cité la *Loi sur la clarté* et la décision de la Cour suprême pour fixer les exigences minimales d'un référendum sur la séparation du Monténégro de la Serbie (55 %, qui furent d'ailleurs atteints). La France avait déclaré que le précédent canadien serait la nouvelle norme fixée par l'Union européenne, à savoir que plus qu'une simple majorité serait requise pour une séparation[40].

C'est alors que se produisit un coup de théâtre. Le 10 janvier 2001, Lucien Bouchard annonça qu'il démissionnait de son poste de premier ministre du Québec et de chef du Parti québécois. Les premiers reportages télévisés affirmèrent qu'il avait déjà prévu de s'installer en Californie, avec son épouse américaine et leurs deux enfants. Mais il demeurerait au Québec, où il serait engagé par un cabinet d'avocats montréalais[41].

Les péquistes, abasourdis, réagirent par l'incrédulité. « Nous perdons un grand homme, le meilleur pour la cause », dit Bernard Landry, vice-premier ministre qui prendra la place de Bouchard. « Il a déclaré que sa décision était irrévocable, qu'il avait une série de raisons politiques et personnelles, une accumulation de raisons, personnelles et politiques. C'est la vie[42]. »

Bouchard avait été malmené par un scandale dans lequel s'était retrouvé impliqué l'un de ses adjoints. En outre, il souffrait des tensions internes qui déchiraient le parti. Mais dans le discours qu'il prononça à la télévision avant son départ, il ne ménagea pas les Québécois. Il déclara que le peuple du Québec l'avait abandonné en réagissant passivement à la *Loi sur la clarté* de Stéphane Dion. «Incroyablement passif», dit-il, déplorant de n'avoir pas su ranimer l'ardeur des Québécois pour la souveraineté. Il se jugea entièrement responsable de n'avoir pas réussi à galvaniser ses concitoyens en les informant pleinement de la gravité de la situation.

Pendant le référendum de 1995, Bouchard avait su raviver la flamme, mener le Québec «au seuil d'un nouveau pays». Mais il n'avait pas pu aller jusqu'au bout. Il est possible que, tout comme les fédéralistes avaient vu un abîme s'entrouvrir sous leurs pas au moment du référendum, les Québécois aussi aient pressenti la présence d'un abîme, celui d'une lutte interminable pour se séparer du Canada, «le commencement d'une querelle qui devait mettre fin à toutes les querelles».

Bouchard n'avait pas réussi à faire changer ses concitoyens d'avis à propos de la *Loi sur la clarté*. Son départ ferait passer à l'arrière-plan la question de savoir quelles mesures prendre si le Québec décidait de se séparer unilatéralement. Deux ans plus tard, le libéral Jean Charest deviendrait premier ministre du Québec.

De fait, Bouchard avait été assommé par les résultats des élections fédérales, deux mois auparavant, en novembre. Il les avait interprétés comme une rebuffade. «Ma foi, si les gens sont mécontents du gouvernement fédéral, cela ne se voit guère dans les résultats des élections[43].»

Bouchard se laissa aller à l'émotion pendant son allocution télévisée, surtout lorsqu'il se mit à parler de son épouse, Audrey Best, ancienne agente de bord qu'il avait rencontrée au cours d'un vol international, et de ses deux jeunes fils. Il déclara qu'à 62 ans, il voulait profiter de chaque instant et vivre en famille. Il avait toujours été imprévisible. Il avait complètement ébahi son ami Brian Mulroney lorsqu'il avait abruptement quitté le gouvernement fédéral.

Les médias notèrent que le 11 janvier, soit le lendemain de l'annonce de Bouchard, c'était le 67e anniversaire de Jean Chrétien. Le premier ministre se trouvait en vacances en Floride. Quant à Stéphane Dion, on ignore si cette date revêtait une signification particulière pour lui ou si elle serait simplement celle du départ de son rival. Dans un entretien avec les journalistes de *La Presse*, il déclara modestement que la séparation du Québec semblait être une éventualité plus éloignée que jamais et que le premier ministre du Canada pouvait être fier d'avoir suivi son propre instinct sur la question[44].

Le départ de Lucien Bouchard était une victoire pour Stéphane Dion. Bouchard était sans conteste plus passionné, plus éloquent et plus charismatique que Dion. Mais ce qu'il n'avait pas, c'était sa persévérance.

Aussi curieux que cela paraisse, après tout ce qui venait de se passer, les escarmouches et les reproches, les bouderies et les silences, Bouchard manquerait à Dion. Tout comme Lucien Bouchard avait mis de côté son ressentiment pour assister aux obsèques de Léon Dion, Stéphane Dion sut trouver des paroles élogieuses pour parler de Bouchard, en 2007. Après tout, il y avait des choses plus importantes dans la vie que les querelles politiques, même lorsqu'elles s'articulent autour d'une question aussi fondamentale que l'avenir du Québec. Et justement, tous deux étaient des fils du Québec.

«C'est étrange, mais il existe une sorte de solidarité entre politiciens. J'ai compris que sa décision était entièrement personnelle. Il était épuisé et je compatis sincèrement. [...] Non, je ne peux pas dire que j'ai été enchanté d'apprendre son départ», dit Dion, sur un ton presque nostalgique. Estimait-il avoir sauvé le Canada? Avoir vaincu Bouchard? «S'il vous plaît! protesta-t-il aussitôt, ne me donnez pas une importance que je n'ai pas!»

Il déclara, en parlant de ce qu'était devenu le Parti québécois après le départ de Bouchard: «Mon sentiment est que Bouchard était un meilleur chef que Bernard Landry et que Landry était un meilleur chef que son successeur, André Boisclair.» Personne, cependant, n'était aussi talentueux que Lucien Bouchard. Bien après que la liste de questions eut été épuisée, Dion continua de louer son vieil adversaire qui, à l'hiver 2007, vivait au Québec, en simple citoyen, tout en exerçant le droit. «C'était toujours très intéressant avec lui. Il avait un style bien à lui; très français, traditionnel. Il n'était jamais ennuyeux. Il possédait un charisme incroyable et tout le monde avait un peu peur de lui. [...] Oh, non, pas moi!», conclut Dion en riant. Puis il ajouta: «Il était vraiment charmant. Tout le monde voulait l'avoir pour ami[45].»

CHAPITRE 8

Lève-toi et marche!

«Voyons, Stéphane, demande, mais demande!», l'exhortaient les amis de l'ancien ministre des Affaires intergouvernementales, au début de 2004. Stéphane Dion était devenu l'intrus, l'indésirable du Parti libéral, le spectre embarrassant dont on ne sait que faire. Jean Chrétien n'était plus là, le premier ministre était Paul Martin et c'en était fini des promenades le long de la rivière. Soudain, il s'était retrouvé *persona non grata* sur la Colline du Parlement. Ses amis intimes, ses anciens adjoints souffraient de le voir humilié ainsi.

Des gens «de l'entourage du premier ministre» avaient laissé savoir à Dion qu'il pourrait recevoir l'offre d'un poste à l'étranger, s'il en manifestait le désir[1]. C'était ainsi que les choses se passaient dans les hautes sphères de la politique. Dion recevrait une magnifique montre en or s'il acceptait de disparaître du paysage. Geoffroi Montpetit, son adjoint depuis près de huit ans, le suppliait de solliciter un poste. Peut-être une ambassade? La rumeur courait qu'un poste de choix était en vue pour lui à l'Organisation de coopération et de développement économiques (OCDE), à Paris. N'aimerait-il donc pas cela? «Vous avez le droit de poser vos conditions, Stéphane, vous méritez autre chose qu'un simple congédiement[2].»

Pourtant, Dion refusait de demander quoi que ce soit. Ses adjoints les plus proches, comme André Lamarre, recevaient des coups de téléphone: «Mais enfin, dites-nous comment nous débarrasser de lui[3]!» On ne pouvait être plus explicite. Au revoir et merci.

Stéphane Dion n'avait pas été invité à se joindre au Cabinet de Paul Martin en décembre 2003 et il devenait évident qu'on ne voulait plus de lui, même en qualité de député libéral dans sa circonscription montréalaise de Saint-Laurent-Cartierville. Il y avait des élections dans l'air et les membres de l'entourage de Martin qui avaient mentionné la possibilité d'un poste à l'étranger lui avaient murmuré qu'on pourrait même lui refuser l'investiture. *Lui refuser l'investiture?*

Dion en demeura totalement ahuri. Il n'avait jamais eu à se battre pour son investiture. Le député Shirley Maheu avait démissionné de Saint-Laurent-Cartierville en 1996 pour que Dion puisse prendre sa place à la Chambre des communes après une élection partielle. La circonscription était de tradition libérale. Chrétien avait simplement proposé à Shirley Maheu un siège au Sénat[4].

En 1996, Dion avait été la trouvaille de Chrétien, qui l'avait invité à venir à Ottawa pour l'aider à sauver le pays. Mais depuis, la situation s'était entièrement renversée. Martin était aux commandes.

En principe, les investitures doivent être ratifiées par le chef du parti, même celle du député sortant s'il veut se représenter. Si Martin n'avait pas l'intention de refuser l'investiture de Dion et, en 2004, rien n'indiquait qu'il y songeât, on avait d'autres moyens de se débarrasser d'un candidat encombrant. Il suffisait d'organiser une assemblée de mise en candidature et de remplir la salle de libéraux auxquels on avait, cinq minutes auparavant, vendu une carte d'adhérent en leur demandant de voter contre Dion. Patricia Bittar, ancienne étudiante de maîtrise de Dion et directrice de son bureau de circonscription, se souvient d'avoir reçu maints coups de téléphone de ses administrés: «On m'a appelée hier pour me dire que M. Dion était complètement fichu. Pourquoi continuez-vous à travailler pour lui, s'il est fichu[5]?»

Pour Stéphane Dion, la chute avait été vertigineuse. « Une semaine auparavant, j'étais l'un des politiciens les plus puissants du pays. Une semaine plus tard, je me retrouvais dans mon bureau de circonscription en compagnie de trois ou quatre fidèles, en me demandant ce que nous pourrions bien faire pour survivre. »

~

La rivalité entre Jean Chrétien et Paul Martin frissonnait sous la surface depuis des années. En juin 1990, Chrétien avait remporté la course à la direction libérale contre Martin, à l'occasion du congrès de Calgary. À trois reprises consécutives – 1993, 1997 et 2000 –, il s'était retrouvé à la tête d'un gouvernement majoritaire. Pendant un certain temps, Chrétien avait collaboré avec Martin, qui s'était révélé l'un des ministres des Finances les plus efficaces que le Canada ait jamais eu. Son budget de 1995 s'était attaqué de front au déficit. Les dépenses avaient été comprimées de manière draconienne, ce qui avait produit des excédents budgétaires non négligeables en quelques années. (On critiquerait toutefois Martin d'avoir réduit les paiements destinés aux provinces, ce qui avait obligé ces dernières à amputer leurs programmes sociaux.)

Chrétien et Martin formaient une bonne équipe et, selon toute évidence, Martin était le dauphin. Doté d'une personnalité agréable, c'était un homme d'affaires de belle prestance, bilingue, qui avait utilisé ses relations avec la Power Corporation de Montréal pour devenir propriétaire d'une compagnie internationale de transport maritime, Canada Steamship Lines. C'était aussi une tête couronnée de la politique canadienne et, à l'instar de Stéphane Dion, il avait vécu toute sa vie dans l'ombre d'un père connu. En effet, son père, qui portait le même nom, le ministre libéral Paul Martin, s'était lancé à trois reprises sans succès dans la course à la direction. Martin était un catholique dévot et, pendant la campagne électorale de 2004, affirmerait sentir la présence de son père à ses côtés.

Les fidèles de Martin, qui avaient conservé leur réseau après la course à la direction de 1990, tenaient pour acquis que Chrétien se retirerait au bout de deux mandats afin de laisser le champ libre à leur candidat. Par conséquent, lorsque Chrétien annonça son désir d'effectuer un troisième mandat, après sa victoire de novembre 2000, ils en furent très contrariés. Beaucoup alléguèrent que Chrétien n'avait été élu que parce que les électeurs libéraux croyaient implicitement qu'il se retirerait bientôt au profit de Paul Martin.

Lorsque Chrétien commença à faire savoir autour de lui qu'il pensait peut-être rester afin de se présenter aux élections suivantes, les partisans de Martin commencèrent à organiser ouvertement leur résistance. Comme on pouvait s'y attendre, Chrétien n'apprécia guère le procédé. Lors d'une réunion du Cabinet, il déclara qu'il exigeait la loyauté de ses ministres et n'accepterait pas qu'ils commencent à comploter dans son dos. Les relations entre Chrétien et Martin se détériorèrent au point de provoquer la rupture totale, en public, au cours de l'une des fins de semaine les plus spectaculaires de la politique canadienne. Le 2 juin 2002, par un dimanche après-midi, Martin écoutait l'émission de radio *Cross Country Checkup*, de la CBC, tout en conduisant. C'est ainsi qu'il apprit que Chrétien venait de remanier son Cabinet et l'avait remplacé par John Manley.

Martin venait d'être congédié, mais il ne demeurerait pas longtemps en marge. Chrétien annonça finalement en août 2002 qu'il prévoyait se retirer et, après quelques mois qui parurent une éternité aux « martinistes », le congrès du parti se tint en novembre 2003. Les forces étaient inégales et Martin battit à plate couture (plus de 93 %) sa seule adversaire, Sheila Copps. Il était maintenant devenu chef du parti et il devint premier ministre le 13 décembre. Parmi les libéraux, l'ambiance était à l'optimisme. Ils étaient sûrs que Martin remporterait les prochaines élections fédérales, avec une majorité encore plus écrasante que Jean Chrétien.

Pour Stéphane Dion, l'année 2003 avait commencé par une réprimande. En février, le premier ministre de l'Alberta,

Ralph Klein, avait déclaré dans son discours du trône que sa province se jugeait de moins en moins encline à demeurer dans la Confédération, parce que les libéraux fédéraux n'écoutaient pas les Albertains.

Les remarques de Klein furent interprétées comme un avertissement: le séparatisme n'était-il pas en train de se propager en Alberta? Dion, en qualité de ministre des Affaires intergouvernementales, prit la question au sérieux et se hâta d'écrire à Klein. « Je sais que vous êtes un Canadien fidèle et je sais aussi que les Albertains aiment leur pays. Je suis sûr que vous conviendrez que rien ne justifie une sécession – ou une menace de sécession – du Canada. Rien ne justifie une telle menace, que ce soit en Alberta, au Québec ou ailleurs dans notre grande démocratie[6]. »

Klein ne répondit pas à Dion, mais à son patron, le premier ministre Chrétien. « J'aimerais savoir si vous jugez productif de laisser votre ministre envoyer une lettre aussi inappropriée à un premier ministre. [...] Je vous prierais de lui rappeler que toute correspondance devrait être envoyée à son homologue en Alberta, l'honorable Halvar Johnson, comme l'exigent le protocole et une longue tradition[7]. »

Épisode embarrassant, certes. Mais dans l'ensemble, la mer était calme. Dion s'était attaqué de manière productive au dossier du Québec et il était fier d'avoir réussi à faire adopter la *Loi sur la clarté*. « J'ai bien servi mon pays et mes concitoyens, surtout ceux du Québec », dirait-il plus tard[8].

Le rôle de ministre lui plaisait. Les huit dernières années, aux commandes du ministère des Affaires intergouvernementales, avaient filé et il espérait continuer à faire partie du Cabinet. Il estimait entretenir de bonnes relations avec Martin. Selon lui, Martin n'avait aucune raison de négliger les réalisations d'un ministre qui s'était trouvé en première ligne. En outre, il s'était tenu en dehors de la rivalité entre Martin et Chrétien ou, tout au moins, il le croyait.

Alors que la querelle entre les deux hommes battait son plein, Dion avait discuté avec Chrétien de ses chances de survie en tant que premier ministre. En effet, selon lui, les

jours de son mentor étaient comptés. «Je savais qu'il avait
perdu l'allégeance de son parti, reconnaît Dion. Je me souviens que plusieurs mois avant que [Chrétien annonce qu'il
se retirait], il m'a invité à son bureau et m'a dit: "Je sais que
dans votre circonscription, vous êtes en difficulté à cause de
moi." Il est de fait que mon propre bureau n'appuyait plus
Chrétien. [...] Les gens se disaient: "Maintenant Chrétien est
sorti de la course, c'est Martin que nous voulons." Mais j'ai
expliqué au premier ministre: "Si je suis incapable de vous
garantir l'appui de ma propre association, combien de mes
collègues pourront vous garantir le leur? Ce parti ne pense
plus qu'à Martin, Martin, Martin." Mais il restait encore des
collègues qui l'assuraient qu'en coordonnant correctement
notre action, nous serions capables de conserver l'allégeance
du parti.» Dion savait que Chrétien n'était pas encore prêt à
accepter des conseils aussi pessimistes. «Il croyait toujours
qu'il en savait plus en politique et qu'il serait capable de
rester[9].»

Pourtant, malgré l'étroitesse de sa relation avec Chrétien,
Dion continua de tenir pour acquis que tout irait bien avec
Martin. Il voyait Martin à travers le prisme déformant de sa
relation avec le seul chef politique qu'il connût très bien: Jean
Chrétien, un homme qui suivait ou non les conseils qu'on lui
donnait, en fonction de ce que lui dictait son instinct. C'est
pourquoi Dion ne sembla pas comprendre ce qui lui aurait
pourtant été le plus utile, à savoir l'importance du rôle joué
par les partisans de Martin dans les décisions de l'heure,
notamment en cette période de transition, durant laquelle les
luttes dans l'ombre allaient déboucher sur le pouvoir au
grand jour.

Pendant une conversation téléphonique, après que Martin
eut remporté la course à la direction, Dion l'interrogea carrément sur ses intentions. «[Martin] m'a répondu qu'il était
peu probable que je reste au Cabinet. J'ai pensé que "peu
probable" signifiait "je ne suis pas certain". Par conséquent,
j'attendais un autre coup de fil, je pensais qu'il m'appellerait
pour me dire qu'en fin de compte, je ne ferais pas partie de

son Cabinet. Mais cela a été une grave erreur de ma part. Le coup de fil n'est jamais venu. »

« Pourquoi ? », avait-il demandé à Martin. Pourquoi était-il peu probable qu'il demeure au Cabinet ? (« *Pourquoi, pourquoi, pourquoi*[10] ? », s'était exclamée Denyse Dion, en parlant de son deuxième fils.)

Dion se souvient de la réponse du futur premier ministre : « Parce que nous devons nous renouveler. Nous avons un besoin trop important de renouvellement. »

« Le renouvellement de quoi ? Si c'est du renouvellement des idées dont vous voulez parler, j'en ai beaucoup qui n'intéressaient pas M. Chrétien, ce qui était son droit le plus absolu. Mais peut-être que vous seriez intéressé ? »

Puis Dion décida de faire un peu d'humour : « Si c'est du renouvellement de mon visage que vous parlez, je vous dis tout de suite que ça fait trop mal, c'est trop cher et ça déplairait à ma femme. »

Dans l'esprit de Dion, il n'y avait aucune ambiguïté. Martin avait dit : *peu probable*. Un autre politicien, peut-être plus versé en politesse de convention, en aurait déduit que Martin essayait sans doute de se montrer diplomate. (*The Economist* le surnommerait « *Mr. Dithers*[11] ».) Rétrospectivement, il semble évident qu'il parlait en code. Martin, vraisemblablement, ne voulait pas se montrer catégorique. Pour lui, cette conversation avait dû être horriblement embarrassante.

Néanmoins, l'incident reflète parfaitement la personnalité de Dion. En société, il n'était pas habitué à rechercher les nuances. Ce trait le rendrait plutôt sympathique, différent des politiciens habituels, au moment de la course à la direction de 2006. C'était un élément de son charme discret. Pour apprécier Stéphane Dion, il fallait apprendre à le connaître. Il n'était certes pas bourré de charisme.

Mark Marissen, qui dirigea la campagne de Dion pendant la course à la direction, estime qu'il s'agit d'un point en sa faveur. À ses yeux, Dion est le type même du politicien nouveau genre. « Les attitudes ont radicalement changé, du moins au Canada », expliqua Marissen, dans sa salle de séjour, à Vancouver, peu avant que l'on annonce qu'il dirigerait la campagne électorale du Parti libéral en 2007[12]. La culture moderne se définissait par plusieurs caractéristiques – la vitesse, le clinquant, le vernis – qu'il n'était plus nécessaire de rechercher en politique. «Par conséquent, lorsque surgit quelqu'un de profond, d'un peu excentrique, on a l'impression que c'est quelqu'un en qui on pourra avoir confiance. Un beau parleur, trop charismatique, cela n'inspire plus confiance. Les gens veulent être capables de sentir ce qu'un politicien a dans le crâne», poursuivit-il. Pour étayer sa théorie, il donna en exemple une série de politiciens canadiens qui ont effectivement bien réussi: Dalton McGuinty, Stephen Harper, Sam Sullivan, Gordon Campbell et, naturellement, Stéphane Dion[13]. Marissen est d'avis que l'absence de charisme chez Dion est justement ce qui le rend intéressant[14].

Dion avait interprété littéralement les paroles de Martin, en cette fin d'automne 2003. Si les rôles avaient été inversés, il aurait rappelé Martin. Ce qui explique la triste situation dans laquelle Dion et ses adjoints se retrouvèrent, quelques semaines plus tard, le 12 décembre 2003. Ils avaient attendu en vain un coup de téléphone, la veille du jour où Martin et sa nouvelle équipe devaient prêter serment à Rideau Hall.

De fait, Dion avait eu une tout autre impression au téléphone. Martin lui avait semblé sérieusement intéressé par ses idées. Les jours suivants, les bureaux du ministre des Affaires intergouvernementales se mettraient frénétiquement au travail afin de produire un document de 12 pages sur la réforme du Sénat, un mémoire de 15 pages sur les paiements de péréquation ainsi qu'une série de dossiers sur tous les sujets possibles et imaginables, à l'intention de Paul Martin.

«Tout, il a écrit sur tout», se souvient Geoffroi Montpetit qui, de jeune assistant, avait gravi les échelons pour devenir conseiller principal en politique, puis ami de Dion. Montpetit se souvient de la frénésie avec laquelle Dion travaillait. De l'autre côté, la même frénésie s'était emparée de l'équipe de Martin, qui se préparait à prendre le pouvoir.

Montpetit était en contact avec l'adjoint de Martin, Tim Murphy, ainsi qu'avec d'autres employés du Bureau du premier ministre, afin de leur communiquer les travaux de Dion. «Ils ont commencé à nous appeler pour réclamer des idées», dit-il. En janvier 2004, Martin avait prévu rencontrer les premiers ministres à Toronto et il devait absolument être au courant de toutes les questions d'actualité. «Le Bureau de Martin nous a appelés pour nous demander de quoi il devrait parler. Stéphane voulait démontrer sa bonne foi. Il a rédigé des notes, pas des dossiers entiers, simplement des notes stratégiques.»

Les relations étaient donc fréquentes entre le Bureau du premier ministre et celui de Dion. Pendant que Martin assistait à la Coupe Grey, qui se tenait en novembre à Regina, Montpetit se souvient d'avoir travaillé des nuits entières avec Dion, qui fit plus que ne l'exigeait son devoir. Pourtant, le nouveau chef ne le rappellerait pas.

Plus de trois ans après, au début de 2007, Montpetit était toujours amer. «Le triste sire a nommé son Cabinet, mais il ne pouvait même pas décrocher le téléphone pour dire à Stéphane : "J'ai telle ou telle raison pour ne pas vous prendre dans mon Cabinet, mais j'accorde beaucoup de valeur à notre collaboration." Naturellement, Stéphane en a souffert. En huit ans, je ne l'avais jamais vu ni déprimé ni attristé, mais ce soir-là, il a été vraiment blessé. Ça m'a brisé le cœur. [...] Jamais, je ne pardonnerai à Paul Martin de ne pas avoir rappelé Stéphane Dion. C'était vraiment moche de sa part.»

Les autres adjoints de Dion abondaient dans ce sens. Ils avaient l'impression que Martin avait plutôt mal traité Dion. Pourtant, Dion lui-même dirait plus tard qu'il avait fini par comprendre ce qui était arrivé. «Je n'ai pas ressenti de colère contre M. Martin. Je crois que tout cela, c'est la politique», dirait Dion en 2007, installé à son pupitre, dans les bureaux du chef de l'opposition, au quatrième étage de l'édifice du Centre. «Ce sont des choses qui arrivent. Je voulais surtout éviter de faire des vagues, cela aurait été néfaste au parti. [...] Je n'en voulais pas au premier ministre.

Je ne lui en ai jamais voulu! En fait, j'ai fait mon possible pour l'aider à rester premier ministre, à être un bon premier ministre.»

Quant aux raisons de Martin d'exclure un ministre chevronné de son Cabinet, quelles pouvaient-elles bien être? Il faut se souvenir que ses partisans venaient de passer des années en lutte au corps à corps contre les forces de Jean Chrétien[15]. Rien d'étonnant, donc. Et qui avait été le plus proche allié de Chrétien, sinon Stéphane Dion, son protégé et l'artisan de sa politique au Québec? Dion, d'ailleurs, se décrivit lui-même comme «trop associé à Chrétien [...], et [Martin] estimait qu'une rupture avec les années Chrétien serait nécessaire». Il savait également que «faire partie du Cabinet, ce n'est pas un droit, c'est un privilège. Si le premier ministre décide, pour quelque raison que ce soit, que ce n'est pas votre tour, il faut accepter cette décision».

Néanmoins, la stratégie de Martin à l'égard du Québec reprenait les vieux refrains, la même démarche nationaliste «douce» qui, selon Chrétien et Dion, avait contribué au résultat ambigu du référendum de 1995, la démarche du petit agneau, à laquelle Dion s'était toujours opposé. «À mon avis, les gens que l'on appelle nationalistes "doux" sont simplement des indécis. Ils ne voteront pas pour quelqu'un qui se montre tout aussi indécis qu'eux. Ils voteront pour celui qui leur démontrera sa conviction de pouvoir mettre en œuvre une meilleure solution.» Pour Dion, en effet, on peut être à la fois Canadien convaincu et Québécois convaincu. Il savait que, tout comme il n'était certes pas toujours facile de vendre le Canada au Québec, il n'était pas non plus facile de vendre le Québec au reste du Canada. «Mais je suis fier d'être Québécois. Le Québec, c'est plus qu'une simple adresse pour moi. C'est ma société.»

Une fois premier ministre, Martin ne tarda guère à enrôler un lieutenant québécois qui encouragerait plutôt la conciliation à l'égard du Québec. C'en était fini de la fermeté affectueuse (*Tough love*), du style Chrétien-Dion. Jean Lapierre, ancien ministre du Cabinet libéral de John Turner, s'était fait remarquer sur la Colline à la fin des années 80 – l'ère Mulroney – par sa moustache broussailleuse et son humour caustique pendant la période des questions. Il avait appuyé la campagne de Martin lors de la course à la direction de 1990 et orchestré des manifestations dont les participants portaient des brassards noirs et hurlaient « *Vendu*[16] » à Chrétien, qui s'était opposé à l'Accord du lac Meech.

Lapierre avait quitté le parti, déçu par l'échec du pacte constitutionnel et, avec Lucien Bouchard, avait été l'un des fondateurs du Bloc québécois. Il avait siégé brièvement à titre de député bloquiste, mais ne tarderait guère à délaisser la politique pour la radiodiffusion en 1993, déclarant qu'il n'avait jamais vraiment été souverainiste. Avec le temps, il acquerrait beaucoup d'influence dans les médias, tant anglais que français, au Québec. L'incapacité de nombreux journalistes de comprendre que Dion était réellement en mesure de remporter la course à la direction de 2006 est largement imputable à l'influence de Lapierre.

Tout comme Chrétien avait été chercher son homme, Martin incita Lapierre à revenir à Ottawa en 2003 et le nommerait au Cabinet l'été suivant. Lapierre détestait la *Loi sur la clarté*. Au début de 2004, il la qualifierait d'«inutile» (*useless*) pendant un entretien avec une journaliste chevronnée d'Ottawa, Joan Bryden. S'il y avait, au Québec, une volonté claire de se séparer du Canada, déclara Lapierre, «ce n'est pas avec des trucs comme ça qu'ils seraient capables de l'endiguer».

Martin ne se précipita pas pour défendre la *Loi sur la clarté*, loin de là. Il annonça qu'il ne l'abrogerait pas, mais affirma qu'il n'y aurait pas de référendum pendant que lui-même serait premier ministre, car «nous aurons un pays dans lequel les Québécois voudront contribuer à bâtir un Canada puissant». Néanmoins, le premier ministre néo-démocrate du Manitoba, Gary Doer, critiqua la position de Martin, qu'il jugeait trop molle sur la question du séparatisme. «Je crois que les remarques sur la *Loi sur la clarté* lui feront du tort dans l'Ouest», déclara Doer à Joan Bryden.

«Tout ce qui tendrait à indiquer un recul face aux principes de cette loi, soit une mise en question de l'investiture de Stéphane Dion, soit les remarques critiques du nouveau messie [...] québécois [Lapierre], transmet, je crois, un message défavorable au reste du pays[17].»

En fin de compte, Lapierre ne serait pas en mesure de tenir ses promesses à Martin. Aux élections de juin 2004, les libéraux de Martin perdirent 15 sièges au Québec, ce qui signifie qu'ils n'en avaient en tout que 21 par rapport aux 54 du Bloc.

À ce moment-là, un scandale avait fait éruption sur les dépenses mises en œuvre par le gouvernement Chrétien pour encourager le fédéralisme au Québec. Martin avait à peine eu le temps d'emménager au 24 Sussex que la vérificatrice générale, Sheila Fraser, annonçait que plus de 100 millions de dollars avaient été consacrés par le gouvernement Chrétien à essayer de vendre le fédéralisme au Québec.

Martin se hâta de nommer une commission d'enquête, présidée par le juge québécois John Gomery, pour tirer au clair cette affaire de commandite, geste qui se retournerait contre lui.

La stratégie Chrétien au Québec, y compris le versement de fonds à des agences de publicité, avait reçu un accord de principe à l'occasion des réunions du Cabinet à Vancouver en 1996, réunions auxquelles avait assisté Stéphane Dion, qui venait tout juste d'être nommé ministre. Le célèbre scandale des commandites dépouillerait Martin de sa majorité aux élections de 2004 – Lapierre comparerait la situation à une collision avec une semi-remorque –, mais il faudrait encore un an et demi pour que toutes les éclaboussures coûtent aux libéraux leur gouvernement. Cette triste affaire ne serait égayée que par quelques notes plus colorées, notamment le jour où Stéphane Dion témoignerait devant le juge Gomery. Mais on était encore loin de cette situation vivifiante en 2003, année au cours de laquelle Dion était toujours en chute libre.

Après leurs débuts quelque peu cahoteux en 2003, Dion se souviendrait toutefois de sa relation avec Martin sous un angle positif. Il n'avait pas oublié la gentillesse dont Martin avait fait preuve à son égard lorsque, nouveau venu en politique, il était horrifié d'avoir commis une gaffe qui avait fait les manchettes. «Pas plus que moi, Paul n'est une personne simple, unidimensionnelle. Nous avons entretenu de très bons rapports.» De fait, ce n'est pas parce que Martin ne l'avait pas rappelé en 2003 que leur relation se terminerait là. Mais pour ses adjoints, la blessure serait profonde.

~

André Lamarre, directeur des communications de Dion au ministère des Affaires intergouvernementales, se souviendrait du 12 décembre, leur dernier jour dans les bureaux ministériels du huitième étage, au 66, rue Slater. Le vent s'engouffrait dans la rue, à partir de la Colline, et tous s'accordent pour dire que l'hiver fut particulièrement rude, cette année-là. Le personnel de Dion avait déjà organisé une petite réception en son honneur et Montpetit avait fait réunir tous les discours de son patron, un volume pour les textes anglais, un autre pour les textes français dans des reliures en cuir. «Voilà le résumé de huit ans de travail», avait-il dit en désignant les deux recueils.

Dion prit le temps de les examiner soigneusement et de se remémorer certains événements, avec ses adjoints. «Lorsqu'on y réfléchit, dit Montpetit, les réalisations de cet homme sont toutes là-dedans. Sa tâche n'a jamais été d'aller couper des rubans. Il s'agissait avant tout de défendre des idées.»

On avait organisé une collecte et chacun avait apporté son écot, directeurs, directeurs généraux, analystes des programmes, conseillers en politique et relationnistes. Les adjoints de Dion avaient choisi un splendide matériel de pêche, le plus beau qu'ils aient pu trouver : panier, cannes, moulinets, bottes, l'attirail complet du pêcheur averti. Ils voulaient montrer leur affection à Dion. «C'est le meilleur ministre pour lequel je pouvais espérer travailler, explique Montpetit. D'accord, il tolère difficilement les imbéciles, il n'est pas très patient à l'égard des gens qui ne peuvent pas soutenir leurs arguments, il est très exigeant. Mais il sait nous faire donner le meilleur de nous-mêmes. Avec lui, nous changeons notre manière de voir les choses et nous travaillons d'autant plus efficacement.»

Montpetit avait été impressionné lorsque, en novembre, Dion, qui ignorait s'il conserverait ou non son poste, n'avait rien voulu changer à son programme. Il avait été invité en Espagne (où les gens vivaient dans la terreur des bombes posées par le groupe séparatiste basque, l'ETA) pour parler de l'expérience canadienne. «Vous devriez vraiment rester ici», lui avait conseillé Montpetit. «C'est impossible, fut la réponse. Ils veulent discuter de l'unité et c'est ma responsabilité d'y aller.»

Le dernier jour, son personnel rangea tous les documents dans des cartons, à l'intention des Archives nationales. Il y avait notamment tout le dossier de la question de sécession, qui avait été posée à la Cour suprême, les mémoires de Dion à la Cour, ses papiers sur la _Loi sur la clarté_, y compris les lettres échangées avec Lucien Bouchard, Ralph Klein et d'autres politiciens et leurs adjoints, ses discours et ses notes d'information. Tout y était, toute la liste des personnages présents sur la scène de l'unité canadienne. C'était l'histoire du Canada que les employés de Dion venaient d'emballer pour la postérité.

Dion signait encore les cartes de vœux que le bureau du ministre envoyait chaque année. Des rumeurs couraient, selon lesquelles Jean Lapierre et Pablo Rodriguez louchaient tous les deux sur la circonscription de Dion, Saint-Laurent-Cartierville[18]. Montpetit se souvient que Dion, le stylo en l'air, était sur le point de signer une carte adressée à Pablo Rodriguez. Puis il secoua la tête : «Voyons, dit-il, je suis peut-être un brave type, mais il y a des limites!»

Pendant ces dernières journées au ministère, tous étaient convaincus que Martin téléphonerait. Pierre Pettigrew, par exemple, venait d'être nommé aux Affaires étrangères. C'était Dion qui avait suggéré à Chrétien de le nommer au Cabinet et tous deux étaient arrivés à Ottawa ensemble, «Les deux colombes du Québec», comme on les surnommait. Dion s'inquiétait du sort de ses adjoints politiques qui, contrairement aux fonctionnaires, ne conserveraient pas automatiquement leur emploi dans la nouvelle bureaucratie. Il s'assura qu'on avait bien prévu de leur verser une prime de licenciement. Il y avait beaucoup à faire jusqu'à ce que Montpetit déclare, à sa grande tristesse : « Allons, il est temps de partir. »

« Tu as raison », reconnut Dion. Il quitta les bureaux en compagnie de Lamarre, de Montpetit et de François Goulet. En raison de l'heure tardive, le groupe décida d'aller manger un hamburger à Gatineau, au restaurant Le Twist. Tout le monde essaya de se dérider, la soirée fut joyeuse et Lamarre déposa Dion à son appartement de la rue Wurtemberg. Montpetit et Lamarre étaient bien d'accord : « C'était la fin d'une époque. »

Martin prêta serment le lendemain. Une semaine plus tard, Dion le croisa par hasard à une réception de Noël. « Je sais que vous ne m'avez pas choisi pour faire partie de votre Cabinet, mais j'ai eu une idée », avança Dion. Il expliqua qu'il aimerait diriger ce qu'il appela une sorte d'« université pour candidats libéraux », dont la mission serait de les aider à comprendre la plateforme libérale, de leur donner des informations pour remporter les débats, etc. Dion estimait qu'en politique, on ne songeait guère à ce genre de compétences. « Les gens se mettent à faire de la politique, mais personne n'est là pour leur tenir la main. » Dion affirma qu'il serait heureux de se consacrer à ce travail. Mais Martin ne démontra pas le moindre intérêt, Dion le vit dans son regard.

La fin de l'année 2003 fut aussi le commencement des problèmes pour Dion, en sa qualité de député. Étant donné qu'il était optimiste de nature, il avait décidé de devenir le meilleur député possible. Il expliqua à Montpetit que c'était un travail crucial et, qu'en outre, cela lui permettrait d'enseigner à temps partiel à l'Université de Montréal. « Si je ne suis plus ministre, je suis tout de même encore député. » Mais le demeurerait-il ?

De fait, la campagne contre lui battait son plein. Naturellement, tout cela se déroulait dans l'ombre. « Il était difficile de réunir une équipe de gens non seulement désireux de m'aider, mais encore prêts à travailler dur pour notre survie, expliqua-t-il. Surtout lorsque nous ne savons même pas contre quoi nous luttons. Voyons, qui sont ces gens qui n'appuient pas Dion, à Saint-Laurent-Cartierville? Ce n'était pas comme avant une élection, où nous savons exactement contre qui nous combattons et pour quoi. Je n'ai pas aimé cette lutte dans l'ombre, j'ai eu un choc. Mais je sais que cela m'a aidé à devenir un meilleur homme politique.»

Dion dirait qu'il s'était transformé en guerillero, ce qui est bien difficile à imaginer. Son site Web, pendant la course à la direction, montrait une photo du candidat, style Trudeau, les pouces dans la ceinture et l'air conquérant, pose qui ne cadrait pas du tout avec le personnage. Pourtant, après huit ans de politique, Dion avait certainement appris ce qu'était la vie dans les tranchées.

Au début de janvier, il réunit son équipe – René, l'époux de Shirley Maheu, Francesco Miele et Patricia Bittar – dans les bureaux de circonscription du boulevard Marcel-Laurin, afin d'analyser une situation plutôt morose. «Au début, nous étions tous horrifiés. Nous ne pouvions croire à l'éventualité d'une exclusion au moment des mises en candidature, car nous pensions qu'il faisait un excellent député», expliqua Patricia Bittar.

Les membres de l'équipe savaient que des opposants anonymes étaient en train de vendre des adhésions à la tonne, qu'ils seraient défiés en public par un candidat unique, que la circonscription était destinée à quelqu'un d'autre, que l'on tentait de fomenter la discorde au sein de l'association locale et que l'idée maîtresse était d'inciter Dion à démissionner plutôt que de l'assommer. «Le parti essayait de se débarrasser de M. Dion. On cherchait vraiment à le faire démissionner», poursuivit Patricia Bittar. Elle décrivit certains des complots qui se tramaient dans l'ombre, en commençant par la rumeur selon laquelle Dion ne pouvait pas gagner. «Au début, certaines personnes ont cru qu'il allait simplement partir, mais je crois que lorsqu'il s'est rendu compte que le rouleau compres-

seur était en marche pour l'aplatir, il a décidé de se battre. [...]
Nous savions qu'il gagnerait, mais nous savions aussi que ce
serait un rude combat, et lui aussi le savait.»

Dion bénéficia de l'encouragement des personnes les plus
importantes dans sa vie, à commencer par sa femme, Janine
Krieber. «Nous sommes des combattants, surtout Stéphane,
plus que moi. J'ai toujours su qu'il savait se battre. Mais il lui
était bien difficile d'admettre que l'ennemi n'était autre que
son propre parti.» Janine se souvint du conseil d'Aline
Chrétien «Il faut tenir bon!» lorsque la situation devient
périlleuse en politique[19]. Dion, quant à lui, alla rendre visite à
Jean Chrétien. «Il est venu me consulter, car il se sentait
découragé», révéla l'ancien premier ministre, qui se dit éberlué que Dion n'eût pas été nommé au Cabinet après tout le
travail qu'il avait accompli pendant son mandat de ministre.
«Je lui ai dit de ne pas se laisser bousculer. Il n'a pas cédé de
terrain et ce sont eux qui ont reculé[20].»

Dion, l'intellectuel de Québec, était debout tous les matins
à l'aube pour recruter aux arrêts d'autobus. Il s'efforça de
mettre la main sur des listes d'adhérents, qui se révélèrent
désuètes et criblées d'erreurs. Il passait une cinquantaine de
coups de téléphone par jour, essayant de communiquer avec
quiconque pouvait l'appuyer. «Mais qui êtes-vous donc?»,
lui demandaient ses correspondants. «Mais je suis votre
député fédéral depuis huit ans!»

Sa principale difficulté, semble-t-il, fut de convaincre ses
administrés qu'il risquait de perdre son siège. «Mais voyons,
Monsieur Dion, vous n'êtes pas en difficulté...», lui répon-
dait-on. «Je recevais partout un accueil chaleureux, j'étais
convié à prendre le thé par des dames âgées et là, tout le
monde se donnait la peine de venir me dire bonjour. Quel
contraste incroyable avec les mystérieuses tentatives d'ostra-
cisme dont je faisais l'objet!» Les gens lui répétaient qu'il
n'avait aucun souci à se faire, que tout le monde l'aimait bien.

La réunion de mise en candidature fut fixée au 8 mars
2004. Dion fit la tournée des synagogues, où il reçut un
excellent accueil.

– Ne vous inquiétez pas, nous vous appuierons, l'assurè-rent les membres de la communauté juive.

– Dans ce cas, venez voter pour moi, suggéra Dion.

– Ah, mais c'est que, vous savez, à cette époque de l'an-née, nous serons en Floride.

Malgré tout, Dion l'emporta. Sans aucune difficulté. L'opposition s'évanouit aussi mystérieusement qu'elle était apparue. Selon toute vraisemblance, Sheila Copps dut, sans le savoir, jouer un rôle dans la victoire de Dion. Lorsqu'elle avait été délogée d'Hamilton East-Stoney Creek par le ministre des Transports, Tony Valeri, beaucoup de libéraux de longue date avaient été consternés de voir que cette fidèle du parti n'avait pas été mise en candidature. Copps avait accusé Martin de vouloir l'expulser de la vie politique. Il s'en défendit: «Nous n'avons pas fait exprès. Toute cette affaire me chagrine beaucoup, vraiment. Je crois que nous le regret-tons tous. J'aurais préféré que cela n'arrive pas[21].»

Le 8 mars 2004, 450 personnes vinrent appuyer Dion, bien qu'il fût le seul candidat. «C'est un bon souvenir, une journée extraordinaire», commenta Patricia Bittar, qui serait bientôt élue conseillère municipale dans la même circons-cription. «Il ne s'est pas montré rancunier. Je me souviens d'en avoir voulu aux gens. Je leur en veux encore, d'ailleurs, mais je ne suis pas comme lui. M. Dion est capable d'oublier et de dire: "Bon, maintenant, nous devons collaborer, oublions le passé." Je crois qu'il possède vraiment cette qualité.»

L'équipe de la circonscription se montrerait loyale à l'oc-casion de deux élections, en 2004 et en 2006, ainsi que pen-dant la course à la direction de 2006. Patricia Bittar serait au Palais des congrès de Montréal, en compagnie de René Maheu, qui prenait de l'âge et se déplaçait à l'aide d'un cadre de marche. En riant, ils affirmèrent avoir donné à Dion les deux voix dont il avait besoin, au premier scrutin, pour dis-tancer l'ancien ministre ontarien, Gerard Kennedy.

Pour les partisans de Dion, c'était aussi une victoire psy-chologique. Maheu était là en compagnie de ses deux fils,

Richard et Rénard, mais son épouse était décédée un peu plus tôt au cours de l'année.

Aux obsèques de la sénatrice Shirley Maheu, en février 2006, Stéphane Dion avait prononcé quelques mots. «Il a fait rire toute l'assemblée en imitant sa manière de parler, se souvient Patricia Bittar. Elle possédait, en français, un accent tout à fait charmant, que M. Dion savait imiter à merveille.» Dion était allé lui rendre visite à l'hôpital, en compagnie de René Maheu, quelques jours seulement avant qu'elle meure d'une tumeur au cerveau. Dans son éloge funèbre, Dion répéta, en l'imitant, ce qu'elle lui avait dit lors de leur dernière conversation. Patricia Bittar ne se souvenait pas de quoi il s'agissait exactement, mais tout le monde avait ri. Dion avait réussi à la faire revivre.

CHAPITRE 9

Le Projet vert

Une manifestation de grande envergure se déroulait indubitablement au Palais des congrès de Montréal. Les dispositifs et les cordons de sécurité avaient surgi de tous côtés et la rumeur courait que Bill Clinton serait le conférencier-surprise de l'après-midi.

Vers midi, le vendredi 9 décembre 2005, le président de la conférence, Stéphane Dion, avait levé la séance plénière et quelque 8000 personnes (agglutinées dans une pièce qui avait été conçue pour en accueillir seulement 6000) s'étaient lentement écoulées pour laisser la place à un groupe de gendarmes accompagnés de chiens policiers. Personne ne savait exactement ce qui se passait. D'après le programme, il y aurait une conférence supplémentaire à 13 h, dans la salle Saint-Laurent.

La Conférence des Nations Unies sur les changements climatiques ne s'était pas déroulée sans heurt. Les délégués venus du monde entier étaient tout aussi épuisés que leur hôte, le ministre de l'Environnement du Canada, Stéphane Dion.

C'était le dernier jour. L'espoir de sauver le célèbre protocole de Kyoto, établi pour combattre les effets du réchauffement planétaire, fondait à vue d'œil. Pourtant, ce qui faisait encore défaut ce jour-là, à Montréal, ne semblait pas si renversant: le choix du verbe dans une phrase bien précise, une entente pour examiner le dossier de chacun, la formation d'un comité spécial. Mais en termes de diplomatie, c'était l'ascension de l'Everest.

Si les discussions échouaient à Montréal, le protocole de Kyoto ne s'en relèverait pas. C'est pourquoi Dion s'était entièrement consacré à organiser cette conférence. Il avait fait son possible pour que le Canada en soit l'hôte et avait parcouru des milliers de kilomètres pour nouer les relations personnelles dont, il le savait, il aurait besoin le jour J. En un seul voyage, le ministre s'était rendu à Beijing, à Shanghai, à Sydney, à Adelaide, à Perth, à Singapour et à Delhi.

De fait, Dion avait travaillé sans relâche depuis qu'il avait reçu son nouveau portefeuille au gouvernement Martin, en juillet 2004, après que les élections de juin eurent placé les libéraux en situation minoritaire. Le sénateur David Smith, ténor légendaire de la politique libérale, ne revendiquerait pas la responsabilité du retour en grâce de Dion, mais reconnaît modestement avoir peut-être exercé une certaine influence dans ce sens.

Smith était toujours à l'écoute. C'était en partie ce qui le rendait si précieux, en plus des qualités qui avaient contribué à faire de l'Ontario une forteresse libérale dès 1993. Smith boudait les ordinateurs, écrivait à la main et n'avait que faire de la messagerie texte. Mais personne, dans le monde politique canadien, n'aurait osé négliger un appel téléphonique du sénateur. Pendant la première moitié de 2004, il avait observé Dion, redevenu simple député. Il savait que l'ancien ministre jouissait de beaucoup de respect sur la Colline, et qu'on avait tendance à écouter ses opinions. «Voyons, Paul, chaque fois qu'il ouvrira la bouche, les gens vont se dire que c'est une erreur de ne pas utiliser ses compétences», avait-il dit à Martin. Plus tard, Smith préciserait: «Je n'ai jamais demandé à Paul de le reprendre, mais peut-être que d'autres personnes lui avaient fait des remarques semblables. Néanmoins, j'ai constaté que mes propos n'étaient pas tombés dans l'oreille d'un sourd... Et Dion est revenu[1].»

Ce jour-là au Palais des congrès, la diplomatie mondiale sur les changements climatiques se trouvait à la croisée des chemins. La veille de la conférence, Peter Gorrie, journaliste chevronné du *Toronto Star*, spécialiste des questions environnementales, avait résumé la situation: «Les pourparlers et la campagne pour freiner les changements climatiques se poursuivront-ils sous les auspices des Nations Unies? Ou ce projet tombera-t-il à l'eau? Verrons-nous chaque pays ou bloc politique faire cavalier seul[2]?»

De fait, les augures n'étaient guère favorables. Le jour de l'ouverture, le lundi 28 novembre, les employés du Palais avaient déclenché une grève de 24 heures. Et ce n'était pas tout. Ce jour-là, à Ottawa, le gouvernement libéral s'était retrouvé piégé par une motion de censure et, le 9 décembre, la campagne électorale battait son plein depuis près de deux semaines.

«Que se passe-t-il donc au Canada?», ne cessaient de demander les délégués étrangers à Elizabeth May, écologiste et directrice générale du Sierra Club du Canada. «Ne vous inquiétez donc pas», leur répondait-elle. Pendant ce temps-là, Stéphane Dion essayait de la rassurer. Il lui avait déclaré ne pas songer un instant à abandonner son poste de président de la conférence en faveur de la campagne électorale. «J'attendrai le 9 décembre pour redevenir un politicien», avait-il promis[3]. Il resterait à son poste jusqu'à la fin de la conférence qui, à ce stade, était censée se terminer à 18 h, le dernier jour prévu.

Une promesse de taille! En effet, les libéraux étaient loin de partir gagnants aux élections qui devaient avoir lieu le 23 janvier 2006. La chute du gouvernement Martin n'aurait pas pu survenir à un moment plus défavorable pour la délégation canadienne présente à Montréal: Stéphane Dion qui, à titre de président, représentait les Nations Unies, plutôt que le Canada, et le ministre des Affaires étrangères, Pierre Pettigrew, qui dirigeait la délégation canadienne, ainsi que plusieurs équipes de bureaucrates fédéraux qui avaient été affectés au dossier du changement climatique.

La conférence se clôturerait par un sprint saisissant vers la ligne d'arrivée, qui laisserait pantelants jusqu'aux vétérans endurcis de la diplomatie internationale. Dormir? À quoi bon? La victoire irait à l'esprit le plus alerte après une nuit blanche. Et Stéphane Dion, on le savait, avait toujours été un oiseau de nuit. Jusqu'au dernier coup de maillet, à 6 h 17 au matin du samedi 10 décembre, le suspense régnerait en maître. On oublierait l'histoire de ces débats nocturnes, car elle serait vite supplantée par les rebondissements des élections fédérales. Les médias canadiens braqueraient leurs projecteurs sur la campagne qui ne tarderait pas à s'intéresser à la défaite des libéraux de Martin et à l'élection de Stephen Harper, aux commandes d'un gouvernement conservateur minoritaire. Mais le succès de Dion, président infatigable de la conférence, deviendrait légendaire dans les milieux écologistes et ferait les manchettes d'innombrables cybercarnets. Dion n'était toutefois pas seul, loin de là. D'autres jouèrent un rôle crucial, parmi eux Pierre Pettigrew, Paul Martin, Sergeï Lavrov (ministre des Affaires étrangères de la Russie), Margaret Beckett (ministre de l'Environnement du Royaume-Uni), David Drake (fonctionnaire fédéral canadien), Gérald Tremblay (maire de Montréal), Elizabeth May et Bill Clinton.

Toutefois, la conférence dut son salut à la présence tranquille de Stéphane Dion. Au cours des dernières heures pleines de rebondissements, il dut faire appel à ses principaux points forts : endurance, ténacité, patience et rapidité d'esprit. Elizabeth May, devenue chef du Parti vert du Canada en 2007, ne tarit pas d'éloges à son égard : « Ce que Stéphane a fait, sur le plan personnel [...] eh bien, je peux dire qu'il n'y a pas un groupe écologiste qui ne lui en soit profondément reconnaissant. Il a obtenu le résultat le plus positif possible. [...] Il a été formidable[4]. »

John Bennett, conseiller principal en politique du Sierra Club, avait eu l'occasion de collaborer avec Dion dès l'entrée en fonction de ce dernier. « Personnellement, ce type me plaît bien. Je crois qu'il est vraiment engagé[5]. »

De l'avis général, Dion réussit à obtenir le maximum. Gorrie, qui raconta les débats mouvementés dans le *Toronto Star* («Le ministre de l'Environnement Stéphane Dion parut véritablement grisé [*giddy*] lorsque [...]») abonderait dans ce sens[6]. Sa description de la banalité des négociations internationales est parfaitement lucide. «Quiconque était présent les premiers jours des débats pourrait fort bien douter de la sincérité de délégués qui ergotaient sur des questions "vitales", par exemple tel ou tel document devrait-il être "accueilli très favorablement" ou simplement "bien reçu". À tout moment, l'intérêt national de chacun semblait se superposer à la détermination de limiter les émissions de gaz à effet de serre qui réchauffent l'atmosphère, alors même que les plus récents témoignages scientifiques venaient décrire l'éventualité de répercussions catastrophiques[7].» On n'était même pas d'accord sur les résultats. Beaucoup de gens pensaient que les États-Unis avaient fait marche arrière. Mais, comme le déclara John Stone, climatologue canadien, à Gorrie: «Ces négociateurs semblent vivre dans leur bulle. Personne ne semble comprendre que nous sommes engagés dans une course contre la montre[8].»

Dion avait dû poursuivre la conférence contre vents et marées. Certains facteurs étaient venus agiter une mer déjà houleuse: un discours et une conférence de presse de Paul Martin et l'arrivée d'un ancien président des États-Unis, dont le gouvernement avait adopté, face au protocole de Kyoto, une position entièrement différente du président actuel, George W. Bush.

En effet, William Jefferson Clinton, 42e président des États-Unis, pouvait difficilement faire irruption dans la salle pour prononcer un discours. Deux conférences se déroulaient à Montréal, toutes deux présidées par Dion. Le gouvernement américain avait accepté de participer à l'une – la Convention-cadre des Nations Unies sur les changements climatiques –, mais se montrait opposé à l'autre, le protocole de Kyoto. Il fallait faire preuve de virtuosité pour naviguer à travers un dédale d'écueils diplomatiques contre lesquels on risquait de se fracasser à tout moment.

Les États-Unis participaient donc à des travaux intitulés «Conférence des parties à la Convention-cadre des Nations Unies sur les changements climatiques». Étant donné qu'il s'agissait de la 11ᵉ séance depuis la signature d'un traité exécutoire des Nations Unies au Sommet de la Terre qui s'était déroulé à Rio de Janeiro en 1992, les participants avaient abrégé le titre en COP-11. Le Canada et les États-Unis avaient ratifié cet accord, en compagnie de 155 autres pays. Les scientifiques avaient tiré la sonnette d'alarme au début des années 90. L'accumulation de gaz carbonique et d'autres gaz dans l'atmosphère emprisonnait la chaleur que la Terre émet grâce au rayonnement du Soleil, créant ce qu'on appela un «effet de serre», lequel allait provoquer un réchauffement du climat. Maints spécialistes imputèrent ces changements climatiques à l'activité humaine. Dans les pays développés, l'industrie lourde encourageait l'utilisation à grande échelle de combustibles fossiles, tandis que dans les pays en développement, on brûlait principalement du charbon. Quelques années plus tard, les avis des experts étaient solidement étayés par des données fiables et des millions de gens étaient désormais au fait des retombées de l'utilisation de ces combustibles sur l'environnement. Al Gore perdrait les élections présidentielles au profit de Bush en 2000, mais n'en serait pas moins finaliste du prix Nobel de la paix en hommage à sa croisade écologiste. Son documentaire, *Une vérité qui dérange*, décrit le recul de la banquise, la montée des eaux et des aberrations climatiques. Il ferait le tour du monde sur les écrans de cinéma.

La diplomatie environnementale n'avait toutefois pas dit son dernier mot avec la Convention-cadre des Nations Unies. Les discussions se poursuivirent pour établir des objectifs concrets en matière de réduction des gaz à effet de serre (GES) et, en 1997, lors de la COP-3 au Japon, on prépara le protocole de Kyoto. Clinton était président des États-Unis à cette époque et l'équipe de négociation de son Département d'État avait contribué à la rédaction du document, qui contenait les objectifs de réduction fixés pour les pays membres, entre 2008 et 2012. Chaque pays fixa ses propres objectifs, soit une réduction moyenne de 5,2 % sur cinq ans. Lorsque le Parlement du Canada ratifia le protocole de Kyoto, en février 2005, il accepta un objectif de 6 % entre 2008 et 2012. Néanmoins, le protocole ne pouvait entrer en vigueur tant qu'il n'avait pas été ratifié par 55 pays, responsables de 55 % de la production mondiale des gaz à effet de serre. Par conséquent, lorsque Bush décida, en 2001, de retirer les États-Unis de l'entente, le reste du monde estima que le protocole de Kyoto était agonisant. Washington dut affronter la réaction horrifiée de l'influent lobby écologiste ainsi que les pressions qu'exerçaient en coulisse les pays signataires de l'entente.

«On croit, bien à tort, que les États-Unis ne prennent pas les changements climatiques au sérieux et ont décidé d'agir "unilatéralement", simplement parce qu'ils ont rejeté le protocole de Kyoto», déclarerait en 2004 Harlan L. Watson, chef de l'équipe américaine de négociation. «Ce n'est pas le cas et je suis heureux de pouvoir mettre les choses au point. [...] La politique des États-Unis en matière de changements climatiques, telle que l'a formulée le président Bush, réaffirme l'engagement de notre pays envers l'objectif suprême de la Convention-cadre des Nations Unies sur les changements climatiques: la stabilisation des gaz atmosphériques à effet de serre (GES) à un niveau qui préviendra les dangers de l'ingérence humaine.» Watson décrivit en détail une série de mesures acceptées par Washington qui, toutes, s'articulaient autour d'une notion unique: mise en œuvre *volontaire*. En outre, Watson, imitant ici son président, entreprit de contester les affirmations des scientifiques: «L'un des grands obstacles aux progrès des études climatologiques est représenté par l'absence de données environnementales pourtant nécessaires, notamment dans les pays en développement, pour comprendre le système climatique de la Terre[9].»

Cependant, au bout de plusieurs mois de discussions obstinées, on parvint à sauver le protocole de Kyoto lorsque la Russie accepta de le ratifier en 2005. La conférence de Montréal serait la première Réunion des parties (MOP-1). Le titre abrégé, officiel et officieux, serait donc COP-11/MOP-1. Incapables d'imaginer qu'il faudrait huit ans pour faire ratifier l'entente, ses auteurs avaient inscrit des points cruciaux à l'ordre du jour de la première réunion qui suivrait la ratification, entre autres le choix des conditions d'évaluation et le moyen de faire adopter de nouveaux objectifs de réduction de manière à éviter tout temps mort après la fin de la première période, en 2012.

Il est évident que le président de la première réunion, Stéphane Dion, ainsi que les membres des délégations, se trouvaient devant une situation fort délicate : en 2005, Bush était en train de vivre son deuxième mandat à la Maison-Blanche, ce qui signifiait que le gouvernement américain demeurait opposé au protocole et considérait d'un œil torve l'idée de devoir écouter un discours de Clinton, dont le gouvernement avait justement négocié l'entente de Kyoto. Dion devait demeurer sur le qui-vive. S'il abaissait son maillet au mauvais moment, le protocole de Kyoto risquait fort de ne jamais s'en remettre. Comme le raconterait plus tard Elizabeth May, il sut toutefois faire preuve d'une grande virtuosité dans ce domaine : « Il nous rappelait à l'ordre par un coup de maillet : "La Conférence des parties. Je déclare la séance ouverte", disait-il. Puis il réglait quelques points. Bang. "La séance est levée." Bang, bang ! "Réunion des parties. Je déclare la séance ouverte." Bang ! Et ainsi de suite[10]. »

On tenta, à Montréal, d'orienter également la Convention-cadre des Nations Unies vers la négociation d'objectifs de réduction des émissions de GES, en dehors du protocole de Kyoto. Mais le terme « négociation » devait être évité à tout prix, parce qu'il ne plaisait guère aux États-Unis. À un moment donné, une résolution avait été déposée, selon laquelle toutes les parties accepteraient un dialogue permanent qui n'aboutirait pas à des « négociations ». May se souvient de la réaction de Watson : « Inacceptable ! Il y a là-dedans le mot "négociation" ! »

May se souvient aussi : « Dion a répondu : "Mais non... Cela dit..." Et il a essayé tant bien que mal de contourner la difficulté, mais Watson n'a rien voulu savoir et il a dit : "Pour moi, si ça marche comme un canard, si ça cancane comme un canard, c'est un canard[11] !" Et il est parti en claquant la porte, pendant que les délégations du reste de la planète s'interrogeaient : "Un ca-nard ? Qu'est-ce que c'est ?" Les Chinois, les Brésiliens, tous se demandaient ce que c'était qu'un "canard". Le lendemain, les membres du Climate Action Network ont apporté des dizaines de canetons en caoutchouc, qu'ils ont distribués autour d'eux[12]. »

L'entrée en scène de Clinton présentait un problème épineux. La délégation américaine fut informée le jeudi 8 décembre qu'il avait accepté l'invitation. « Le jeudi, nous avons appris que la délégation américaine avait donné un ultimatum à Stéphane Dion et aux représentants des Nations Unies : "Si vous laissez Clinton mettre le pied dans l'édifice, nous ne resterons pas une minute de plus ici." Je dois dire que c'était plutôt mesquin », poursuivit May. Étant donné que c'était elle qui avait organisé le voyage de Clinton (dans des circonstances plutôt inhabituelles), elle offrit de retirer l'invitation. Mais les représentants du secrétariat des Nations Unies lui répondirent qu'ils n'avaient encore jamais exigé cela d'un organisme non gouvernemental et qu'ils n'allaient pas commencer avec le Sierra Club du Canada. « Je ne pense pas que la délégation américaine soit allée jusqu'à menacer de s'en aller, remarquerait Dion plus tard. Mais ces gens-là n'étaient pas contents[13]. »

Clinton remercia la Ville de Montréal (dont le nouveau maire était Gérald Tremblay), le Sierra Club du Canada et son « amie de longue date », Elizabeth May, dans son introduction. En effet, Clinton et May s'étaient connus en 1972. Il avait 26 ans et étudiait à la Faculté de droit de l'Université Yale. Elle en avait 17 et fréquentait l'école de Miss Porter, établissement privé pour jeunes filles de bonne famille au Connecticut.

La famille d'Elizabeth May avait de profondes racines dans l'histoire et la politique des États-Unis. Par son grand-père, Thomas Middleton, dont la famille était établie depuis

10 générations à Charleston, en Caroline-du-Sud, May avait trois ancêtres qui avaient apposé leur signature sur la Déclaration d'indépendance. «Et pourtant, me voilà joyeusement de retour dans le Commonwealth», déclara-t-elle en 2007, citoyenne canadienne depuis 30 ans et chef du Parti vert du Canada.

Quant à Clinton, en 1972, il faisait campagne pour le candidat démocrate George McGovern (qui perdrait les élections en faveur de Richard Nixon) et rendit visite à la famille de May, qui vivait à Hartford. Il espérait en effet mobiliser la mère d'Elizabeth, Stephanie Middleton May, qui avait brillamment recueilli des fonds pour la campagne infructueuse d'Eugene McCarthy en 1968[14]. «Nous sommes restés amis», conclut May[15].

Dans les milieux écologistes du Canada, Elizabeth May était devenue une force avec laquelle il fallait compter. Diplômée en droit, elle était aussi célèbre pour son humour que pour ses brillantes idées. Avant la conférence de Montréal, elle avait fait son possible pour convaincre Clinton de faire une apparition, ainsi que d'autres Américains célèbres tels que le gouverneur de la Californie, Arnold Schwarzenegger (dont les réalisations, en matière de protection de l'environnement, avaient reçu des éloges) et Jon Stewart, du *Daily Show*. Montréal était bien située pour permettre aux journalistes américains de s'y rendre facilement et de constater que la décision de Bush n'avait pas fait fondre l'appui international dont jouissait le protocole de Kyoto. Et l'on pouvait dire de Clinton qu'il était l'un des orateurs les plus charismatiques du monde.

«Sincèrement, je n'ai jamais pensé que Bill accepterait, dit-elle. Je l'avais invité à des manifestations organisées au Canada par le passé, mais il avait toujours poliment refusé. Le faire venir à Montréal [...], c'était plus qu'incertain. Et soudain, quand la conférence a été commencée, la rumeur a couru qu'il viendrait.»

Elle était sûre que son arrivée, le vendredi, serait bien trop tardive pour changer le cours des événements, mais en réalité, «son intervention se révéla cruciale. J'avais passé une semaine de folie totale, à essayer de réunir les fonds pour affréter des avions privés, car les règles américaines sur la sécurité interdisent [même aux anciens présidents] de prendre les vols commerciaux. J'ai téléphoné à l'un de mes amis, qui a toujours généreusement donné au Sierra Club, pour le supplier de garantir la location de l'avion – 10 000 $! – à l'aide de sa carte Visa, raconte-t-elle. Dion n'était pas responsable de l'invitation, mais il a dû arrondir beaucoup d'angles, en sa qualité de président de la COP, car le gouvernement américain n'était pas enchanté de voir débarquer l'ancien président[16].» (May serait d'ailleurs déçue d'entendre les journalistes interroger Clinton sur l'étroitesse de ses relations avec le député libéral Belinda Stronach plutôt que sur le protocole de Kyoto.)

Le gouvernement américain était contrarié, certes, mais les organisateurs en avaient vu d'autres. Ce qu'ils ne pouvaient pas se permettre, en revanche, c'était un véritable tollé diplomatique à la suite d'une simple étourderie. C'est pourquoi, dans la salle où la séance plénière venait de se terminer le vendredi après-midi, pendant que les chiens policiers de la GRC cherchaient des explosifs, les employés du Palais des congrès retournaient toutes les chaises, afin que l'auditoire se trouve face au mur opposé. Cela deviendrait la «Salle Saint-Laurent». Clinton serait debout, devant une tenture bleu nuit que l'on venait tout juste de suspendre, tandis que les spectateurs tourneraient le dos au logo des Nations Unies et de la Convention, qui avaient servi de toile de fond à la table présidentielle de Dion.

Comme l'affirmait le programme, ce serait une manifestation supplémentaire et tout le monde prétendrait qu'elle n'avait rien à voir avec la conférence. (Les relations entre le gouvernement Martin et la Maison-Blanche étaient plutôt tendues à l'époque et la présence de Clinton à Montréal allait jeter de l'huile sur le feu. Certes, la décision de Jean Chrétien de ne pas envoyer de troupes canadiennes en Irak, en mars 2003, avait été le facteur déterminant de cette détérioration progressive des relations canado-américaines après les attentats du 11 septembre 2001. Mais il semble que les États-Unis n'aient pas apprécié certains affronts, imaginaires ou autres, commis par le successeur de Chrétien, Paul Martin.)

Clinton révéla que les négociations du protocole de Kyoto avaient incité Al Gore à se plonger dans le dossier des changements climatiques[17]. L'ancien président déclara que les principales critiques dont faisait l'objet le protocole de Kyoto étaient que l'économie des pays développés subirait un contrecoup négatif si on leur «imposait des réductions d'émissions qui n'étaient pas réalisables», et que les pays en développement, dont les émissions de GES étaient déjà très élevées, deviendraient les plus grands coupables au cours de la prochaine décennie, si la tendance se poursuivait. Clinton exhorta les négociateurs à trouver le moyen de s'entendre «avant qu'il soit trop tard pour organiser ce genre de réunion. Dans 40 ans, si nous voulons nous rencontrer au Canada, ce sera sur un radeau, à moins que nous n'intervenions dès aujourd'hui[18]».

Un peu plus tard, Clinton et Martin donnèrent ensemble une conférence de presse, ce qui accrut encore le courroux de la délégation américaine. Des officiels américains avaient déjà déploré en privé le discours que Martin avait prononcé, au début de la semaine.

En effet, le mercredi 7 décembre, Martin, à titre de chef du gouvernement du pays hôte, avait ouvert la séance plénière, en déclarant aux délégués: «Les jours où on débattait des effets du changement climatique sont révolus. Nous n'avons plus à demander aux gens d'imaginer ces effets, car nous les constatons [...] Il y aura des conséquences sur le plan de l'économie. Des conséquences sur le plan humain[19].»

Le message, certes, était clair, mais ce fut le commentaire de Martin, pendant la conférence de presse qui suivit son discours du 7 décembre, qui fit le plus enrager les Américains. «Aux pays qui hésitent, y compris aux États-Unis, je dis qu'il existe ce qu'on peut appeler une conscience mondiale, et le

Stéphane Dion visite la Great Rift Valley au Kenya, en octobre 2005, pendant un voyage en qualité de ministre de l'Environnement.
Photo aimablement fournie par Jamie Carroll.

En prévision de l'ouverture de la Conférence des Nations Unies sur les changements climatiques, à Montréal, le ministre de l'Environnement, Stéphane Dion, discute avec des membres du gouvernement à Beijing, en 2005.
Photo aimablement fournie par Jamie Carroll.

En janvier 2005, le ministre de l'Environnement passe en hélicoptère au-dessus de Nain, au Labrador. *Photo aimablement fournie par Jamie Carroll.*

Stéphane Dion, ministre de l'Environnement, s'apprête à goûter les plats du restaurant Carnivore de Nairobi, au Kenya, en 2005. *Photo aimablement fournie par Jamie Carroll.*

Après la défaite des libéraux aux élections de janvier 2006, le député Stéphane Dion et son chien, Kyoto, au chalet familial dans les Laurentides. *Photo aimablement fournie par Marta Wale.*

Pendant la course à la direction du Parti libéral, en août 2006, Stéphane Dion porte lui-même ses bagages dans le stationnement de l'aéroport de Québec. *Photo Richard Lautens pour le* Toronto Star.

Stéphane Dion, candidat à la direction du Parti libéral, travaille seul
dans sa chambre d'hôtel à Québec, en août 2006.
Photo Richard Lautens pour le Toronto Star.

Stéphane Dion prononce un discours lors de l'interminable tournée
des barbecues pendant la course à la direction, en 2006. On distingue
aussi d'autres candidats à la direction. De gauche à droite: Hedy Fry, Scott
Brison, Ken Dryden et Carolyn Bennett.
Photo aimablement fournie par Jamie Carroll.

Gerard Kennedy, candidat à la direction du Parti libéral, à gauche, fait une déclaration à une réunion du Canadian Club de Toronto, en octobre 2006, en présence de Stéphane Dion et de Bob Rae.
Photo Tony Bock pour le Toronto Star.

Gerard Kennedy décide d'appuyer Stéphane Dion après les résultats du deuxième scrutin à Montréal, le 2 décembre 2006, et se réjouit avec Martha Hall Findlay, qui avait donné ses voix à Dion le matin même.
Photo aimablement fournie par Barb Swanson
(campagne de Martha Hall Findlay).

Le vainqueur, Stéphane Dion,
donne l'accolade
à Michael Ignatieff,
battu après le quatrième
et dernier scrutin à Montréal,
le 2 décembre 2006.
*Photo Richard Lautens
pour le* Toronto Star.

Stéphane Dion, victorieux, est entouré (de gauche à droite)
de Jean Chrétien, Bill Graham, Paul Martin et John Turner, au Congrès
à la direction du Parti libéral, le 2 décembre 2006.
Photo Richard Lautens pour le Toronto Star.

Le nouveau chef du Parti libéral, Stéphane Dion, fait son premier discours
à la Chambre des communes, le 4 décembre 2006.
À sa droite, Ralph Goodale, à sa gauche, Michael Ignatieff.
Photo aimablement fournie par le Bureau du chef de l'opposition.

Stéphane Dion dans le Bureau
du chef de l'opposition
sur la Colline du Parlement,
son inséparable sac à dos en
cuir sur le pupitre, janvier 2007.
Photo Linda Diebel.

Stéphane Dion célèbre son premier Noël en tant que chef du Parti libéral
avec une amie, Nicole Gaudet, lors d'une petite fête
près de son chalet des Laurentides, en décembre 2006.
Photo aimablement fournie par Janine Krieber.

Stéphane Dion et son chien
Kyoto, chez ses amis Norman
et Marta Wale, dans les
Laurentides, pendant
les vacances de Noël 2006.
Photo Linda Diebel.

moment est venu de l'écouter[20].» Remarque cinglante, s'il en fût, d'un premier ministre qui semblait vouloir affirmer la supériorité morale du Canada. Néanmoins, Martin reçut des louanges délirantes, tandis que Bill Hare, directeur de Greenpeace International, qualifiait son discours d'«historique»; John Bennett, lui, parla d'une «torche enflammée» (*barnburner*). Elizabeth May ne fut pas en reste: «Le meilleur discours qu'il ait jamais prononcé, le meilleur discours qu'un chef d'État ait jamais prononcé [...]», affirma-t-elle. Mais Washington eut bien du mal à digérer l'attitude de Martin, parce que, tout au moins en surface, le dossier américain de réduction des émissions de GES paraissait meilleur que celui du Canada. Au cours d'un entretien avec des représentants de la presse canadienne, l'ambassadeur des États-Unis au Canada, David Wilkins, applaudit le dossier de son pays et ajouta: «Il arrive fréquemment que certains politiciens, pour monter le Canada en épingle, s'efforcent de dénigrer les États-Unis[21].»

Le vendredi après-midi, un autre obstacle surgit après le discours de Clinton. La Russie s'opposa soudain au libellé de la disposition du protocole de Kyoto sur l'établissement des objectifs à partir de 2012. Le temps passait, on se rapprochait de l'heure officielle de fermeture. À 18 h, Dion poursuivit les débats, en quête d'une solution. Mais en vain. Finalement, peu après 18 h, il leva la séance. Cette pause durerait plus de 12 heures, pendant lesquelles des délégués épuisés continueraient de discuter derrière des portes closes.

～

Certes, pendant la Conférence des Nations Unies à Montréal, Stéphane Dion devait naviguer sur une mer démontée, mais cela ne l'empêchait pas d'être très heureux de se retrouver au Cabinet après son exil politique en tant que simple député. L'appel téléphonique qu'il avait attendu en décembre 2003 avait fini par arriver, plus de six mois plus tard, en juillet 2004. Le premier ministre Paul Martin l'avait alors invité à accepter un portefeuille de ministre. «Il avait beaucoup d'autres appels à faire et je n'ai pas voulu m'attarder. Je l'ai remercié chaleureusement», se souvient Dion[22].

Dion adorait la nature depuis son enfance. Il avait siégé au Comité de l'environnement (ainsi qu'au Comité de la justice), en qualité de simple député. Il se sentait bien placé pour occuper les fonctions de ministre de l'Environnement. Il expliquerait plus tard à Martin ce qu'il souhaitait: faire passer ce ministère au premier plan de la prise de décisions à Ottawa. Lors d'un entretien, à la fin de 2006, il expliqua ce qu'il avait cherché à accomplir à cet égard: «J'ai constaté à quel point le ministre de l'Environnement était isolé. L'idée reçue était que l'environnement se résumait à une politique sociale, parmi tant d'autres, et qu'on ne pouvait pas trop en faire dans ce domaine, car cela porterait préjudice à l'économie. Ce que je voulais faire, c'était modifier ce paradigme, placer l'environnement en première ligne de la prise de décisions et au cœur de la stratégie industrielle du pays[23].»

Dion se lança dans son grand projet, une collaboration environnement-économie. Son premier discours public, en qualité de ministre de l'Environnement, il le prononcerait devant la Chambre de commerce de Calgary, en septembre 2004. Cet automne-là, il pourrait s'enorgueillir d'avoir fait inclure une section sur l'environnement dans le discours du trône. Mais, peu après son entrée en fonction, il avait constaté jusqu'où il devrait aller pour exercer une véritable influence sur le gouvernement. «Un jour, pendant une réunion du Cabinet, je me suis rendu compte que des collègues avaient élaboré une nouvelle stratégie industrielle pour le Canada. Et pourtant, je n'avais même pas été invité à participer aux travaux, pas plus que le reste de mon ministère. En revanche, les ministres des Ressources naturelles, des Finances, de l'Industrie et du Commerce, eux, l'avaient été.» Cette équipe avait déposé un rapport.

Dion déclara à Martin qu'il était «déçu» de n'avoir pas été invité. «Le premier ministre s'est mis en colère. "Mais c'est à vous de vous intégrer afin de collaborer avec vos collègues", m'a-t-il reproché. "Mais Monsieur, lui ai-je répondu, je n'ai jamais entendu parler de ces travaux. Personne ne les a mentionnés, personne n'est venu m'en parler." »

Dion comprit qu'il avait affaire à forte partie. « Le premier ministre était en faveur du nouveau paradigme, mais il avait du mal à se débarrasser de l'ancien. L'environnement était une politique sociale et non au cœur de l'essor économique du pays, expliqua-t-il. [Martin] était irrité, certes, mais c'était normal qu'il le soit de temps à autre et je n'ai pas été vexé par sa réaction. Il était évident, cependant, que modifier la manière de penser des gens serait très difficile. Ce n'est pas parce qu'un sujet figure au discours du trône qu'on va automatiquement le trouver dans les gènes des décisionnaires d'Ottawa. [...] Ce n'était un réflexe ni de la machine bureaucratique ni du Bureau du premier ministre. »

Dion se souvient d'avoir conseillé à Martin, « si vous voulez que l'environnement devienne un sujet important aux yeux de la population, ne demandez pas au ministre de l'Environnement de prononcer un discours. Je sais bien que j'aurai toujours l'appui des écologistes. Mais si vous voulez réveiller le pays, demandez au ministre des Finances ou de l'Industrie de faire ce discours ». Il poursuivit : « Vous voyez les idées reçues dont j'essayais de nous débarrasser ? Ce fut un combat, non parce que le premier ministre n'était pas désireux d'accepter la théorie, mais parce que c'était extrêmement difficile à mettre en pratique. »

C'est pendant son mandat de ministre de l'Environnement, qui durerait 18 mois, entre juillet 2004 et la défaite des libéraux en janvier 2006, que Dion commença à songer à la stratégie qu'il adopterait s'il se retrouvait un jour aux commandes.

« Si je réussissais à devenir premier ministre, j'enverrais des messages très clairs à mon gouvernement : "Pour réussir votre carrière de ministre ou de sous-ministre, acceptez tel ou tel changement, montrez-moi que vous le comprenez et que vous voulez qu'il soit mis en œuvre." » Tout le monde apporterait sa contribution, Agriculture, Pêches, Commerce,

Ressources naturelles, etc. Vraiment tout le monde. «Je ne placerais pas mon ministre le plus écologiste au ministère de l'Environnement, mais plutôt aux Travaux publics, par exemple, à savoir à un ministère qui a besoin de modifier son mode de pensée, de manière à faire de l'environnement un élément clé de la prise de décisions. Je voudrais m'assurer que le rendement énergétique, la production des ressources, le recyclage, l'habitude de protéger l'environnement, acquièrent une place de premier plan», expliqua Dion.

Bien que ses idées n'eussent pas encore revêtu de forme définitive, il possédait déjà les fondements d'une philosophie dont serait imprégnée sa campagne de 2006, puis son travail de chef de l'opposition.

Dion avait alors comme sous-ministre Sammy Watson. En effet, le premier ministre avait cru bon d'associer un haut fonctionnaire venu de l'Ouest à un ministre québécois. Watson affirma qu'il était entièrement favorable à l'idée de renforcer le lien entre économie et environnement. «Je suis enchanté de voir que vous abondez dans mon sens», lui répondit Dion. Le ministre trouverait également un important allié en la personne de Brian Guest, secrétaire principal adjoint au Bureau du premier ministre, qui participerait à la campagne lors de la course à la direction et se joindrait à lui dans l'opposition. «Brian pensait exactement comme moi [...] et il connaissait tout un réseau d'experts, au Canada comme à l'étranger», dit Dion. En effet, Guest l'aiderait à rédiger son document sur les changements climatiques, le Projet vert. «Brian estimait possible de produire quelque chose de bien, alors que mes bureaucrates, à l'Environnement, étaient prêts à abdiquer. Ils se disaient incapables de persuader le gouvernement d'adopter un plan suffisamment musclé. Mais pour Brian, rien n'est impossible et c'est ainsi qu'avec l'aide d'autres spécialistes, nous avons rédigé un document très robuste.»

Les réunions d'information du ministre, à l'Environnement, s'étaient très vite transformées en marathons et il avait fallu faire appel à des traiteurs, car personne ne pouvait espérer en sortir avant la période de questions pour aller manger. «Nous avons toujours eu du mal à produire des documents qui arriveraient à le satisfaire», reconnaît Jamie Carroll, devenu directeur des Affaires parlementaires de Dion en juillet 2004. «Aucun ministère n'est équipé pour satisfaire un ministre insatiable.»

En qualité de ministre de l'Environnement, Stéphane Dion suscita des critiques et prit des décisions controversées, mais rien de comparable aux levées de boucliers qu'avait provoquées la *Loi sur la clarté*. Il lutta pour acquérir de l'influence auprès des autres ministres. Comme l'on pouvait s'y attendre, la discorde avait surgi entre le ministre des Ressources naturelles, John Efford, et Dion, sur la manière de mener les négociations avec les fabricants d'automobiles pour réduire les émissions de GES. Contrairement à Efford, Dion voulait légiférer et menaça rapidement son collègue de le faire. En fin de compte, les deux ministres finirent par trouver un compromis. Dans un protocole d'entente avec le gouvernement fédéral le 6 avril 2005, les fabricants d'automobiles acceptèrent de réduire volontairement les émissions de GES de tous les véhicules neufs. Mais, comme le soulignèrent les écologistes, cet accord n'était pas exécutoire. Une autre entente non exécutoire avait été conclue en mars de la même année entre le gouvernement fédéral, le gouvernement de l'Ontario et l'Association canadienne des producteurs d'acier sur les émissions de gaz à effet de serre.

Enfin, le 13 avril 2005, Dion dévoila son plan tant attendu de 10 milliards de dollars, pour mettre en œuvre les dispositions du protocole de Kyoto. Ce montant englobait un fond de 1 milliard de dollars, qui pouvait être augmenté jusqu'à atteindre 5 milliards sur une période de 5 ans.

Le gouvernement Martin avait été la cible de critiques, car il n'avait pas diffusé son plan de réduction des émissions comme il l'avait promis lorsqu'il avait demandé au Parlement de ratifier le protocole de Kyoto en février 2005. Dion avait affirmé que des objectifs concrets seraient inclus à son Plan vert. Les critiques suggérèrent que le retard avait été causé par le désaccord entre trois ministres, Dion, Efford et

David Emerson, ministre de l'Industrie. Le même jour, le 17 février, Martin annonçait que Montréal accueillerait le sommet de décembre sur les changements climatiques[24].

Le Plan vert de Dion fixait les objectifs canadiens de réduction des émissions de GES à 270 mégatonnes par an, de 2008 à 2012. Selon certains, ce n'était pas assez. Pour d'autres, c'était trop. Terence Corcoran, chroniqueur du *National Post*, écrivit: «Ce que nous ne pouvions évaluer jusqu'à présent, tant que cela n'était pas réuni en un seul document gigantesque, c'est la folie ahurissante qui est à l'origine du protocole de Kyoto. C'est seulement en examinant le plan dans son ensemble, aussi fruste soit-il, que l'on comprend ce qu'est cette entreprise de démence collective.» Corcoran allégua que le gaz carbonique libéré dans l'atmosphère par la respiration animale était absorbé par les plantes pendant la photosynthèse. Dion se proposait-il de rendre illégale l'exhalation de gaz carbonique? Corcoran prédit ensuite que les mesures fédérales réduiraient à néant le tiers de l'économie[25].

Le gouvernement Martin, notamment Stéphane Dion en tant que ministre de l'Environnement, serait raillé par la faction anti-Kyoto et accusé d'hypocrisie. Il deviendrait vite flagrant que le Canada non seulement n'avait pas réussi à atteindre l'objectif des 6%, mais encore que les émissions de GES avaient en réalité augmenté de 24,9% depuis 1990. C'est cette anomalie qui servit de contexte à la réaction outrée de Washington, après que Martin eut parlé de «conscience mondiale», à Montréal. L'échec des objectifs de Kyoto deviendrait un leitmotiv contre Dion. Il serait d'abord exploité pendant la course à la direction par Michael Ignatieff et, ultérieurement, par le Parti conservateur, qui reprendrait largement la séquence Ignatieff d'un débat des candidats à la direction du parti dans ses annonces hostiles au nouveau chef du Parti libéral.

Pourtant, Elizabeth May, ainsi que d'autres écologistes, réfuterait catégoriquement les critiques. «Une entreprise de désinformation sur grande échelle a été mise en œuvre pour faire croire aux gens que le gouvernement Bush s'était mieux débrouillé que le Canada. En réalité, ce n'est pas vrai», expliqua-t-elle dans son discours à Winnipeg, en 2005. «Les émissions de GES aux États-Unis n'ont pas diminué du tout. En réalité, elles ont augmenté de plus d'un million de tonnes depuis 1990.» May rappela que le Canada était responsable de 3% du total mondial des émissions, ce qui est bien au-dessous des 25% imputables aux États-Unis. «C'est pourquoi notre augmentation de 24,9%, bien que déplorable, n'est qu'une goutte d'eau dans l'océan par rapport à la quantité de GES produits par les États-Unis, quantité qui a augmenté de 16% depuis 1990.»

Elizabeth May attribue l'augmentation des émissions au Canada au boum de la production pétrolière, engendré par l'exploitation titanesque des sables bitumineux près de Fort McMurray, en Alberta. «Les sables bitumineux sont la raison – pas l'*une* des raisons – je dis bien *la* raison pour laquelle notre pourcentage d'augmentation est plus élevé que celui des États- Unis[26].»

May ajouta que le gouvernement Chrétien n'avait pas contribué à réduire l'utilisation des combustibles fossiles et les effets sur l'environnement. En 1996, Chrétien s'était rendu à Edmonton pour annoncer les investissements fédéraux dans l'exploitation des sables bitumineux et promettre que son gouvernement n'instaurerait pas de taxe sur les émissions carboniques. Cette année-là, le premier ministre avait également approuvé l'adoption d'une série de mesures favorables aux compagnies pétrolières et gazières, par exemple la possibilité de déduire la totalité des frais de matériel de leur revenu de l'année. Il y avait eu une autre concession, très importante, que Chrétien avait soulignée dans une lettre de 1996 à l'Association canadienne des producteurs pétroliers. En effet, les compagnies pétrolières devaient réduire les émissions de GES proportionnellement à la quantité de barils qu'elles produisaient. À compter de 1996, si les frais de réduction des émissions dépassaient 15 dollars la tonne, le gouvernement fédéral s'engageait à payer la différence.

Elizabeth May expliqua également que le pétrole extrait des sables bitumineux canadiens – de 500 000 barils en 1995 à

1,3 million en 2006 – servait surtout à répondre à la demande des États-Unis. «Le Canada vend aujourd'hui plus de pétrole et de gaz aux États-Unis que l'Arabie Saoudite[27].»

John Bennett confirma: «Ce sont nos sables bitumineux qui fournissent l'énergie dont les États-Unis ont besoin [...] Et pourtant, George Bush n'a pas dit un mot lorsqu'on a critiqué le Canada! Ce n'est vraiment pas juste. Quel parti politique pourrait endiguer ce flux?» Bennett évoqua une autre raison pour laquelle les émissions canadiennes avaient augmenté. Il semblerait que certaines centrales nucléaires situées en Ontario aient déclaré forfait dans les années 90, ce qui obligeait les centrales thermiques au charbon à fonctionner 24 heures sur 24.

Bennett n'a que des éloges pour décrire l'œuvre de Dion à l'Environnement. «Il a persuadé le Cabinet d'aller aussi loin que possible et n'a été freiné que par des mesures déjà en place, dont il n'était pas responsable.» Bennett avait observé, de l'extérieur, à quel point Dion avait lutté pour s'affirmer auprès de ses collègues du Cabinet. «Il a remporté le débat interne. Au départ, l'autorité du ministre des Ressources naturelles était absolue sur toutes ces questions. Dès que [Dion] a compris cela, il s'est lancé dans la course. Il a réussi très habilement à transférer une large part du dossier des changements climatiques à l'Environnement et il a pris tout cela en main, publiquement», dit Bennett. Il admit que Dion lui manquerait. «Le meilleur ministre de l'Environnement que nous ayons jamais eu. Lorsqu'il prend le taureau par les cornes, c'est pour de bon[28]!»

Pendant la course à la direction de 2006, Bennett aperçut Dion dans un aéroport, mais se garda bien d'aller le déranger. Un moment plus tard, alors qu'il faisait la queue pour obtenir sa carte d'embarquement, quelqu'un vint lui donner une petite tape sur l'épaule. C'était Dion, qui voulait discuter des changements climatiques, de l'évolution de la situation et de tout ce qui s'était passé au ministère depuis son départ. Bennett en fut touché. «Il est très humain.» Le soir des élections à la direction du Parti libéral, le 2 décembre 2006,

Bennett regardait la télévision. «Vous ne pouvez pas savoir quel plaisir cela m'a fait d'entendre le nouveau chef du Parti libéral annoncer, à peine arrivé sur le podium, qu'il voulait un développement durable!»

∼

Pendant ce temps, au Palais des congrès de Montréal, le 9 décembre 2005, les heures s'écoulaient lentement. La séance plénière devait reprendre à 20 h, à minuit et à 2 h du matin. Les jeunes activistes dormaient sur leur chaise ou par terre. Enfin, à 2 h 44, Stéphane Dion déclara la séance ouverte. Selon May, la rumeur courait qu'il allait «essayer de doubler les Russes». En effet, la délégation russe s'opposait toujours au libellé de l'article 3.9, dans la partie consacrée au protocole qui entrerait en vigueur en 2012. Chaque délégué avait, devant lui, une petite plaque qu'il devait lever pour solliciter la permission de parler. Les Russes ne cessaient de lever leur plaque et de formuler des objections. «Incroyable! se souvient May. [Ils disaient:] "Nous n'avons jamais vu ce libellé auparavant, c'est nouveau pour nous. [...] Nous faisons objection, au nom de la Fédération russe [...]"[29]»

Toujours selon May, Dion répondit: «Étant donné que vous faites obstacle à des progrès importants pour la destinée de la planète, je suggère maintenant que vous expliquiez vos raisons au monde entier.» «Sortir ça à 2 h 44 du matin, il faut pouvoir le faire!», se dit May. Puis la ministre de l'Environnement du Royaume-Uni, Margaret Beckett, s'interposa: «J'en appelle à nos chers amis de Russie, vous qui, plus que quiconque, avez contribué à donner vie à cette entente[30].»

Mais c'était toujours l'impasse. Dion leva de nouveau la séance. Les délégués formèrent un «groupe contact» et s'enfermèrent dans une petite pièce pour discuter du libellé qui les empêchait de progresser. À un moment donné, David Drake fit une intervention importante. May qualifie Drake de «diplomate canadien dont personne n'entend jamais parler, mais qui mérite que nous donnions son nom à nos enfants, car heureusement pour nous qu'il est là». Drake coprésidait le groupe-contact et déploya des trésors d'ingéniosité pour inciter les délégués à poursuivre les discussions, en dépit des soupirs et des bâillements de gens qui n'avaient qu'une envie, fort raisonnable en somme: aller se coucher. Un délégué brésilien ajouta: «Je n'ai pas dormi depuis 36 heures, j'aimerais bien aller me coucher.» Un Russe aurait répliqué: «Vous croyez que vous n'avez pas assez dormi? Je peux vous assurer qu'il y a plus longtemps que vous que je n'ai pas dormi!» Bref, comme le rappelle May, tout le monde était à bout de nerfs[31].

La situation se détériora au point de convaincre Ottawa d'utiliser son arme secrète: le standard téléphonique du Bureau du premier ministre. Les téléphonistes firent griller les lignes en tâchant de joindre le président de Russie, Vladimir Poutine. Martin avait été réveillé pour prendre l'appel. André Lamarre, secrétaire de presse de Dion, avait fouillé le Web en quête des numéros du Kremlin et il se souvient qu'Ottawa avait réussi à joindre le quatrième et le cinquième secrétaires. On avait aussi tiré de son lit Allan Rock, ambassadeur du Canada aux Nations Unies à New York, pour le prier de communiquer avec son homologue russe.

Pourquoi ce branle-bas de combat? Les Canadiens étaient persuadés que les Russes de Montréal avaient cédé à des pressions exercées par la délégation américaine et ne suivaient plus les instructions de Moscou. Car enfin, pourquoi auraient-ils changé brusquement d'idée et fait obstacle à l'adoption de la dernière résolution? La Russie était signataire du protocole de Kyoto.

Le suspense montait. Les nerfs commençaient à s'effilocher sérieusement. Finalement, Pettigrew parvint à joindre le ministre des Affaires étrangères de Russie, Lavrov[32].

Lavrov affirma à Pettigrew que ses instructions étaient totalement différentes et il demanda à parler à sa délégation. Pettigrew repartit à la course, suivi de Lamarre, brandissant son téléphone, tous deux à la recherche des Russes.

Ils finirent par mettre la main sur le chef de la délégation, lequel refusa tout de go de prendre le téléphone.

«Mais c'est votre patron qui est en ligne!», s'exclama Pettigrew. En Russie, Lavrov entendait probablement tout ce qu'ils disaient. Visiblement à contrecœur, l'un des Russes prit le téléphone. Lamarre se souvient qu'après avoir discuté avec son supérieur, le délégué «n'avait pas l'air trop fier de lui[33]».

À 5h30, David Drake sortit en coup de vent de la salle de réunion, puis revint aussitôt: «Il se passe quelque chose. Retournons en séance plénière.» Mais à cette heure-là, le Palais des congrès ressemblait à un décor de cinéma une fois le tournage terminé. On avait roulé les moquettes, déménagé les meubles et jusqu'au logo des Nations Unies qui n'était plus derrière la table du président. Beaucoup de délégués, d'ailleurs, étaient repartis[34].

Enfin, vers 5h50, Dion rouvrit la séance. «On le voyait sur son visage, il avait réussi», explique Lamarre. En décembre, la campagne électorale battait son plein et Lamarre se souviendrait de l'ahurissement de Dion devant l'indifférence des journalistes à l'égard de ce que l'on avait réussi à obtenir pendant les dernières heures de suspense, ce samedi matin-là, à Montréal: le protocole était relancé et les signataires avaient accepté l'idée de fixer de nouveaux objectifs à compter de 2012. C'était tout de même quelque chose.

La ligne d'arrivée en vue, Dion voulait en finir une fois pour toutes. Les coups de maillet retentirent. May poursuit son récit: «"Bon, nous sommes d'accord sur la Conférence des parties. Objections? Non. "Bang!" Adopté. La Conférence des parties est close. "Bang!" Passons maintenant à la Réunion des parties. Libellé de l'article 9 adopté. "Bang!" Libellé de l'article 3.9. adopté. "Bang!" La Réunion des parties est close. "Bang!" Accords de Marrakech ratifiés. "Bang!" La séance est levée." Bang!» May se réjouit: «Plus aucun obstacle! Tout a été adopté[35].»

À 6h14 du matin, Dion avait presque terminé. Il ne cessait de réprimander May et d'autres activistes, qui chuchotaient au fond de la pièce. «Silence, s'il vous plaît! Je ne veux pas embrouiller les interprètes. Nous devons en finir.» Les interprètes, en réalité, auraient pu partir depuis longtemps, une fois leur quart terminé. Mais ils étaient restés et observaient les débats depuis leur cabine vitrée. «J'ai préparé quelques remarques de clôture. [...] Je me demande si quelqu'un accepterait de les traduire?», leur demanda Dion[36]. Ils l'applaudirent avant de traduire ses derniers commentaires à un auditoire exténué.

À 6 h 17 du matin, le samedi 10 décembre 2005, Dion leva la séance sur un dernier coup de maillet.

CHAPITRE 10

La politique est un art

Stéphane Dion avait été l'élève attentif de Jean Chrétien. Lorsqu'il se lança dans la course à la direction, en 2006, il avait même tendance à s'exprimer comme son mentor. On put s'en apercevoir à l'occasion du Congrès du Parti libéral, à Montréal. Tard dans la soirée du 1er décembre, Dion était enfermé avec Gerard Kennedy, dans les bureaux de ce dernier, au troisième étage du Palais des congrès. Les deux candidats s'efforçaient, à la onzième heure, de conclure une entente, de sorte que l'un accepte d'appuyer l'autre, le lendemain.

Pendant ce temps-là, dans les locaux mêmes où avait eu lieu la Conférence des Nations Unies que Dion avait magistralement menée à terme l'année précédente, quelque 5000 membres du Parti libéral attendaient les résultats du premier scrutin. Personne ne prévoyait qu'un candidat émergerait vainqueur de cette épreuve initiale, mais la liste commencerait à s'élaguer d'elle-même, au fur et à mesure que le dernier abandonnerait la course. D'autres aussi pourraient juger inutile de demeurer en lice. Ce soir-là, négociations et marchés en tout genre bourdonnaient dans l'air de Montréal.

Pour Kennedy, tout comme pour Dion, le moment était crucial. Chacun le savait. Depuis des semaines, ils parlaient de s'entendre. C'était maintenant ou jamais. Kennedy voulait savoir ce que Dion ferait à chaque étape du scrutin et la discussion s'éternisait. « Nous devons tout faire pour que l'un de nous deux soit vainqueur », disait Kennedy. Dion explique : « Il craignait que j'accepte trop tard de m'entendre avec lui. » Naturellement, si cela se produisait, Kennedy était certain que le favori, Michael Ignatieff, remporterait la course. « Gerard voulait que nous utilisions une règle mathématique quelconque », se souvient Dion, qui n'était pas du tout d'accord.

Cinq ans de différence seulement séparaient les deux hommes : Dion avait 51 ans et Kennedy, 46. Ils avaient fait leurs débuts sur la scène politique la même année, en 1996. Pourtant, ce soir-là, Dion sermonna Kennedy comme s'il avait affaire à une recrue bien moins expérimentée que lui : « La politique n'est pas une science, Gerard. [...] Je ne peux pas vous dire avec précision à quel moment je jugerai nécessaire de me retirer de la course[1]. »

Pendant ce temps, les partisans des deux candidats trépignaient dans les couloirs ou dans le bureau de Dion, à quelques pas de là. Les tractations duraient depuis ce qu'on appela le « super week-end », rencontre de folie totale, pendant laquelle les libéraux de toutes les circonscriptions devaient se réunir pour choisir leurs représentants au congrès du parti. Cette fin de semaine délirante de septembre fut ce qui se rapprochait le plus du nirvana pour les défoncés de la politique, qui pouvaient consulter le site Web du Parti libéral à chaque instant afin de connaître les nouvelles de toute dernière minute.

L'idée initiale de fusionner les deux camps provenait de Raymond Chan, député de Richmond, qui avait participé à l'organisation de la campagne de Kennedy en Colombie-Britannique. Des pourparlers se déroulèrent à toutes les étapes de leurs campagnes respectives. Les principaux adjoints politiques de Kennedy, Katie Telford et David MacNaughton, avaient rencontré Herb Metcalfe et Andrew Bevan, les adjoints de Dion. Les équipes collaboraient, Brian

Guest dirigeait celle de Dion et Rob Silver, celle de Kennedy. Enfin, le directeur de la campagne de Dion, Mark Marissen, et son adjoint, Jamie Carroll, discutaient avec tous les équipiers de Kennedy, notamment les députés Mark Holland, d'Ajax-Pickering, et Navdeep Bains, de Mississauga-Brampton South. Ils s'étaient retrouvés dans des restaurants de Toronto, d'Ottawa et de Vancouver, dans des bistrots aux quatre coins du pays et dans d'innombrables cafés. À une occasion, Bevan avait pris l'avion d'Ottawa simplement pour assister à une réunion dans l'aérogare Toronto Island. Tous avaient les pouces usés par le clavier de leur BlackBerry. Et naturellement, Dion et Kennedy étaient en communication constante.

Après les cérémonies d'ouverture le mercredi, Dion et Kennedy étaient allés prendre une bière à l'hôtel Place d'Armes, dans le Vieux-Montréal. La délégation de Dion avait réservé toutes les chambres de l'hôtel, qui croulait sous l'attirail rouge. Ce jour-là, Dion et Kennedy avaient constaté que le projet d'une fusion totale ne se concrétiserait pas. Leurs équipes respectives avaient espéré concocter un énoncé commun de politique le jeudi, assorti d'un texte à l'intention des journaux français et anglais. «Pendant deux ou trois jours, nous voulions laisser courir la rumeur que nous menions une campagne commune, vous savez ce que je veux dire, faire circuler cette idée parmi les électeurs», explique Kennedy. Mais en vain. Kennedy comprit que «ce n'était pas naturel pour [Dion] [...] et je dois dire que je n'étais pas non plus tout à fait à mon aise[2]». Le jeudi, Dion et Kennedy s'étaient de nouveau réunis, ils avaient quitté la salle du congrès après le gala en hommage à Paul Martin, et s'étaient rendus chez Dion, à Montréal. Compte tenu de l'heure à laquelle s'était achevé le gala, leur discussion s'était poursuivie tard dans la nuit.

Et de nouveau, le vendredi soir, ils étaient repartis sans avoir réussi à conclure une entente. Pourtant, ils devaient affronter deux rudes opposants, qui disposaient de bien plus d'appuis qu'eux. Ignatieff, universitaire et écrivain torontois, avait été favori dès le départ. Son entrée sur la scène politique canadienne, après une trentaine d'années passées à l'étranger, avait été habilement orchestrée sur les conseils de son astucieux agent à Toronto, Michael Levine, entre autres. Et puis, il fallait aussi compter avec Bob Rae, qui possédait un gros avantage en la personne de son frère et conseiller en coulisse doté d'une grande finesse politique, John Rae de Power Corporation. On peut comparer John Rae au sénateur David Smith : lorsqu'il appelait quelqu'un, il pouvait être sûr de l'avoir au bout du fil.

Après le « super week-end » de septembre, Ignatieff s'était retrouvé en tête, avec environ 30 % des voix. Rae était deuxième, avec 20 %, Kennedy, troisième, avec 17 % et Dion, quatrième, avec 16 %. Venait ensuite le groupe des quatre – Ken Dryden, Scott Brison, Joe Volpe et Martha Hall Findlay – avec 5 % ou moins[3].

Toutefois, juste avant le congrès, les sondages effectués auprès des délégués révélèrent que Rae, qui avait été premier ministre néo-démocrate de l'Ontario, était passé devant ses concurrents. Ignatieff et Rae étaient néanmoins desservis par une sorte de polarisation parmi les membres. En effet, les partisans de l'un affirmaient catégoriquement qu'ils ne donneraient jamais leur voix à l'autre et vice versa. Dion et Kennedy pensaient donc qu'en collaborant, ils pourraient retourner la situation à leur avantage et, ainsi, propulser l'un d'eux vers la victoire. Chacun était convaincu d'être ce futur vainqueur.

Si nous en croyons les souvenirs des deux hommes, Kennedy parla plus que Dion ce soir-là. Ce qui suggère que Dion ne se montra pas entièrement ouvert ou, tout au moins, se montra tout aussi ouvert que le lui demandait Kennedy. Tous deux venaient de prononcer leurs discours et Kennedy était plutôt euphorique. Il était sûr de s'être mieux débrouillé que Dion, dont le micro avait défailli au moment crucial, mais c'était un homme plein de tact. « Quand on vient de prononcer un bon discours, et que le voisin a eu des problèmes techniques, ce n'est pas une bonne idée de le lui rappeler… », déclara Kennedy, qui essaierait une dernière fois de persuader Dion d'accepter des chiffres, y compris un «déclencheur» à partir duquel chacun abandonnerait le terrain en faveur de l'autre. Mais Dion ne voulait toujours rien savoir. La discussion, qui avait commencé vers 22 h, se poursuivit pendant environ une heure et demie. Kennedy, cependant, se souvient qu'après que chacun eut admis le point de vue de l'autre, il ne leur fallut que deux ou trois minutes pour s'entendre.

– Très bien, Stéphane, alors, la situation se résume à ceci : qui est votre deuxième choix ?, demanda Kennedy.

– Mais c'est vous, répondit Dion.

– Et vous êtes le mien. Parfait. Pourquoi n'en restons-nous pas là ?

Et les deux hommes échangèrent une poignée de main. Après des semaines de discussions, Stéphane Dion et Gerard Kennedy avaient fini par conclure ce pacte, le seul et unique, et ce, moins d'une heure avant que l'on annonce les résultats du premier scrutin.

«En fin de compte, nous nous sommes regardés dans les yeux et je me suis dit que nous devrions nous faire mutuellement confiance, se souvient Kennedy. Nous essaierions chacun de juger du moment propice, nous resterions en contact dans la salle et advienne que pourra...»

Donc, rien n'était décidé. Pourtant, les organisateurs étaient très satisfaits. Pour la première fois, le discret Andrew Bevan, Gallois d'origine et analyste de profession, qui dirigeait les communications de la campagne de Dion, avait compris que les deux candidats s'étaient entendus et il en fut soulagé.

Il n'était toutefois pas question de conclure un marché. Kennedy se montra catégorique sur ce point : «Rien, rien, rien. Il ne m'a rien demandé et je ne lui ai rien demandé. Tout ce que nous voulions, c'était essayer de gagner. Je ne cherchais pas à obtenir une sinécure et, de toute façon, nous n'étions pas certains que l'un de nous devrait [se retirer].» Quant à Dion, il expliqua qu'il n'aimait pas le terme «marché» (*deal*). Il préférait parler d'entente. Il jugeait Kennedy «motivé, plein d'idées, plus expérimenté que moi dans certains de ces domaines. Il dominait la conversation, moi, j'écoutais, plutôt. Il était optimiste concernant l'issue de la course.» La campagne de Kennedy s'articulait autour du renouveau, expliqua Dion. «Il parlait de renouveler les méthodes et les rouages, alors que je parlais du renouveau des idées. Cela lui a plu.»

Kennedy croyait fermement pouvoir convaincre ses partisans de voter pour Dion. En revanche, ceux de Dion «semblaient un peu moins dévoués à sa cause... Quant à son choix [...] les sondages avaient révélé que j'avais les partisans les plus loyaux». Kennedy n'avait pas tort. On pourrait presque parler de culte. Bruce Young, avocat et partisan de Kennedy, grand et bâti comme un secondeur, parla de son candidat avec des larmes dans les yeux, un samedi soir à Vancouver autour d'une pizza. Il alla jusqu'à citer le discours du guerrier, dans *Henri V*, de Shakespeare: «Nous, les quelques fidèles, nous, les bienheureux, nous, les frères.» Il raconta que Kennedy, lorsqu'il était âgé de 22 ans, avait abandonné sa dernière année à l'université pour travailler dans une banque d'alimentation, alors que Young, comme la plupart des étudiants, s'intéressait plutôt aux filles et préférait faire la fête[4]. Kennedy consacrerait 13 ans de sa vie à travailler dans des banques d'alimentation, d'abord à la Edmonton Food Bank, puis à la Daily Bread Food Bank de Toronto, surtout en tant que directeur général.

Après avoir comparé leurs deux campagnes, Kennedy en avait conclu: «Chez eux, on avait l'impression que ça marchait cahin-caha. Leur organisation manquait de force, alors que nous disposions de beaucoup de gens très efficaces.» Kennedy était persuadé que sa plus grosse erreur, avant le congrès, avait été de soulever la question de sa connaissance du français. «Nous n'avons pas géré cet aspect-là nous-mêmes et je ne me suis pas débrouillé, dans certaines situations, aussi bien que je croyais en être capable, dit-il. Pour beaucoup de gens, l'équation était donc fort simple: "Nous avons besoin de Dion parce que nous avons besoin de l'appui du Québec."»

La relation entre Dion et Kennedy n'avait pas débuté sous d'heureux auspices. Ils s'étaient rencontrés pour la première fois dans un restaurant de Montréal, en juin 2006. Kennedy et son équipe observaient strictement une règle bien simple : « Il ne faut dénigrer personne. Ce ne sont pas des élections contre les conservateurs, c'est différent. Au bout du compte, tout le monde doit être dans le même camp. »

Kennedy, par conséquent, était prudent lorsqu'il devait affronter ses rivaux libéraux. Il se souvient d'avoir été provoqué par Dion, pendant un débat, et il avait une réponse toute prête : « Vous n'avez pas vraiment fait grand-chose pour faire respecter les dispositions du protocole de Kyoto ! » Mais il s'était tu. « Je n'ai rien dit. » Ce qui n'avait pas été le cas de Dion. « On l'a jugé très agressif, surtout par rapport à moi, relate Kennedy. Certains ont également pensé qu'il se montrait plutôt impoli et ce n'est pas comme ça qu'on se fait des amis. »

« Je n'ai pas toujours été très aimable envers lui pendant les débats », convient Dion. Lorsqu'ils s'étaient rencontrés à Montréal, Kennedy avait estimé que Dion « était fidèle à sa réputation, il gardait ses distances [...] et j'avais l'impression qu'il était prêt à ouvrir une longue discussion sur le menu ».

Malgré tout, ils firent une autre tentative et finirent par se découvrir des atomes crochus au cours d'un petit-déjeuner en juin. Ils discutèrent de leur travail de ministre (Kennedy avait été ministre de l'Éducation de l'Ontario), éclaircirent quelques quiproquos sur des dossiers communs et devinrent bons amis.

Kennedy avait compris que Dion était un politicien différent des autres. « C'est aussi dans cette catégorie que je me situe. Je ne sais pas comment les autres me voient, mais c'est ainsi que je me perçois moi-même. » Il avait donc cerné cet aspect important de la personnalité de Dion, qui semblait toujours aller à contre-courant de la sagesse traditionnelle. Les deux hommes se trouvaient en fin de compte sur la même longueur d'onde et c'est pourquoi ils étaient parvenus à s'entendre, ce vendredi soir, à Montréal.

Justement, c'est cette qualité de Dion qui, plus que toutes les autres, lui permit de se proposer comme candidat à la direction du parti. Il avait terminé l'année 2005 sans être éclaboussé par le scandale des commandites (et le rapport final en deux volumes du juge québécois John Gomery) qui contribuerait à placer les libéraux dans l'opposition en 2006 et réduirait à néant, après tant d'efforts, toutes les tentatives de Paul Martin de demeurer plus longtemps aux commandes du pays. Kennedy n'avait pas été le premier à voir en Dion un homme différent des autres politiciens. Dion avait réussi à conserver cette image pendant une dizaine d'années de relations privilégiées avec le premier ministre Jean Chrétien et après avoir été ministre non seulement de Chrétien, mais encore de Martin. Il est indéniable que le scandale des commandites aurait pu le dépouiller de cette aura. Mais revenons quelques années en arrière.

∿

Les débuts du «scandale des commandites» remontent à l'été 2000, lorsqu'un journaliste du *Globe and Mail*, Daniel Leblanc, entreprit d'examiner les contrats publicitaires du gouvernement fédéral au Québec. Dans la foulée du référendum de 1995, le gouvernement Chrétien avait créé un fonds de 90 millions de dollars, qui devait être consacré aux relations publiques, appelé «programme de commandites et activités publicitaires», destiné à redorer le blason du Canada au Québec, sous l'autorité du ministre des Travaux publics, Alfonso Gagliano. Les fonds devaient servir à commanditer des manifestations publiques, au cours desquelles la feuille d'érable et les logos fédéraux seraient bien en évidence.

Leblanc commença à soupçonner que quelque chose ne tournait pas rond et, avec son collègue Campbell Clark, se mit à remonter la filière de cet argent. Article après article, les deux journalistes dévoilèrent peu à peu ce qui deviendrait l'un des pires scandales de l'histoire récente du Canada.

C'est en février 2004, seulement deux mois après que Martin eut été élu premier ministre, que toute l'affaire éclata au grand jour. La vérificatrice générale, Sheila Fraser, déposa un rapport par lequel elle démontrait qu'Ottawa avait versé plus de 100 millions de dollars à des agences de publicité du Québec, qui n'avaient pratiquement rien fait. « C'est un détournement tellement flagrant des fonds publics qu'il en est choquant, déclara Sheila Fraser aux journalistes. Je suis vraiment horrifiée par ce que nous avons découvert[5]. »

Martin congédia aussitôt Gagliano, qui était à l'époque ambassadeur du Canada au Danemark, et annonça la création de la Commission d'enquête sur le programme de commandites et les activités publicitaires, qui serait présidée par le juge Gomery. Après de longues audiences télévisées, qui firent bondir la cote d'écoute de Radio-Canada au Québec et plonger la cote de popularité des libéraux, Gomery déposa deux rapports. Dans le premier, il reprochait aux libéraux d'avoir mis en œuvre un programme aussi médiocrement défini et réglementé; dans le second, il proposait des solutions. Deux directeurs d'agences de publicité et un bureaucrate fédéral firent face à des accusations criminelles, dans le cadre de procédures distinctes[6].

Dion avait été convoqué devant la commission Gomery et il comparut le 25 janvier 2005 à l'ancien hôtel de ville d'Ottawa. Son témoignage permet de comprendre pourquoi il ne fut pas éclaboussé par le scandale. Visiblement très amusé de se trouver là, il répondit aux questions sans détour, parfois avec humour. À certains moments, il adopta le ton du professeur, à d'autres celui du moralisateur indigné. À maintes reprises, il se dit opposé à l'idée d'utiliser des slogans et des logos pour remporter la bataille de l'unité au Québec. Avec la *Loi sur la clarté*, il s'était retrouvé dans des situations bien plus délicates.

L'un des procureurs de la commission, Guy Cournoyer, l'interrogea sur les réunions du Cabinet qui avaient eu lieu en 1996 à Vancouver, car c'était à cette occasion que le rapport d'un comité sur la situation au Québec avait été déposé et adopté par les ministres. Le Cabinet avait recommandé « un renforcement substantiel de l'organisation du Parti libéral du Canada au Québec » par des mesures telles que l'embauche d'organisateurs et le ciblage des circonscriptions. « N'est-il pas étonnant que, dans un document préparé pour le Cabinet par des ministres, des considérations qu'on peut associer à la politique partisane plutôt qu'à l'administration publique se soient retrouvées dans le document ? », demanda Cournoyer à Dion. « Oui, c'est étonnant, répliqua Dion. Je peux vous dire qu'en neuf ans de vie politique, je ne me souviens pas d'avoir vu ça. Ça, c'est probablement le premier document que j'ai lu qui venait du gouvernement. Ça ne m'a peut-être pas frappé à l'époque, mais ici, avec le recul, je suis étonné que des fonctionnaires se lancent dans ce genre de considération qui relève de la vie politique partisane[7]. »

Dion affirma ne pas savoir exactement à quel moment il avait appris l'existence du programme de commandites. Il ne se souvenait pas d'en avoir entendu parler au Cabinet. Mais l'idée ne lui plaisait pas. D'ailleurs, il avait déclaré à des journalistes en mai 2002 qu'il n'avait jamais vu quelqu'un changer d'avis sur la question de l'unité canadienne simplement après avoir assisté à une manifestation commanditée. Il dit à la commission Gomery que cette remarque avait été utilisée pour embarrasser Chrétien. Cournoyer l'interrogea sur sa relation avec Chrétien et lui demanda comment il avait pu ignorer que les fonds étaient utilisés pour commanditer des manifestations, alors qu'ils devaient être gérés par le ministère des Affaires intergouvernementales. « Le ministère des Affaires intergouvernementales est au Conseil privé », expliqua Dion, comme s'il donnait un cours d'administration publique. « Le ministère des Affaires intergouvernementales se trouve directement sous la responsabilité du premier ministre et ne peut pas fonctionner de façon efficace s'il n'a pas une relation étroite avec le premier ministre[8]. »

Dion insista sur l'étroitesse de son lien avec Chrétien, qu'il admirait, affirmant qu'il pouvait le joindre au téléphone à n'importe quel moment. Néanmoins, ils n'avaient pas discuté de la question des commandites, poursuivit Dion, et un fonds consacré à l'unité avait été géré par le premier ministre. «J'avais, évidemment, pleinement confiance en Chrétien, sinon, je ne serais pas venu en politique[9].» Dion affirma ne pas avoir su que le fonds était censé être secret; si des journalistes l'avaient interrogé à ce sujet, il n'aurait pas hésité à le mentionner. Il continua de se montrer sceptique sur l'efficacité d'un programme de ce genre pour renforcer l'unité canadienne.

Après avoir témoigné, Dion retourna au ministère de l'Environnement, afin de déposer son Projet vert au printemps 2005 et de préparer la Conférence des Nations Unies prévue pour la fin de l'année. Lorsqu'il commença à demander à des amis et à des collègues ce qu'ils pensaient de sa candidature à la direction du parti, au début de 2006, personne ne sembla penser que le scandale des commandites diminuerait ses chances de réussite.

Quand les adhérents du parti entreprirent de déplorer, en 2006, la politique traditionnelle, l'effondrement du moral des troupes, les effets désastreux de la querelle Martin-Chrétien, le legs du scandale des commandites – certains témoins avaient carrément mentionné des porte-documents bourrés de billets de banque –, ils ne semblèrent pas placer Stéphane Dion dans le même panier que le reste de leurs politiciens.

Naturellement, Dion avait subi de virulentes attaques au Québec et avait payé ses idées très cher, mais le fond du problème était la *Loi sur la clarté* et non le scandale des commandites. Sa qualité d'homme venu de l'extérieur lui avait acquis, bon gré mal gré, le respect de ses ennemis. Il possédait une intégrité à toute épreuve et ses actes, même aux yeux de ceux qui les jugeaient inacceptables, semblaient toujours guidés par l'honnêteté. Ses partisans louaient cette intégrité. Adam Campbell, président du parti en Alberta, compara l'appui dont jouissait Dion à Montréal à un «mouvement populaire. Je ne parle absolument pas d'une révolte, mais d'un grand nombre de gens qui se disaient: "Nous sommes des libéraux et Stéphane Dion représente ce que nous recherchons dans le Parti libéral." [...] J'ai compris cela dès le départ. Je savais que c'était à cela que nous nous préparions. [...] Les gens en avaient assez des beaux parleurs. Nous n'en voulions plus. Stéphane représente ce sentiment collectif, un chef abordable, raisonnable, qui sait parler aux gens[10]».

En 2006, le jugement des médias s'était adouci, surtout à la suite de la Conférence des Nations Unies. Les Québécois avaient vu le monde entier arriver à Montréal. Serge Chapleau avait commencé à caricaturer Dion sous les traits d'une souris plutôt que d'un rat. Et, sous le titre, «La réhabilitation de Stéphane Dion», André Pratte, éditorialiste influent de *La Presse*, jugea d'un œil favorable la candidature de Dion à la direction du parti, que l'on annonça le 7 avril 2006. Selon Pratte, Dion méritait que le Québec lui accorde une seconde chance et il affirma que la *Loi sur la clarté* n'était pas si regrettable, après tout. Les sondages indiquaient que les Québécois en étaient progressivement arrivés à accepter sa logique et que si le Québec souhaitait se séparer un jour, le plus important, pour tout le monde, serait d'éliminer toute ambiguïté dans les résultats d'un référendum. Pratte reprit des arguments que Dion avançait depuis longtemps. Il avait choisi le Palais des congrès pour lancer son projet. «N'était-ce pas l'endroit idéal?», s'enquit Pratte, qui poursuivit: «Bien qu'il ait consacré l'essentiel de son discours au développement durable, la première question des journalistes a porté sur [...] la *Loi sur la clarté*. Preuve que le "plan B" dont il est le fier géniteur lui restera éternellement collé à la peau. [...] Il est pourtant temps que les Québécois modifient leur perception de ce politicien distinct. On peut trouver que M. Dion n'a pas une personnalité attachante. On peut s'être opposé au "plan B" et avoir constaté que la stratégie n'a pas réglé la question québécoise. Mais il faut dire que Stéphane Dion n'est pas du tout le monstre que ses adversaires ont pris un malin plaisir à faire de lui[11].»

Il est impossible de fixer le moment précis où Stéphane Dion subit la métamorphose qui lui permettrait de faire une démonstration de l'art qu'est la politique à Gerard Kennedy, à Montréal. Mais Peter Donolo, politicologue astucieux qui avait été directeur des communications de Jean Chrétien, observa le changement en mars 2006, lorsque tous deux participèrent à une table ronde de sciences politiques à l'Université Concordia de Montréal. «J'ai donné une communication qui m'a semblé être beaucoup plus professorale que celle de Stéphane. J'ai compris à ce moment-là qu'il avait franchi le pas, qu'il avait effectué la transition entre le rôle d'universitaire et celui de politicien», explique Donolo. Lorsque Dion déclara songer à présenter sa candidature à la direction du Parti libéral, Donolo se dit que «ce n'était plus le Stéphane Dion de 1995 qui prononçait ces paroles». Bien que, selon lui, Dion n'eût guère de chance de l'emporter, il estimait toutefois que, pour gagner à la loterie, il fallait commencer par acheter un billet. En outre, Donolo, qui avait été impressionné par l'œuvre de Dion à Ottawa, était d'avis que son collègue «élèverait le niveau du débat[12]». ·

Beaucoup de gens réagirent par le scepticisme à l'annonce de la candidature de Dion. Sur la Colline du Parlement, l'ancien adjoint du ministère de l'Environnement, Jamie Carroll, expliqua à Dion, en termes clairs et sans ambages, à quel point il lui serait difficile de lancer une campagne que l'on prendrait au sérieux. Quant à une victoire, n'y pensons même pas. Ses opposants éclatèrent carrément de rire.

Ses amis aussi, d'ailleurs. Graciela Ducatenzeiler invita quelques-uns des anciens collègues d'université de Dion, soit une dizaine de personnes, à manger un vendredi soir. «J'ai l'intention de me lancer dans la course», annonça Dion. «Non! Impossible! Toi, Stéphane? Oh non! Tu n'as pas besoin de ça!», fut la réaction générale. Denis Saint-Martin pouffe encore de rire lorsqu'il se souvient de ce qu'il a dit à son ami, ce soir-là: «Tu perdras tout le joli capital politique que tu as accumulé l'an dernier grâce au protocole de Kyoto.» Il conseilla à Dion d'utiliser ce capital pour se rendre indispensable au nouveau chef... qui serait quelqu'un d'autre que lui. «C'est donc ce que je lui ai conseillé. Naturellement, il n'a pas suivi mes conseils[13].»

Dans l'autre camp se faisaient entendre quelques voix, moins nombreuses, mais peut-être plus significatives. La sénatrice Shirley Maheu avait cru en Stéphane Dion. Cette femme de 75 ans, dotée d'une personnalité pétillante, faisait de la politique municipale et fédérale depuis plus d'un quart de siècle. Bien que sa santé fût déjà chancelante, elle fit l'effort, au soir des élections fédérales, le 23 janvier 2006, de se rendre au siège de la campagne dans la circonscription de Saint-Laurent-Cartierville. Après la fermeture des bureaux de vote à 20 h, bien des gens attendaient les résultats.

Shirley Maheu monta sur l'estrade pour déclarer à la foule qu'un jour Dion serait premier ministre du Canada. «Elle en était sûre, sûre à 110 %», se souvient Loïc Tassé, jeune universitaire qui avait fait la connaissance de Maheu lorsqu'il avait commencé à travailler pour Dion. «Elle était déjà très malade et pour prononcer son discours, elle a dû accomplir un effort extraordinaire. Elle avait une tumeur au cerveau, vous savez, elle souffrait énormément. Mais si elle était avec nous ce soir-là, c'était parce qu'elle y croyait vraiment. Lorsqu'on y repense, c'était très touchant. [...] Une femme exceptionnelle[14].»

Dès que la réélection de Dion eut été assurée ce soir-là, il se rendit dans la circonscription de Paul Martin, LaSalle-Émard, pour y attendre la défaite du gouvernement et l'annonce du départ de Martin. Dans le véhicule, se trouvaient Dion, Janine Krieber, leur fille Jeanne, âgée de 18 ans, l'adjoint politique Gianluca Cairo et, au volant, André Lamarre. Plus tard, pendant que la famille Dion-Krieber retournait à son domicile, près du chemin de la Côte-des-Neiges, au centre-ville de Montréal, la conversation s'orienta vers le remplacement de Martin. C'est alors que Janine suggéra à son époux de présenter sa candidature. Au cours des semaines suivantes, d'autres émettraient la même suggestion. Certaines personnes prodigueraient des conseils et des encouragements. Mais aucun de ces encouragements n'aurait l'impact émotionnel de la dernière apparition en public de la sénatrice Shirley Maheu, qui avait révélé à quel point elle croyait en Dion. Le temps n'est jamais plus précieux que lorsqu'on sait qu'il est compté. En offrant son temps à Dion, Maheu l'avait pratiquement couronné.

Il y avait aussi Janine. «Je doute fort qu'il vous écoute», avait-elle dit à Denis Saint-Martin et aux autres convives de Graciela[15]. Ce qu'elle voulait dire, c'est qu'elle-même n'avait pas l'intention de les écouter. «La vie est courte, répétait-elle souvent à Stéphane. Ne fais pas ce que tu crois devoir faire, mais ce que tu veux faire.» Elle savait qu'il voulait présenter sa candidature, elle était tout à fait d'accord. Son opinion comptait. Janine n'avait jamais été du genre à faire connaître ses opinions à tout le monde. En groupe, elle avait tendance à se tenir tranquillement en retrait pour prendre des photos. Mais sa relation avec Dion était sans conteste fondée sur le partenariat.

Il faut néanmoins se garder de comparer le couple Dion-Krieber avec le modèle «deux pour un» représenté par Bill et Hillary Clinton au début des années 90. Janine elle-même décrivit la dynamique de leur mariage: «Je ne lui donne pas de conseils, nous discutons[16].» Mais elle put offrir à Dion une expérience directe dans des domaines qu'il ne connaissait guère, du système international de justice pénale à l'étude du terrorisme. La liste de ses publications était impressionnante et, en 2006, elle était devenue une spécialiste renommée des questions de sécurité. Elle s'était rendue en Afghanistan, avait collaboré avec le Service canadien du renseignement de sécurité (SCRS) sur des dossiers confidentiels, entrepris des recherches pour le ministère fédéral de la Défense nationale et participé à d'autres travaux touchant au renseignement[17].

Janine Krieber était aussi artiste. Plusieurs de ses tableaux, qui représentaient des Afghanes, décoraient son domicile de Montréal. Elle ne manquait pas non plus de repartie. Lorsqu'un journaliste de la *Gazette*, Jeff Heinrich, lui demanda en décembre 2006 si elle avait rapporté une *burka* en souvenir de son voyage en Afghanistan, elle rétorqua qu'elle ne collectionnait pas les «instruments de torture». Pendant le congrès de Montréal, elle prit le temps d'aller fumer à l'extérieur, en compagnie de son amie Marta Wale, l'une des partisanes de Dion, et, après la victoire de son mari, elle leva les yeux au ciel à l'idée de tout ce que diraient les médias de cette vilaine habitude. Wale commenta en riant: «Quiconque s'attend à trouver en Janine une épouse politiquement correcte risque d'être très déçu[18].»

Janine affirma à son mari que «s'il présentait sa candidature, il avait de bonnes chances de gagner». Il attirait les jeunes partisans dynamiques, dit-elle, parce qu'ils «avaient l'impression de pouvoir changer les choses. Dans son groupe, tout le monde avait voix au chapitre, pas seulement une petite clique. Il n'y avait pas de cercle d'initiés, pas d'organisation du tout, en réalité.»

Elle avait bien raison. Peu à peu, Dion réussit à attirer des partisans importants, mais jamais en quantité aussi phénoménale que Ignatieff, Rae ou Kennedy. Il téléphona à un ancien ministre libéral, Don Boudria, qui avait été lui aussi exclu du Cabinet en 2003. Plus tard, Dion admettrait: «Si Don m'avait dit dès le départ que ma candidature était vouée à l'échec, je ne crois pas que je me serais présenté. Mais il m'a demandé 24 heures de réflexion. Lorsqu'il m'a rappelé, c'était pour me dire: "Non seulement je crois que vous devriez vraiment vous présenter, mais encore si vous le faites, je suis prêt à vous fournir toute l'aide dont vous aurez besoin."» Boudria deviendrait l'un des principaux conseillers de Dion.

Jamie Carroll n'aurait pas de titre officiel, mais Dion savait qu'il était bien accroché. «Cet homme me fait penser à la marée qui monte», dirait Norman Wale, de la démarche progressive que Dion utilise pour attirer les gens dans son camp. Petit à petit, petit à petit... Carroll enrôla son amie, Megan Meltzer, qui avait des contacts partout au pays et qui se chargea de réunir des fonds[19].

C'est Megan qui contribua à mobiliser Marissen et sa grande expérience de la politique. Le 26 avril 2006, Dion avait pris un vol en classe économique pour Vancouver, afin d'assister à une réunion du Parti libéral, mais, en réalité, c'était pour faire la connaissance de Marissen. Le vendredi matin, il avait prononcé un discours plutôt terne devant les libéraux de la Colombie-Britannique. Ce soir-là, dans la maison que Mark Marissen partageait avec son épouse, Christy Clark, ancienne vice-première ministre libérale de la province, et leur fils Hamish, âgé de trois ans, Dion prononça le meilleur discours de sa vie. Debout en haut d'un escalier, il parla devant une centaine de personnes. Carroll lui avait dit de porter des jeans et de parler spontanément, sans utiliser des notes couvertes de gribouillis. «Il a parlé du pays, il a répété que nous ne voulions pas devenir étrangers les uns par rapport aux autres. Il y a mis du sentiment, mais aussi beaucoup de classe. Cela m'a confirmé que c'était un type bien et que les gens l'aimaient», dit Marissen, qui avait prévu recevoir tous les candidats chez lui. Dion était le deuxième, après Scott Brison, député de la Nouvelle-Écosse, que Marissen avait accueilli quelques semaines plus tôt. Mais le lendemain matin au petit-déjeuner, qui se déroula au centre-ville de Vancouver, Marissen annonça à Dion, à Carroll et à Cairo qu'il se joindrait à eux. Quelques jours plus tard, il avait accepté le poste de directeur de la campagne. «Cela a été l'entretien politique le plus absurde de ma vie», dit-il. Il alla jusqu'à inventer un nouveau mot, qui ne tarderait guère à se propager: «dionesque». Carroll et Cairo étaient euphoriques à l'idée d'avoir pu l'enrôler. Quant à Dion, il tenta de faire un chèque de 400 $ à l'ordre de Marissen, pour rembourser les frais d'organisation de la soirée de la veille. Cependant, Marissen lui affirma que ce serait la première dépense à inscrire au budget de la campagne.

Dion mena sa campagne comme il menait sa vie quotidienne, c'est-à-dire sans avoir peur des contradictions. Il pouvait se montrer extrêmement astucieux; la démarche qu'il adopta face à Kennedy – «la politique n'est pas une science» – le démontre. Mais il ne manquait pas non plus de cran et il le prouva lorsqu'il défendit le gouvernement de Chrétien, alors que les autres candidats à la direction du Parti libéral préféraient faire semblant de croire que tout ce qui s'était passé entre Trudeau, en 1968, et le présent n'avait jamais existé. Naturellement, Jean Chrétien fulminait de voir que son legs politique suscitait la même réaction qu'un poisson avarié. Le soir des élections du chef du parti, à Montréal, il fit des sourires à l'auditoire, en compagnie de deux autres anciens premiers ministres libéraux, Paul Martin et John Turner. Mais dans un entretien, il dénonça «toute cette hypocrisie» (et estima que tenter d'expulser Dion de sa circonscription en 2004 avait été «une manœuvre totalement idiote»). Au sujet du scandale des commandites, il déclara: «Trois types ont été reconnus coupables [...] et aucun d'eux n'était un libéral. [...] Absolument personne [de son gouvernement] n'a été accusé de quoi que ce soit. [...] Je ne dis pas qu'il n'y a pas eu d'erreurs.» Il n'avait qu'une hâte, achever les mémoires qu'il était en train d'écrire[20].

Dion possédait un instinct sûr, qui était souvent en évidence. «Je ne pense pas qu'il soit naïf, commenta son ami Norman Wale. Il est, je crois, plutôt dégourdi. [...] Vous savez, une carrière universitaire est un champ de mines: jalousie, intrigues, rivalités... La politique fédérale, c'est un jeu d'enfant à côté de ça[21].»

Ce qui n'empêchait pas Dion de paraître quelquefois politiquement naïf. Jamie Carroll en donne un exemple. Au début de 2006, les gens commençaient à se douter que Dion était sur le point de se lancer dans la course à la direction. Il confirma ces soupçons en participant à une réception organisée en l'honneur de Sheila Copps et en faisant l'effort de discuter avec une bonne partie des invités. Pourtant, tout le monde savait qu'il n'était pas fort sur le bavardage et qu'il évitait ce genre de mondanité.

Quelques jours plus tard, Carroll se trouvait en voiture avec Dion et l'écoutait discuter au téléphone avec la journaliste Joan Bryden. Il s'agissait visiblement d'une conversation privée, mais Carroll entendit clairement Dion expliquer à sa correspondante qu'il songeait à présenter sa candidature, mais qu'il ne savait que faire parce que ses partisans voulaient qu'il achète des voix. «Je l'ai pratiquement assommé pour le faire taire, se souvient Carroll. "Pour l'amour du ciel! Il ne faut pas commencer à raconter à Joan que nous allons acheter des voix!"», s'exclama-t-il, du siège arrière. Dion venait d'apprendre que les membres de sa campagne devraient commencer à recruter de nouveaux adhérents, comme ça se fait dans toutes les autres campagnes, avant l'échéance de juillet. Ce jour-là, en voiture, Carroll frôla l'apoplexie.

Autre exemple, le désaccord entre Carroll et Dion au sujet du «super week-end», en septembre 2006. La campagne battait son plein. Bevan et Brian Guest, qui s'occupait du site Web et gérait les dossiers des adhérents, étaient venus grossir l'équipe. Marissen avait enrôlé Denise Brunsdon, jeune libérale, étudiante en économie à McGill et très versée en technologie. Elle avait créé le cybercarnet de la campagne, un outil crucial. D'autres candidats l'avaient pressentie, y compris le grand gardien de but, Ken Dryden, qui l'avait emmenée voir les Canadiens jouer pendant les éliminatoires à Montréal. Quant à Herb Metcalfe, stratège chevronné, il avait adopté le rôle de «père des jeunes équipiers», pour reprendre son expression. Geoffroi Montpetit s'occupait du programme politique, tandis que Lamarre était directeur des relations avec les médias. La campagne ne roulait pas sur l'or, mais on prit la décision de continuer à faire voyager Dion pendant l'été. «Nous voulions qu'il demeure très présent, explique Bevan, car nous savions que même si les débats officiels étaient prévus pour la fin de l'été, les [libéraux] n'allaient pas passer trois mois à dormir. S'il y avait un temps mort, nous voulions être sûrs de pouvoir en profiter. Notre idée était d'exploiter chaque instant.»

Pendant cette période d'activité frénétique, alors que Carroll et Dion se trouvaient un jour dans leur véhicule, Dion demanda, sur un ton parfaitement innocent: «Bon, maintenant, comment allons-nous procéder?» Il faisait allusion à la stratégie qu'il devrait adopter à l'occasion du «super week-end». Carroll répondit que l'idéal serait d'obtenir entre 16 et 19% des voix, puis de décider à quoi ils consacreraient leurs ressources pendant les deux derniers mois de la campagne. De l'avis de Carroll, la troisième place serait déjà enviable, mais ils se contenteraient de la quatrième. «Dion est monté sur ses grands chevaux, se souvient Carroll. *"Seulement 16 %?*, a-t-il dit. Mais pourquoi? Nous devons viser la victoire!"»

Dion ne sembla pas comprendre l'explication de Carroll, soit qu'avec huit concurrents en lice, et tout, et tout. «Je ne l'avais jamais vu demeurer en colère aussi longtemps», avoua Carroll. Même après l'évidente réussite du «super week-end» (ils auraient aimé voir arriver un nombre supérieur de délégués, mais enfin…), Dion ne lui présenta aucune excuse. «Pour Dion, la garde meurt, mais ne se rend pas», résuma Carroll.

La relation entre Jamie Carroll et Dion – qui était à peu près deux fois plus âgé que son adjoint – était selon toute évidence très étroite. Elle était un peu semblable à celle que Dion avait entretenue avec Chrétien. «Personne ne comprend Stéphane aussi bien que Jamie», expliqua Megan Meltzer en 2007, après avoir quitté le Parti libéral pour accepter un poste au Comité des affaires politiques canadiennes juives. «Jamie a véritablement les intérêts de Stéphane à cœur et il est capable de lui dire en face si, d'après lui, Stéphane vient de faire une bêtise ou une erreur. Et Stéphane le sait. [...] Jamie est le seul à lui avoir toujours dit la vérité.» D'ailleurs, c'était à lui que s'adressaient tous les autres membres de la campagne pour résoudre un problème, conclut Megan[22].

La campagne pro-Dion connut ses heures les plus noires un samedi de septembre dans un cégep de Montréal. Dion fut hué, car il avait reproché à l'auditoire d'avoir hué Bob Rae un peu plus tôt. Il y avait là une douzaine d'autres personnes, des représentants d'autres campagnes, mais à la télévision, on avait eu l'impression que toute la salle s'était retournée contre lui. Dion avait voté contre une résolution de l'aile québécoise du parti, qui reconnaissait le Québec comme une nation. Il affirma que ses années en politique lui avaient appris à quel point cette question était semée d'embûches. Ignatieff, quant à lui, avait appuyé la résolution. La rumeur courait que Janine Krieber l'avait imité (ce qui n'était pas vrai) et les candidats se trouvèrent englués dans le débat.

La question serait réglée par le premier ministre Stephen Harper, qui déposerait une résolution devant la Chambre, dans laquelle le Québec était considéré comme « une nation au sein du Canada ». Mais le discours que Dion avait prévu de prononcer sur l'unité nationale fut délaissé lorsqu'il se mit à réprimander l'auditoire. À la télévision, on eut l'impression qu'il sermonnait la foule. Carroll en fut horrifié. « Mais enfin, qu'est-ce que c'est que ça ? », demanda-t-il à Dion, comme le raconterait Paul Wells dans *Maclean's*[23].

Ce n'était pas fini. Bevan et Carroll avaient hâtivement essayé de recoller les pots cassés au téléphone. Ils étaient certains d'une chose, ils ne laisseraient pas Dion donner de conférence de presse, surtout pas à ce moment-là. Mais, dans sa chambre à Ottawa, Bevan alluma son poste de télévision pour voir Stéphane Dion au milieu d'un point de presse à Montréal. Il se prit la tête dans les mains. Ça ira mieux demain, se dit-il, le pire doit être passé.

~

Il avait raison. Au Palais des congrès de Montréal, le 2 décembre, on annonça les résultats du premier scrutin, peu après minuit : ils étaient pratiquement identiques à ceux du « super week-end » :

Michael Ignatieff : 29,3 % (1412 voix)
Bob Rae : 20,3 % (977 voix)
Stéphane Dion : 17,8 % (856 voix)
Gerard Kennedy : 17,7 % (854 voix)

Dion avait obtenu deux voix de plus que Kennedy. La presse canadienne relata ultérieurement que certains partisans de Kennedy avaient décidé de voter pour Martha Hall Findlay, afin de démontrer leur solidarité envers la seule femme sur la liste des candidats. « J'ai entendu dire qu'il y en avait quatre, puis qu'il y en avait six », déclara Kennedy, déçu. Katie Telford lui avait envoyé les résultats au moyen de son BlackBerry et il n'interrogerait pas les délégués à ce sujet. Il pensa qu'ils devaient se sentir déjà suffisamment mortifiés. «Ils se sont dits qu'ils pouvaient se permettre de voter pour Martha lors du premier scrutin», expliqua Kennedy, encore éberlué par la tournure des événements, six semaines après. «Nous avions des gens partout et ils ont fait du bon travail.» Mais cela n'avait pas suffi.

Venait ensuite le peloton, soit les députés Dryden (Toronto Centre), Brison (Kings-Hants), Joe Volpe (Eglington-Lawrence), et l'avocate de Toronto, Martha Hall Findlay, avec moins de 5% des voix. Du coup, Hall Findlay se trouva automatiquement exclue du scrutin suivant et Volpe annonça qu'il donnait ses voix à Rae, lequel se déclara «enchanté».

Les partisans de Dion étaient aux anges. À deux voix près, il se trouvait en troisième position. C'était une victoire psychologique. «C'est là que j'ai vraiment compris!», s'exclama Denise Brunsdon. Pour Bevan, la soirée rapporta un double dividende : l'entente Kennedy-Dion et son corollaire. Kennedy ne cessa pas de travailler et, invité à une soirée organisée par Dryden à l'hôtel InterContinental, il rendit visite aux délégués qui y logeaient, «recueillant des voix grâce à un excellent discours».

Ce soir-là, Dion lui aussi fit la fête. Janine Krieber appela Marta et Norman Wale, qui logeaient à l'hôtel Place d'Armes, vers minuit et demi. «Venez donc prendre un verre», dit-elle. Le groupe venait de s'installer lorsqu'on leur annonça que Rae et Ignatieff étaient en train de mobiliser des appuis à la réception organisée par Dryden. Stéphane et Norman décidèrent de s'y rendre, eux aussi. Janine et Marta continuèrent de bavarder jusqu'à 5h30 du matin.

Personne ne dormit beaucoup cette nuit-là.

⌇

Le samedi matin, Martha Hall Findlay décida de donner ses voix à Dion, tandis que Brison donnait les siennes à Rae. Certes, Hall Findlay n'avait pas remporté beaucoup de suffrages, mais tout le monde l'aimait bien. Elle vint chercher Dion à son hôtel dans son minibus rouge et lui fit faire symboliquement le tour du pâté de maisons avant de le déposer au Palais des congrès.

Jusqu'à présent, c'était Rae, encore Rae, toujours Rae, selon Denise Brunsdon. Heureusement, quelqu'un avait fini par donner ses voix à Dion[24]. Il y avait du nouveau ce matin. Sur les conseils d'une ancienne organisatrice des campagnes du Parti progressiste-conservateur, Susan Walsh, l'équipe de Dion avait ajouté le vert aux couleurs de la campagne. L'accueil avait été très positif. Ce projet était resté ultrasecret. Marissen avait prié ses assistants de ne pas le mentionner dans leurs appels sur cellulaire.

Dion arriva dans un océan de vert. Marta Wale se trouvait dans la foule qui l'accueillit. « Lorsqu'ils sont entrés, c'était comme si une garde d'honneur les attendait. Stéphane était sous le choc. Peut-être seuls les gens qui le connaissaient bien s'en sont-ils aperçus, mais je l'ai vu dans ses yeux. Je suis sûre qu'il ne s'en souvient même pas, mais il était absolument ébahi. Vous savez, Stéphane n'a pas un ego immense. C'est un drôle de politicien. »

Le deuxième scrutin avait commencé à 9 h et on attendait les résultats vers midi. Mais autour de 11 h 40, Janine eut la frousse lorsqu'elle vit Ignatieff et Rae en pleine discussion dans la salle du congrès. Dion et Kennedy avaient tenu une brève rencontre un peu plus tôt, « simplement pour nous dégourdir les jambes », avait assuré Kennedy. Mais Ignatieff et Rae semblaient sérieux. Janine avait entendu, le soir précédent, des commentateurs qui estimaient que Dion n'avait pas de chance de gagner. Elle craignait que les deux favoris n'aient conclu une entente.

Norman Wale conclut l'inverse. « Lorsque j'ai vu Rae s'entretenir avec Ignatieff, j'ai compris qu'ils n'étaient pas parvenus à s'entendre. Le langage corporel n'était pas positif. » Il en parla à Marta, qui appela Janine. « Elle se trouvait dans la salle avec Stéphane, elle était tellement tendue !, dit Marta. Je lui ai expliqué que Norman avait compris la stratégie et que tout irait bien.» Quant à Marissen, il estimait que, de toute façon, Rae et Ignatieff n'avaient aucun intérêt à s'allier. Je me suis dit que les gens allaient voter pour nous, maintenant, parce que si ces deux-là décidaient de s'allier, ça ne marcherait pas. Tout le monde penserait qu'il se tramait quelque chose de bizarre au sein du Parti libéral. Ça, c'est le vieux parti, tandis que le nouveau parti, c'est [Dion], là-bas.»

À 11 h 55, on annonça les résultats du deuxième scrutin:

Ignatieff: 31,6 % (1481 voix)
Rae: 24,1 % (1132 voix)
Dion: 20,8 % (974 voix)
Kennedy: 18,8 % (884 voix)
Dryden: 4,7 % (219 voix)

Les 20 plus longues minutes de la vie de Kennedy commencèrent à ce moment-là. «Je suis doué pour les chiffres, vous savez, j'ai toujours été capable de les lire et je me plais à croire que ma démarche a été à la fois pratique et idéaliste.» Et l'amateur de chiffres n'aimait pas ceux qu'il avait devant les yeux. Si Ignatieff stagnait, Rae semblait progresser et Kennedy se trouvait à la quatrième place, qu'il redoutait, exactement comme au premier scrutin, mais cette fois, il avait 90 voix de retard sur Dion, au lieu de deux. Le moment décisif était venu, mais ce n'était pas le genre de décision qu'il s'était attendu à prendre le soir précédent. Ses propres paroles lui revinrent en tête: il ne faut pas trop attendre pour prendre une décision, sinon, il risque d'être trop tard. Lorsqu'on annonça les résultats, les caméras étaient braquées sur lui. «J'avais ces chiffres dans la tête, mais je savais qu'il fallait sourire pour les caméras, même si rien n'allait plus.»

Après l'annonce des résultats, les candidats avaient 15 minutes pour annoncer au président du scrutin s'ils souhaitaient que leur nom soit retiré des prochains bulletins de vote. Tic-tac-tic-tac.

Kennedy commença à discuter rapidement avec son frère Edward, avec son père Jack, puis avec le reste de son équipe.

Dryden «sortait de la course. M. Rae semblait être le choix le plus sûr et j'ai eu l'impression que M. Dryden allait probablement lui donner ses voix». Kennedy avait raison. Dryden avait obtenu 219 voix et Kennedy savait qu'il lui en fallait plus de la moitié. La situation ne paraissait guère favorable. Son discours ne lui avait pas rapporté les «dividendes» escomptés. Il croyait pouvoir trouver les voix nécessaires au congrès, mais pas nécessairement lors du scrutin suivant. Tic-tac.

Le principal stratège de sa campagne, Navdeep Bains, était en pleine interview avec les journalistes de la CBC, dans une loge située à l'autre extrémité du vestibule. «Allez chercher Nav!», hurla quelqu'un. Toute l'équipe forma un petit groupe serré: Kennedy, Katie Telford, Rob Silver, Amanda Alvaro (attachée de presse), David MacNaughton et les députés, Holland, Chan et Bains, qui arrivèrent en courant. «Nous savions que le deuxième scrutin serait décisif, mais Gerard n'avait pas entièrement saisi qu'il lui faudrait prendre une décision en quelques instants. [...] Dans son esprit, il se voyait confortablement installé dans une salle de réunion, un verre de scotch à la main, en train de peser le pour et le contre. Il n'imaginait pas que ce serait comme une mêlée au football», commenterait Silver[25].

«Je n'avais qu'une question: devais-je rester ou m'en aller?», se souvient Kennedy, qui voulait obtenir l'avis de chacun de ses équipiers. «À ceux qui me conseillaient de rester, je demandais: "Savez-vous d'où viennent ces 30 délégués? Quinze? Dix? Le savez-vous vraiment? Parce que tout cela, ce n'est pas de la rigolade pour moi!"» Certains étaient «choqués» à l'idée qu'il pourrait se retirer. En dépit de tout ce que l'on avait pu dire sur l'éventualité de négociations, ils n'y croyaient pas. La pression était énorme. Dans la tête de Kennedy, il y avait une petite phrase qui revenait tout le temps, comme un mantra: «Le temps passe... Le temps passe...»

Kennedy demanda aux membres de l'équipe d'appeler les gens. Il voulait savoir. «Puis Katie leva la tête. Elle était assise par terre, elle est déjà très petite, mais elle a levé les yeux vers moi et, dans son regard, j'ai compris ce qui se passait.» C'est à ce moment-là qu'il décida de se retirer. Il n'aurait jamais suffisamment de voix pour continuer. Quelqu'un lui présenta une feuille de papier, qu'il signa sur-le-champ, afin d'autoriser le président du scrutin à retirer son nom de la liste. Il était temps, car quelques bulletins de vote affichant son nom avaient déjà été imprimés.

À l'aide de son BlackBerry, Silver envoya un message à Jamie Carroll: «C'est terminé.» Carroll répondit aussitôt: «Que voulez-vous dire? Qu'est-ce qui est terminé?» Il pensait que Kennedy avait pris la décision de ne pas honorer l'entente.

Les loges des candidats formaient une file horizontale devant la scène. Entre Kennedy et Dion se trouvaient Brison (qui appuyait Rae), Rae, Ignatieff et Hall Findlay. Carroll et Silver avaient discuté de l'emplacement des loges et décidé de placer leurs patrons respectifs aussi loin que possible l'un de l'autre, pour permettre au perdant de se diriger de la manière la plus théâtrale possible vers la loge du gagnant, afin de bien montrer où irait désormais son allégeance. Mais le moment venu, ils le regrettèrent, car pour Kennedy, ces quelques pas furent une vraie torture. («Les pas du survivant», comme dirait plus tard Kennedy lui-même.) Blême, il se fraya un chemin à travers la foule, poursuivi par les journalistes. Son épouse, Jeanette Arsenault-Kennedy, marchait derrière lui, en le tenant par la main. Elle sanglotait, le front appuyé contre l'épaule de son mari et, dès qu'ils s'en aperçurent, les journalistes comprirent qu'il abandonnait.

«Une journaliste, une blonde, essayait de tendre un micro et a frappé ma femme à deux reprises sur la tête [...] Deux fois, je vous dis! Une fois, encore, cela aurait pu être un accident, mais deux? Bang! Bang! Quel comportement barbare!»

Kennedy s'efforça de protéger son épouse. Il passa devant les loges de Rae et d'Ignatieff sans s'arrêter. Au fur et à mesure qu'il avançait, il voyait les lueurs d'espoir s'allumer dans les yeux des autres équipes. Puis, plus rien.

Dion était sur le point de faire une pause. «Dites-lui de rester là», déclara Kennedy. Enfin, ils se retrouvèrent face à face. «Me voici», dit Gerard Kennedy. «Je vous remercie infiniment», répondit Dion. Janine et Jeanette s'enlacèrent. «Stéphane, lui, a gardé son sang-froid, se souvient Kennedy. Je dois quand même préciser qu'il avait l'air plutôt étonné.» Peut-être qu'Ignatieff et Rae avaient aussi essayé de s'entendre, mais c'était trop tard. Personne ne pouvait battre l'entente que Dion et Kennedy venaient de conclure dans la salle du congrès.

Les partisans de Kennedy émirent soudain le désir d'exhiber quelque chose de vert. Denise Brunsdon se tenait à l'extérieur du bureau de scrutin, suppliant les partisans de Dion de donner quelque chose aux ex-partisans de Kennedy. «Vous avez une casquette, vous avez une écharpe, vous avez un t-shirt. Ne me dites pas que vous ne pouvez pas vous passer de l'un ou de l'autre!»

Le scrutin se déroula sans anicroche et, à 14 h 45, on annonça les résultats:

Dion: 37 % (1782 voix)
Ignatieff: 34,5 % (1660 voix)
Rae: 28,5 % (1375 voix)

Rae devait donc se retirer. Kennedy avait tenu promesse. Entre le deuxième et le troisième scrutins, Dion avait été catapulté en première place. Il était passé de 974 à 1782 voix, soit un bond phénoménal de 808 voix. Kennedy avait 884 voix lorsqu'il s'était retiré. Bien qu'on n'eût aucun moyen de s'en assurer, Dion avait certainement récupéré les partisans de Kennedy, à quelques exceptions près. Il était clair que c'était Dion qui possédait désormais l'avantage. Ignatieff n'avait gagné que 179 voix. Rae en avait gagné 243, mais la question était désormais caduque.

Le quatrième scrutin se déroula sans suspense. Pendant cinq longues minutes, on attendit des résultats prévisibles. Les caméras s'orientèrent vers le profil d'Ignatieff, qui dut faire preuve de stoïcisme. Quant à Dion, il semblait tranquillement confiant, Janine à ses côtés, en compagnie de Jeanne, de Martha Hall Findlay, de Kennedy et de Jeanette Arsenault : sa nouvelle équipe.

On annonça les résultats peu après 18 h :

Dion : 54,7 % (2521 voix)
Ignatieff : 45,3 % (2084 voix)

Le Parti libéral avait un nouveau chef : Stéphane Dion.

Pour Kennedy, les résultats du scrutin indiquaient que les libéraux s'intéressaient de près au dossier de l'environnement – les trois piliers de la politique de Dion étant l'essor économique, la justice sociale et la protection de l'environnement par le développement durable – et qu'ils étaient las des querelles intestines. « Mais il n'y avait pas que cela. Ce qui leur avait plu, c'était [que Dion] avait remporté une victoire dont les gens pouvaient être fiers », affirma Kennedy, qui avait essayé de cerner les erreurs commises au cours de la campagne de Dion. Mais il dut admettre que « sa campagne était meilleure que la mienne, puisque c'est lui qui a gagné en fin de compte ».

Kennedy lui-même avait agi avec une présence d'esprit remarquable en décidant juste à temps de se prononcer en faveur de Dion. Mais cela n'avait pas été facile. Plus de six semaines après le scrutin, il ne comprenait toujours pas l'étonnement des gens lorsqu'ils avaient constaté qu'il donnait ses voix à Dion. « Pourquoi étaient-ils si ahuris ? À nous deux, nous détenions une majorité absolue. Je ne comprends pas pourquoi les gens ont réagi de cette manière. »

～

Une dernière question demeurait encore sans réponse : qu'aurait fait Stéphane Dion si les rôles avaient été inversés ? Dion avait affirmé que Kennedy était son deuxième choix. Lors de leur dernière discussion, le vendredi soir, il en avait assez dit pour rassurer Kennedy. Mais se serait-il vraiment retiré? Interrogé à ce sujet, Dion éluda la question: «Je savais que la grande majorité des partisans de Kennedy me considéraient comme le deuxième choix. [...] Pendant que je faisais la tournée du pays, j'ai pu constater que la plupart des partisans de Rae me donneraient leurs voix [...]. Je savais cela. Ce serait aussi le cas de presque tous les partisans de Kennedy», dit-il au cours d'un entretien qui se déroula dans son chalet des Laurentides, un mois après le scrutin. Il ajouta, au sujet de ses propres partisans: «Je crois que j'aurais probablement réussi à en convaincre beaucoup de voter pour Gerard, mais peut-être pas la majorité. Parce qu'il y avait là beaucoup de francophones du Québec et, pour eux, voter pour Gerard, c'était un pas vers l'inconnu. Ils auraient peut-être décidé de donner leurs voix à Bob ou à Michael. Honnêtement, je ne crois pas que Gerard aurait pu gagner.»

Aurait-il voté pour Gerard Kennedy? Dion répondit: «Très vraisemblablement.» Il ne répondit pas «oui». Il ne croyait pas en une victoire de Kennedy. Dion était politicologue de profession, il savait lire les résultats des sondages et analyser des données. Il connaissait exactement sa force le soir du scrutin. Se serait-il retiré? Cela semble improbable. Devant la possibilité d'une victoire de Rae ou d'Ignatieff, il ne se serait probablement pas retiré. Aucun de ses proches ne croit qu'il aurait baissé les bras.

Dion rejeta même l'importance des deux voix qui l'avaient placé en avant de Kennedy au premier scrutin, lorsque certains partisans de Kennedy avaient voté pour Hall Findlay. «Il faut tenir pour acquis qu'aucun partisan de Dion n'a fait la même chose et que la question cruciale était de savoir si l'écart entre Kennedy et Dion se resserrerait ou, au contraire, s'élargirait.» À son avis, l'écart se serait élargi. «Ces deux voix ont compté, c'est certain, mais ce n'était pas tout.»

Comme Stéphane Dion le dit lui-même, la politique est un art. C'est pourquoi il ne put satisfaire Gerard Kennedy, qui aurait souhaité conclure un marché en béton.

L'idée que sa victoire puisse être considérée comme une surprise le fait rire. «Tout le monde me parle de victoire-surprise.

Je pouvais prévoir arriver en troisième position, devant Gerard, peut-être pas après le premier ou le deuxième scrutin, mais je pensais acquérir plus de voix que lui au fur et à mesure. Et on pouvait prévoir qu'il me donnerait ses voix, parce qu'ensemble, nous serions plus forts que Bob. Et on pouvait prévoir que la plupart des partisans de Bob me donneraient ensuite leurs voix. Et alors, je serais plus fort que Michael.» Dion avait déjà prévu tout cela, lorsqu'il avait échangé une poignée de main avec Gerard Kennedy, le vendredi soir.

CHAPITRE 11

On mange ensemble?

Le jour où il remporta la course à la direction du Parti libéral, Stéphane Dion eut une excellente idée pour faire renaître l'harmonie après tant de mois de rivalité et de lutte au corps à corps. Il demanda à ses adjoints d'inviter ses anciens rivaux à manger, le dimanche 3 décembre, à l'hôtel Place d'Armes, charmant établissement de style européen du Vieux-Montréal, où il avait logé pendant le congrès.

« C'était la première étape de la réconciliation, expliqua Herb Metcalfe. Nous devions faire équipe pour aller de l'avant. » Les conseillers de Dion voulaient lui éviter de commettre les erreurs que d'autres, par le passé, avaient commises. Metcalfe, qui était en politique depuis longtemps, ajouta: «Paul [Martin] a omis de faire participer ses rivaux à son gouvernement et regardez ce qui s'est passé[1]. »

En outre, Dion s'enorgueillissait de comprendre l'importance du travail d'équipe. Il se plaisait à dire que, comme chef, il avait «des idées bien arrêtées et un esprit d'équipe[2]». Le repas serait pour lui une merveilleuse occasion de le démontrer.

Ce que Stéphane Dion ne comprenait pas, malheureusement, c'était que les convives rassemblés autour de la table nourrissaient des rancunes tenaces les uns contre les autres. Comment aurait-il pu deviner que certains des membres de sa brillante nouvelle équipe n'avaient probablement qu'une envie : arracher les yeux de leur voisin – ou voisine – de table avec leur fourchette ?

On n'avait négligé aucun détail. La table avait été superbement mise, les nappes et les serviettes parfaitement repassées, les marque-places soigneusement préparés. Martha Hall Findlay était assise à la droite de Dion et Gerard Kennedy à sa gauche. Michael Ignatieff avait été placé exactement en face du nouveau chef, tandis que Bob Rae était installé à quelques places d'Ignatieff. Les candidats avaient reçu la permission d'amener deux invités. La plupart arrivèrent en compagnie de leur conjointe – ou conjoint – et d'un membre important de leur équipe.

Rae semblait plutôt renfrogné ce jour-là. Assis en face de Martha Hall Findlay, il n'avait pas envie de lui sourire.

En effet, la veille, vers 7 h 30 du matin, il avait reçu une nouvelle désagréable. Martha Hall Findlay lui avait téléphoné, après avoir appelé Dion quelques instants auparavant.

– Bob, lui avait-elle annoncé, je vais donner mes voix à Stéphane.

– Oh, non ! avait été la réaction de Rae. (Instant de silence.) Ma foi, on apprend beaucoup de leçons en politique.

Et il avait raccroché[3].

Martha Hall Findlay se dit très chagrinée par sa réaction. « J'ai discuté avec quelques personnes ensuite, des partisans de Bob, et je me suis sentie vraiment mal à l'aise. Pourtant, je n'avais pris aucun engagement à son égard. Je penchais de son côté, d'accord, mais j'avais l'intention d'attendre le congrès pour prendre une décision. »

« Ce n'est pas vrai, dit Rae. Ce n'est pas ce qu'elle a dit. J'avais le sentiment très clair qu'elle m'appuierait, jusqu'à ce qu'elle m'appelle, le samedi matin, pour me dire qu'il n'en serait rien. » Rae expliqua que Scott Brison, qui lui donnerait ultérieurement ses voix, avait pris garde de ne pas s'engager d'avance. En revanche, affirma Rae, Martha lui avait promis son appui après le premier scrutin. « C'est une chose lorsque quelqu'un dit : "Vous savez, j'ai décidé d'appuyer Untel", vous lui répondez : "Bon, je comprends." Mais c'en est une autre lorsque cette personne vous dit blanc un jour et noir le lendemain. C'est plus difficile à avaler.»

Il insista sur ce point. «Je serai parfaitement clair, je me souviens très bien de notre conversation. Je sais ce qu'elle m'a dit. Aussi, si elle affirme maintenant quelque chose qui n'est pas ce qu'elle a dit, je suis désolé, [mais] cela me révèle autre chose [...], car j'ai un souvenir très clair de cette conversation.»

Bob Rae émit ces remarques au cours d'un entretien, six semaines après le congrès, dans son bureau de Goodmans LLP, cabinet juridique de Toronto, où il travaillait. Il éprouvait encore de la rancœur à l'égard de Martha Hall Findlay et répéta plusieurs fois : «Ce n'est pas ce qu'elle a dit.»

Le repas de «réconciliation» organisé par Dion se prolongea plus de trois heures, pendant lesquelles Rae ignora Martha. Il continuerait de ne tenir aucun compte des tentatives de réconciliation qu'elle ferait au cours des jours suivants. «Pour une raison quelconque, peut-être parce que dans ce cas, il a entendu ce qu'il souhaitait entendre, Bob semblait croire que j'allais l'appuyer», dit Martha Hall Findlay. Elle était vraiment très ennuyée. «J'ai beaucoup de respect pour Bob. Au début, il était très idéaliste, vous savez. Quiconque aurait essayé de gouverner l'Ontario à cette époque [de 1990 à 1995] se serait heurté à de terribles obstacles. Il a essuyé beaucoup de critiques. Mais je serais très heureuse de le défendre et d'affirmer qu'il a fait tout ce qu'il a pu. Pour des raisons louables.»

Martha comprit que Bob Rae avait beaucoup souffert de perdre la course à la direction. «Je suis vraiment navrée pour lui.» Peut-être que Rae était encore sous le choc, au lendemain du congrès. Il avait attendu les résultats du troisième et fatidique scrutin en compagnie de son épouse, Arlene Perly Rae. «C'est intimidant de songer que cinq ou six mille caméras sont braquées sur vous en permanence. J'ai dit à Arlene et aux enfants : "Nous allons devoir jouer la comédie car, quoi qu'il arrive, il faudra absolument faire bonne figure [...]" et c'est bien ce que nous avons fait. Ce n'était pas facile. Nous avons traversé des hauts et des bas, nous avons commencé par penser que nous allions gagner, puis nous nous sommes retrouvés au troisième rang et, en fin de compte, nous avons compris que nous ne figurerions même pas au dernier scrutin. C'était désormais quelqu'un d'autre qui menait le bal. »

Voilà ce qui se passait entre deux des convives au repas organisé ce dimanche par Stéphane Dion. Et ce n'était pas tout. La tension régnait aussi entre Rae et Kennedy. Rae estimait qu'il aurait probablement gagné sans l'intervention de Kennedy. « Leur entente a tout changé. Elle a sûrement touché aussi Martha Hall Findlay », dit Rae. Il avait jugé toute l'histoire invraisemblable, car il ne croyait pas que Dion aurait donné ses voix à Kennedy. « Je suis encore étonné et je me demande toujours quelles ont été les conditions de l'entente. Personne ne me l'a jamais dit. » Il ajouta, en faisant allusion à Kennedy : « Qu'est ce qu'il a obtenu en échange ? »

Selon toute évidence, Rae ne sembla pas très impressionné par les affirmations de Stéphane Dion et de Gerard Kennedy, selon lesquels il n'existait aucun plan secret. En réalité Kennedy déclara avoir discuté avec Bob Rae et Michael Ignatieff, afin de conclure une entente avec l'un d'eux, mais ces pourparlers en étaient restés au stade embryonnaire. « Ni Rae ni Ignatieff ne devraient être contrariés », affirma Kennedy, au cours d'un entretien en janvier. « Pourtant, l'équipe de Rae a réagi avec hostilité après la campagne. Certaines personnes ont parlé de "trahison" et ainsi de suite. Je trouve cela vraiment désolant[4]. »

◇

Le repas, à l'hôtel Place d'Armes, était de type buffet. Tout le monde attendit que Dion et Janine Krieber se soient servis. Quand les convives ont repris leur place, Dion déclara que le moment était venu de se mettre au travail et sollicita les avis de tous en leur demandant de faire preuve de franchise. Gerard Kennedy, grâce à qui Dion avait été élu la veille, parla le premier. Il déclara que les libéraux devaient adopter une stratégie en deux volets. Tout d'abord, il fallait se préparer à des élections nationales, à brève échéance ; ensuite, il fallait songer à un programme de renouvellement à plus long terme. Lorsque vint le tour de Rae, il ne mâcha pas ses mots : « Stéphane, vous allez avoir terriblement besoin de bons conseils et ne croyez pas que ceux qui vous ont permis d'être ici aujourd'hui sont forcément les mieux placés pour vous les donner. »

Les convives détournèrent les yeux avec embarras. Tous se demandaient si les paroles de Rae visaient quelqu'un en particulier. « Là aussi, j'ai parlé par expérience, dit Rae, quelques semaines plus tard. Après qu'on a été élu, il est très facile de s'imaginer que les gens qui nous ont fait élire sont nécessairement les plus compétents pour nous aider à gouverner ensuite. Et d'après mon expérience, je répète, *mon expérience*, il est important d'élargir l'équipe [...] Je n'ai pas mis de gants pour expliquer cela. »

Cependant, Dion avait commencé à annoncer la composition de son équipe le matin même et il avait d'abord choisi ses partisans. Marcel Massé et Rod Bryden, un homme d'affaires d'Ottawa, dirigeraient l'équipe de transition. Lorsque Dion avait appelé Massé, vers 9 h, ce dernier avait d'abord hésité à accepter l'offre. « J'ai vraiment besoin de vous », avait insisté Dion. Massé avait fini par accepter. « D'accord, trois semaines... un mois peut-être... », avait-il répondu pendant que Dion s'exclamait : « Janine, il a accepté ! » (À la fin de décembre, Massé serait nommé secrétaire principal du Bureau du chef de l'opposition.)

Le reste du repas se déroula tranquillement et les convives se séparèrent vers 15 h 20. Scott Brison avait fait de l'humour, et cela, ajouté à l'effet du vin, avait bien soulagé la tension ambiante. Mais trois minutes plus tard, l'un des adjoints de Rae se plaignait aux journalistes de *Maclean's* que les deux « parvenus » avaient réussi à se placer[5].

Quel bon départ, en vérité !

≈

Stéphane Dion avait hâte de pouvoir s'attaquer aux nouveaux défis qui l'attendaient. Il devait s'installer dans les
bureaux du 407-S, de l'édifice du Centre, qui avaient été conçus
par un architecte d'Ottawa, John A. Pearson, après qu'un feu
eut ravagé le Parlement en 1916. Pearson avait ajouté un
magnifique lambris de chêne, un parquet et une cheminée de
marbre. Il y avait même un passage secret. Les murs étaient
décorés de fresques qui représentaient des scènes de romans de
chevalerie. Des anges (dont l'un avait le visage de la mère ado-
rée de William Lyon Mackenzie King) évoluaient parmi les
guerriers et chaque fresque était assortie d'un titre édifiant:
«Intégrité... Fidélité... Courage... Intrépidité... Sagesse[6].»

Dion aurait besoin de toutes ces qualités. Parmi les occu-
pants passés du bureau, on pouvait compter Mackenzie King
lui-même en 1920, Lester Bowles Pearson et John George
Diefenbaker, Martin Brian Mulroney, jusqu'à Stéphane
Maurice Bernard Dion. C'était un endroit idéal pour accomplir des tâches importantes. Dion posa son vieux sac à dos en
cuir élimé sur le pupitre et se mit au travail. Le sac à dos lui
avait été offert 10 ans auparavant[7].

Quand Massé fut installé à quelques portes de Dion,
qu'Andrew Bevan fut sur le point d'être nommé chef de cabinet et qu'André Lamarre fut affecté aux communications, il
s'agissait d'exploiter les talents des autres candidats. Après un
an ou presque de querelles intestines, on était loin d'avoir
ramassé toutes les peaux de banane. D'un candidat, on murmurait que «discuter avec lui, c'était comme être soudain
atteint d'amnésie». D'un autre, on disait: «Il a drôlement
vieilli. As-tu remarqué?» C'était méchant, certes, mais l'équipe
de Dion ne s'en formalisait guère. Tous pensaient être capables
de s'élever au-dessus de ces mesquineries afin d'encourager la
collaboration, comme ils l'avaient fait à l'occasion du repas
dans le Vieux-Montréal. «Il ne s'attaquera jamais à quelqu'un
de manière personnelle», dit Metcalfe en parlant de Dion.

Sur la liste de Dion, se trouvait d'abord Michael Ignatieff,
qui avait obtenu 2084 voix, soit 45,3% du vote des délégués.
Aux yeux de Dion, c'était une considération à ne pas négliger.

Il réfléchit aux tâches qu'il souhaitait confier à Ignatieff et décida de lui proposer l'élaboration du programme électoral, la « plateforme » du parti. C'était logique. « Michael est le meilleur rédacteur que nous ayons... après moi », dit Dion. Il savait que Martin avait accepté cette mission et produit le Livre rouge du Parti libéral en 1993, sous la houlette de Jean Chrétien. Mais surtout, comme l'expliqua Dion, c'est ce qu'il aurait fait lui-même pour le nouveau chef, si on le lui avait demandé. Il aurait jugé que c'était un honneur[8].

Dion invita Ignatieff à manger au Tartuffe, un restaurant français de Gatineau, le mercredi 6 décembre, soit seulement quatre jours après le congrès. Il était pressé. Il expliqua à son invité qu'il serait « heureux » si ce dernier acceptait de rédiger le programme électoral du Parti libéral. Ils discutèrent un long moment et Dion rentra chez lui, persuadé qu'Ignatieff avait accepté son offre. Dion avait interprété favorablement ses remarques, mais Ignatieff n'avait pas accepté officiellement. Plus tard, Dion affirmerait à ses conseillers qu'il était sûr que c'était mission accomplie.

Sur la liste figurait aussi Bob Rae, arrivé en troisième position au congrès. Dion voulait donner à Rae un rôle important, mais il ne savait pas exactement lequel. Le 5 décembre, soit la veille du soir où il avait rencontré Ignatieff, Dion avait invité Rae au prestigieux Rideau Club d'Ottawa. « Nous n'avons pas parlé de me confier une tâche précise, pas plus d'ailleurs qu'aux autres candidats. Nous avons bavardé de toutes sortes de choses. C'était très agréable. Il m'a bien fait comprendre qu'il voulait m'avoir dans son équipe. » Naturellement, le nouveau chef ne pouvait proposer à Rae ce qu'il prévoyait offrir à Ignatieff le lendemain –, le poste le plus intéressant, de l'avis de Dion.

Rae rentra chez lui satisfait. « Je crois que Stéphane est quelqu'un de très réfléchi, très direct, *vraiment très direct*. Il l'a d'ailleurs toujours été, affirmerait-il ensuite. Mes relations avec lui ont toujours été faciles. » Rae assura à Dion qu'il était prêt à collaborer avec lui. Rae estimait qu'il était temps que chacun « mette ses ambitions personnelles de côté. Le congrès avait choisi son chef et il fallait maintenant passer à autre chose».

Une semaine plus tard, le mercredi 13 décembre, Dion rencontra de nouveau Ignatieff, cette fois dans le Bureau du chef de l'opposition. Mais au lieu de confirmer qu'il acceptait le poste, Ignatieff déclara que ce travail ne lui convenait pas, qu'il était «trop étroit» pour lui, raconterait Dion plus tard. Ignatieff voulait être chef adjoint. Il prétexta que Dion avait déjà des idées bien arrêtées en matière de programme politique. Par conséquent, ce poste n'ouvrirait pas beaucoup d'horizons à son titulaire. Dion jugea qu'Ignatieff n'avait pas tort et que ses objections étaient valides. Mais il fut tout de même déçu.

Aux yeux de l'équipe de transition, le rôle de chef adjoint ne revêtait pas une importance particulière. Ils le considéraient comme le genre de poste qu'avait occupé Herb Grey, soit celui d'un parlementaire compétent qui saurait se débrouiller à la Chambre sans vouloir nécessairement devenir une étoile dans le firmament politique. Néanmoins, selon Dion, Ignatieff avait déclaré que ces fonctions l'intéressaient, car elles étaient très vastes. C'est pourquoi Stéphane Dion accepta de faire de Michael Ignatieff son chef adjoint. Après tout, l'union fait la force. Stéphane Dion comprenait cela mieux que quiconque.

Mark Marissen, qui avait dirigé la campagne de Dion, alla prendre un verre avec Ignatieff peu après, à l'hôtel Four Seasons de Toronto. «Je lui ai demandé pourquoi il ne voulait pas s'occuper du programme électoral et pourquoi il voulait devenir chef adjoint. Il m'a répondu : "Oh, vous savez, je veux faire partie de l'équipe et, en qualité de chef adjoint, nous pourrons collaborer plus étroitement." J'ai répondu : "Ma foi, pourquoi pas[9]?"»

Le bureau de Dion prit ses dispositions pour annoncer la composition de l'équipe le mardi 19 décembre à Toronto. La manœuvre d'Ignatieff avait obligé Dion à repenser certains de ses plans. Une journée ou deux après que Dion eut rencontré Ignatieff pour la deuxième fois, Herb Metcalfe téléphona à Bob Rae pour lui proposer de diriger la préparation du programme électoral. «Il m'a assuré que ce poste m'intéresserait et j'en ai discuté avec Scott Brison», se souvient Rae. Brison deviendrait codirecteur.

En dépit de quelques cahots, tout semblait donc bien aller.

Jusqu'à ce qu'un article de Jane Taber, dans le *Globe and Mail* du 19 décembre, annonce qu'Ignatieff avait rencontré Dion le mercredi précédent pour discuter de son avenir. «M. Ignatieff s'est montré immédiatement réceptif à l'offre d'un poste, celui de chef adjoint», écrivit Taber. Un libéral de longue date confirma : «Ignatieff n'avait pas eu besoin de délai de réflexion.» L'article disait ensuite que cette discussion avec Dion avait été le prélude à une soirée de Noël organisée pour Ignatieff par ses partisans, à laquelle Dion n'avait pas été invité. L'auteur reprenait les paroles de sa source, selon laquelle il «sera intéressant de voir jusqu'où il ira». D'ailleurs, Ignatieff se lancerait peu après dans une série de conférences, «pour se faire connaître du public», et ainsi de suite[10]. L'article ne mentionnait pas qu'Ignatieff avait d'abord été pressenti pour élaborer le programme électoral.

Le Bureau du chef de l'opposition ne goûta guère la plaisanterie. Ce n'était pas l'éclairage auquel on s'attendait, compte tenu de ce qui s'était passé en coulisse. *Réceptif à l'offre du poste de chef adjoint?* Et puis quoi encore? En outre, Dion devait rencontrer Ignatieff séparément à Québec le 19 décembre, plutôt qu'à l'occasion d'une conférence de presse qui devait avoir lieu plus tard la même journée à Toronto. D'après un adjoint de Dion, Ignatieff partait ce jour-là en vacances de Noël. Dion annonçait donc la composition de son état-major par étapes, méthode originale pour former une équipe.

Ce soir-là, à Toronto, Dion annonça le reste des affectations : Gerard Kennedy serait conseiller spécial sur la préparation des élections ; Martha Hall Findlay dirigerait les activités de rayonnement (en étroite collaboration avec son collègue Bob Rae), Rae dirigerait l'équipe chargée de rédiger le nouveau Livre rouge. Les analystes des médias ne remarquèrent pas que les « trois piliers » tant vantés sur lesquels Dion avait fait reposer sa campagne, soit la prospérité économique, la justice sociale et la viabilité environnementale, étaient désormais au nombre de quatre, car Rae y avait ajouté le rôle du Canada dans le monde. « Cette idée des trois piliers est très utile pour démontrer la nécessité de l'équilibre d'une politique gouvernementale ; d'ailleurs c'est surtout de cela que j'ai parlé pendant toute ma carrière politique, affirmerait ultérieurement Bob Rae. Comprendre que la viabilité environnementale, la prospérité économique et la justice sociale doivent aller ensemble, cela c'est élémentaire. » Rae ne voyait pas non plus la nécessité de rédiger un énoncé de politique. « Je vois plutôt [le Livre rouge] comme une "vitrine" [...] quelque chose qui faciliterait le contact avec les gens, nous permettrait de diffuser nos idées et de susciter une réaction. » C'était une interprétation entièrement différente de ce que Dion considérait comme particulièrement vital après sa victoire à Montréal.

Non vraiment, le mardi 19 décembre ne serait pas la journée la plus faste du nouveau chef. Et elle était loin d'être terminée. Après la conférence de presse, un sénateur torontois influent, Jerry Grafstein, organisa une soirée de bienfaisance à l'University Club. Il fit faire à Dion le tour de la salle, afin de le présenter aux élites libérales de la plus grande ville du Canada. Pour plusieurs d'entre eux, c'était une première rencontre.

Grafstein présenta Dion à Peter C. Newman, qui avait été un ami de son père, Léon Dion. Mais Dion ne savait visiblement pas qui était Newman, même si l'écrivain, comme l'observa l'expert-conseil torontois Ray Heard, était coiffé de la casquette de pêcheur qui était son signe distinctif. Une heure plus tard, Grafstein conduisit Dion à l'étage, où se déroulait une soirée de Noël plus intime et là, il dut lui présenter Newman une fois de plus, car Dion ne se souvenait pas d'avoir fait sa connaissance un moment plus tôt. Pourtant, on peut supposer que Newman arborait toujours son célèbre couvre-chef.

Heard, qui avait été directeur des communications de John Turner, ne croyait pas que Dion eût produit une très forte impression sur les libéraux de Toronto. « On m'a dit que Dion avait récemment assisté à une réunion privée avec des directeurs généraux de banques, sans savoir qui ils étaient », écrivit-il par courriel, au début de janvier. Un autre message, reçu en mars, disait : « Les dissensions internes, qui auraient dû, suppose-t-on, s'effacer à la suite de l'élection de Dion existent encore. Derrière la façade de l'unité, des tractations frénétiques ont lieu entre les factions Rae et Ignatieff, parce que ces gens pensent que Dion est peut-être grillé, comme ce fut le cas de Turner en 1984. » Dion n'essayait pas de nouer des liens avec les aînés du parti qui, pour la plupart (aux yeux des « torontocentriques »), vivaient à Toronto. Heard écrivit : « Massé rappelle l'époque fâcheuse de Chrétien et le type de Vancouver n'est pas connu ici[11]. » Il s'agissait de Mark Marissen qui, avec la Québécoise Nancy Girard, avait été nommé président de la campagne nationale du Parti libéral.

~

Au fur et à mesure que le temps passait, en 2007, Dion subissait des pressions de plus en plus fortes. Son caucus murmurait. Mais en dépit du malaise croissant, Dion continuait d'insister sur l'unité. « Stéphane considère chacun de nous comme un membre de son équipe jusqu'à ce que nous lui donnions la preuve du contraire », commenta Metcalfe. Vers la fin de l'hiver, des problèmes plus graves, liés à la structure de l'organisation et à la collecte de fonds, commençaient à se poser au cercle intime de Dion. Dans les jours qui avaient suivi le congrès d'investiture, les libéraux, émerveillés par le bond en avant du parti dans les sondages, parlaient avec enthousiasme d'une campagne électorale qui leur permettrait de vaincre le gouvernement conservateur. Mais maintenant que la situation était beaucoup moins favorable et que les failles du parti étaient en évidence, l'enthousiasme avait faibli, du moins en privé.

Vers la mi-février, Jamie Carroll avait quitté son poste d'adjoint pour devenir directeur national du Parti libéral du Canada. C'était lui qui était censé comprendre pourquoi les conservateurs parvenaient à réunir trois fois plus d'argent que les libéraux. Sa mission consistait à inverser les termes de cette équation. Carroll voulait aussi savoir pourquoi la collecte de fonds semblait se limiter à quelques donateurs, sans qu'on fît appel au reste des sympathisants. Les conservateurs, visiblement, étaient assez riches pour lancer une offensive contre Dion, sous forme d'annonces hostiles qui furent diffusées à intervalles réguliers au début de février (en français comme en anglais). À la suite de cette brutale offensive, Dion dégringola dans les sondages. Chantal Hébert, chroniqueur au *Toronto Star*, résuma la situation. Selon elle, Dion n'avait pas réussi à faire impression sur les Canadiens. Quand le premier ministre sonnerait-il l'hallali ? Elle poursuivit : « Il n'est pas nécessaire d'avoir fait des études supérieures de physique pour comprendre que les conservateurs n'hésiteront pas à combler les nombreux vides de la personnalité politique de Dion[12]. »

L'humeur de Dion lui-même s'assombrit. Il se reprochait de plus en plus de n'avoir pas été à la hauteur des attentes de ses partisans. Peu après le Jour de l'An, Janine et lui s'étaient installés à Stornoway, la vénérable demeure de Rockliffe Park qui était le domicile officiel du chef de l'opposition, tandis que Jeanne continuait d'habiter Montréal. Au début de février, lors d'un entretien téléphonique, installé dans le salon Laurier (ainsi nommé parce qu'on peut y admirer un portrait de sir Wilfrid) à Stornoway, il parut très confiant. Mais une semaine plus tard, au fur et à mesure que l'offensive des conservateurs commençait à faire des ravages, il s'exprimait d'une voix bien plus lasse. Néanmoins, il déclara que le bref article qu'il était en train de rédiger en hommage à son héros de jeunesse, le joueur de hockey Jean Béliveau, dans le cadre d'une anthologie, lui avait rappelé que « la vie n'est facile pour personne[13] ». Il plaisanta, visiblement de bonne humeur. Lors de l'entretien suivant, aux premiers jours de mars, tandis que les libéraux étaient toujours en chute libre, il parla d'une voix tendue : « Je ne suis pas surpris par les sondages. Ils ne sont plus aussi favorables. Je sais qu'il me faut absolument améliorer cela[14]. »

Le même soir, c'était Carroll qui, d'Ottawa, poussait un soupir : « La situation est en train de devenir véritablement problématique », dit-il[15]. Carroll était exaspéré de voir Dion se juger responsable de ces difficultés. Personne n'avait travaillé aussi énergiquement que Stéphane Dion et le stress qu'il s'imposait lui-même n'arrangeait rien. Par exemple, son anglais se détériorait lorsqu'il se trouvait sous pression. Les gros progrès qu'il avait accomplis pendant les mois de la campagne n'étaient plus perceptibles. Il s'efforçait toujours de suivre deux ou trois cours par semaine avec Mary Houle, orthophoniste qui l'aidait à améliorer son anglais depuis mai 2006.

Mère d'un nourrisson et d'un très jeune enfant, Mary Houle se montrait pleine d'enthousiasme. Elle était très favorablement impressionnée par la connaissance que Dion avait de l'anglais : il avait toujours bien écrit et possédait un riche vocabulaire. (De fait, l'idée répandue selon laquelle il n'était pas capable de terminer une phrase en anglais n'était pas pour déplaire aux conseillers de Dion. « Au contraire, les gens seront agréablement étonnés », dit un adjoint.) Selon Mary Houle, il fallait encore procéder à quelques ajustements. « Il est relativement facile à comprendre. Il a un accent un peu parisien, un peu pointu, et son intonation monte et descend. » Sa voix aussi a tendance à monter légèrement. Mary expliqua qu'en français « on accentue presque toutes les syllabes de manière égale, tandis qu'en anglais l'accent tonique est plus important ». Si cet accent tonique est mal placé, « le locuteur donnera l'impression de manquer de confiance en lui et certains mots pourraient être difficiles à comprendre ». Mary Houle avait confié un mantra à Dion, qu'il se répétait avant chaque discours et pendant la période des questions, à la Chambre[16] : « *Slow and low… slow and low…* »

Malheureusement, tout cet effort ne semblait pas produire de résultats positifs pendant la période des questions.

Dion avait à sa gauche son chef adjoint, Michael Ignatieff. Comme on pouvait s'y attendre, l'ancien habitué des écrans de télévision semblait entièrement à son aise sur la scène parlementaire. Et plus Ignatieff étincelait, plus Dion pâlissait. On aurait dit que la présence de son ancien rival lui retirait tous ses moyens. La parfaite aisance d'Ignatieff ne passa pas inaperçue aux yeux du premier ministre, Stephen Harper. Vers la mi-février, Dion s'était absenté d'Ottawa pour assister aux obsèques de deux pompiers de Winnipeg[17]. Ignatieff exhortait Harper à se montrer plus clair sur un dossier quelconque, lorsque le premier ministre s'avança au-dessus de son pupitre en déclarant, d'un air tout à fait réjoui: «Ce qui est clair ici, c'est que l'honorable membre de la Chambre nourrit certainement le projet d'auditionner pour un nouveau rôle[18].»

La rumeur commença à courir qu'Ignatieff utilisait ses fonctions de chef adjoint pour se bâtir son propre empire et éclipser Dion. Les querelles intestines s'envenimèrent, sapant le moral des troupes. L'absentéisme s'intensifia au point que le whip du parti, Karen Redman, dut rappeler les députés libéraux à l'ordre. Les partisans de Dion déplorèrent «les soins et l'attention» supplémentaires que le Bureau du chef de l'opposition devait prodiguer au chef adjoint et soulignèrent ce qu'ils considéraient comme des affronts à Dion. Par exemple, le chef adjoint ne s'était pas levé lorsque les libéraux avaient fait une ovation à leur chef un jour à la Chambre. Ou bien Ignatieff avait applaudi sans enthousiasme à un discours que Dion avait prononcé ailleurs. Ils critiquaient l'attitude d'Ignatieff pendant la période des questions, parlaient de son manque de discernement sur ceci ou cela. «C'est un pleurnichard et un éternel insatisfait», déclara un libéral proche de Dion. «Mais s'il se plaint en permanence, c'est parce qu'il n'est pas aux commandes[19].» Remarque perspicace.

Il faut néanmoins comprendre que les plaintes et les pointes n'avaient rien d'inattendu dans un parti qui avait perdu le pouvoir. Et elles ne visaient pas seulement Ignatieff. Selon certains, Rae n'était pas un joueur d'équipe et Kennedy s'imaginait toujours que l'on prenait d'importantes décisions derrière son dos.

Il y avait un peu plus d'un an, seulement, que les libéraux avaient été relégués dans l'opposition officielle. Ils n'étaient pas habitués à ce rôle. Pour Dion, c'était leur mécontentement qui représentait la principale menace, ce que les proches du chef avaient d'ailleurs parfaitement compris. Ils s'étaient très vite rendu compte que le repas organisé à l'hôtel Place d'Armes pour encourager l'unité au sein du parti n'avait pas changé grand-chose à cette dynamique fondamentale.

Néanmoins, au siège du Parti libéral, Jamie Carroll était en train de perdre patience envers d'anciens rivaux de Dion. Il avait estimé que son chef avait eu raison de partager le pouvoir et même d'accepter Ignatieff comme chef adjoint. Mais, en mars 2007, Carroll avait commencé à changer d'avis : « Je me demande aujourd'hui s'il ne s'est pas montré trop gentil envers ses anciens adversaires. »

Carroll, malgré tout, était capable de se mettre à la place d'Ignatieff, de Rae et de Kennedy. « Ils sont tous en situation délicate. Aucun d'eux n'a l'habitude de se soumettre à l'autorité de quelqu'un d'autre. » En outre, Carroll était d'accord avec l'argument de Dion selon lequel « lorsque les libéraux reculent dans les sondages, les gens sont inquiets. [...] Cela ne signifie pas que l'on a sorti les couteaux ». Dion insista pour que ses proches continuent de faire leur possible afin d'intégrer les anciens rivaux. Carroll acquiesça, mais cela ne l'empêchait pas de se ronger les sangs, car il vivait dans la crainte d'une coalition contre Dion. « Tous les trois ont des raisons légitimes de vouloir être le prochain chef. » Il ne mâcha pas ses mots : « Ce qu'ils font en public ne me dérange pas. Ce sont les vacheries qu'ils font en coulisse et que j'ignore, qui m'empêchent de dormir la nuit. »

Cependant, on oubliait trop souvent que Stéphane Dion en avait vu d'autres. Les 10 premières années de sa carrière dans la jungle politique n'avaient pas été une sinécure. Il avait encaissé sans faiblir tous les coups de Lucien Bouchard, on l'avait qualifié de traître dans sa province natale, et il avait survécu à sa traversée du désert. Comme le rappelaient ses proches, c'était un combattant. En outre, bien des chefs fédéraux avaient vécu des moments pénibles au début de leur carrière : Lester Pearson, Pierre Trudeau, Brian Mulroney et Jean Chrétien. C'est ce que rappellerait le sénateur Jerry Grafstein, qui avait pourtant été témoin de la prétendue gaffe de Dion à l'University Club. «Je me souviens des premières années de Trudeau, j'y étais. Les gens oublient. Mais pendant un an ou deux, tous les chefs doivent se jeter à l'eau, décider ce qui est important. Dion, dit-il, est une œuvre en chantier. Il attend beaucoup de lui-même. Il doit absolument connaître tous les dossiers. Et sa femme est extrêmement brillante.»

Le sénateur avait eu l'occasion d'accompagner Janine Krieber à un dîner de bienfaisance, à l'University Club en décembre. Il n'avait pas manqué de constater qu'elle y avait remporté un vif succès. Grafstein, au printemps 2007, avait un conseil à offrir aux libéraux : «Donnez du temps à votre nouveau chef et n'essayez pas de le saborder[20].»

CHAPITRE 12

Il est ce qu'il est

Dans sa ferme en Alberta, par une soirée de fin d'automne, Adam Campbell reposa le combiné du téléphone en pensant: «Mais qu'est-ce que je viens de lui raconter là?» Il avait passé quelques minutes à réaffirmer à Stéphane Dion, qui l'appelait d'Ottawa, à quel point il était important de s'exprimer clairement en anglais.

Campbell se rendit soudain compte qu'il était bien mal placé pour donner ce conseil à son correspondant. «Moi, un Écossais, avec un accent à couper au couteau, pas si bon que ça en anglais, et voilà que je me mets à lui faire la leçon! Heureusement qu'il n'est pas rancunier», confierait-il.

De toutes les amitiés nées pendant une campagne politique, la leur était certainement l'une des plus inattendues. Campbell, président du Parti libéral du Canada en Alberta, était originaire de Jamestown dans la région de Fife, dans les Highlands d'Écosse. Curieusement, il s'entendait bien avec l'ancien professeur natif de Sillery qui était candidat à la direction du parti. Ils étaient devenus amis et Campbell avait pris l'habitude de veiller sur Dion. «C'est vrai qu'Adam s'occupe de moi», affirma Dion. Dans les milieux politiques, où tout n'est souvent qu'égoïsme et calcul, Dion appréciait à sa juste valeur un ami qui s'inquiétait de savoir s'il était fatigué ou s'il avait assez mangé. Tous deux discutaient de leur vie personnelle, de Janine et de Chandra, l'épouse d'origine thaïlandaise de Campbell. Ils s'amusaient de leurs petites manies ou de leurs défauts. C'était par hasard que Campbell avait appris que Dion était daltonien. Il l'avait aidé à chercher un dossier brun, un après-midi à Edmonton. Soudain, quand il ouvrit la portière de son véhicule, il aperçut un dossier rouge sur le siège. « Ah, tiens, mais voilà mon dossier ! », s'était exclamé Dion[1].

Pendant un trajet le long des routes campagnardes de l'Alberta, Campbell avait soudain craint que sa conversation n'empêche Dion de dormir. « Pas du tout, je suis très content de vous écouter, ce que vous dites m'intéresse beaucoup », avait répondu Dion. Campbell était en train de décrire les difficultés des agriculteurs albertains, leur crainte que les conservateurs ne suppriment la Commission canadienne du blé et la colère qu'avait suscitée en Alberta la décision du gouvernement fédéral de modifier la législation fiscale sur les fiducies de revenu[2].

Campbell avait immigré en Alberta en 1996. (Il avait d'abord pensé s'installer au Manitoba, mais avait jugé qu'il y avait déjà « trop d'Écossais » dans cette province.) Il exploitait une ferme céréalière à Rosalind, à 30 km au sud-est de Camrose. En Alberta, les libéraux se comptaient sur les doigts de la main. Les 28 circonscriptions avaient voté pour les conservateurs en 2006 et, avant l'arrivée de Campbell, Nick Taylor avait acquis la réputation légendaire du chef solitaire et entêté, qui poursuit son combat envers et contre tous. Campbell avait fait promettre à Dion que s'il remportait la course à la direction, il viendrait souvent en Alberta afin d'écouter les Albertains.

Dion avait tenu sa promesse. Le 11 janvier 2007, il était invité à une réunion publique organisée par Campbell à Edmonton. Bien que cette nuit-là eût été la plus froide de l'hiver, environ 400 personnes étaient venues écouter Dion à l'Ital-Canadian Seniors Association Centre. Sa communication fut accueillie par une ovation et suivie d'une foire aux questions entièrement décontractée. Dion se montra détendu, il parla de ce qu'il avait fait lorsqu'il était ministre de l'Environnement et rappela à l'auditoire qu'il était venu en Alberta cinq fois au cours de l'année précédente, contrairement au premier ministre Stephen Harper, qui n'était venu qu'une seule fois... à un match de hockey. L'auditoire goûta la plaisanterie. La rumeur courait déjà qu'un défenseur des consommateurs bien connu, Jim Wachowich, allait se présenter dans la circonscription de l'ancienne ministre Anne McLellan, Edmonton Centre. Peut-être que les libéraux avaient des chances de faire une percée dans une province presque entièrement bleue.

Un peu plus tôt dans la journée, Dion avait été cordialement reçu par le comité de rédaction de l'*Edmonton Journal*. Il avait parlé de la bourse internationale du carbone qu'il espérait pouvoir mettre sur pied pour aider les entreprises à réduire leurs émissions de gaz à effet de serre. Il avait affirmé que l'Alberta détenait un potentiel de chef de file en matière de technologie environnementale. «J'ai trouvé qu'il était intelligent et qu'il avait une réflexion profonde, déclara Allan Mayer, rédacteur en chef. En outre, il a le sens de l'humour, ce qui m'a d'ailleurs surpris, car ce n'est pas l'impression qu'il donne à la télévision. Il a souvent d'heureuses formules de style[3].»

Le lendemain, le chroniqueur du journal, Alan Kellogg, publia un compte rendu positif de la visite de Dion et suggéra que les électeurs albertains ne se montraient peut-être pas si malins que cela en votant systématiquement pour le Parti conservateur, comme s'ils étaient les «gros chiens de berger loufoques du système électoral nord-américain». Kellogg félicita Dion d'avoir revêtu un complet pour prononcer son discours, au lieu d'adopter le genre populo. «Dion semble nous dire: "Je suis ce que je suis, je ne suis pas une starlette éblouissante et mon anglais n'est pas terrible. Mais je suis honnête, sincère et j'ai des idées pour l'avenir. Êtes-vous prêts[4]?"»

En substance, c'était le message que Dion avait souhaité transmettre aux membres du parti réunis pour le congrès.

Les libéraux avaient été enthousiasmés de le voir grimper dans les sondages ensuite, même au Québec, où on lui avait pourtant prédit un accueil glacial. Le parti s'était bercé de l'idée qu'aussitôt après des élections nationales, leur nouveau chef s'installerait au 24 Sussex, sans même avoir pris le temps de défaire ses valises à Stornoway. Par une soirée de décembre, à Ottawa, Gianluca Cairo avait demandé à un chauffeur de taxi : « Savez-vous qui vous transportez aujourd'hui ? » Dion était déjà assis sur le siège arrière, les genoux ramenés contre la poitrine, son sac à dos en cuir râpé sur le plancher de la voiture, devant lui. Par le rétroviseur, le chauffeur avait jeté un coup d'œil à son client. « Ma foi non. » Cairo eut le plaisir de lui répondre : « C'est Stéphane Dion, le prochain premier ministre du Canada. » Il était déjà près de 1 h du matin et le chauffeur demeura silencieux pendant tout le trajet sur la promenade de l'Aéroport vers le centre-ville d'Ottawa, invisible dans les ténèbres.

L'enthousiasme de Cairo était compréhensible. Diplômé en sciences politiques, il était adjoint de Dion et avait commencé à travailler pour lui deux ans auparavant, à un moment où l'on ne se précipitait pas pour se mettre à son service. Les partisans de Dion venaient de faire campagne avec un budget de misère et il était bien agréable de pouvoir de nouveau séjourner à l'hôtel plutôt que de s'empiler chez des amis hospitaliers. Les autres libéraux étaient tout aussi enthousiastes. Le 20 décembre, un éditorial du *Globe and Mail* faisait allusion, par erreur, au « premier ministre Dion ». Ses adjoints en furent grisés ; c'était sûrement un signe du destin.

Naturellement, une confiance excessive s'installa. Au bout de quelques semaines, Dion était en chute libre dans les sondages et les experts parlaient de lui au passé. Beaucoup d'analystes se souvinrent qu'ils avaient considéré sa victoire comme une anomalie. Peter C. Newman, le doyen des portraitistes politiques, prédit qu'il ne tiendrait pas longtemps.

En réalité, après que les effets étourdissants de la victoire se furent peu à peu émoussés, Stéphane Dion retrouva sa forme vers la mi-mars 2007. Il était à l'aise dans le rôle du mal-aimé et, en définitive, c'était pour lui la meilleure attitude à adopter pour mener une campagne électorale, lorsque le moment viendrait. Il avait bien souvent été le mal-aimé durant sa carrière politique. Depuis sa plus tendre enfance, Dion avait été un iconoclaste. Adam Campbell et d'autres avaient compris qu'il était là pour de bon, soit comme chef de l'opposition, soit, si les astres se révélaient favorables, comme premier ministre.

Pendant quelques brèves semaines, les libéraux s'étaient vus de retour au pouvoir et cette sensation les avait étourdis. Puis soudain, tout le monde était redescendu sur terre. Après tout, personne n'avait imaginé que Dion remporterait la course à la direction trois mois plus tôt. Pourquoi serait-il déçu de constater qu'on ne l'imaginait pas premier ministre? En outre, les plus malins étaient en train de réécrire la définition du mal-aimé.

En mars, les stratèges du parti envoyèrent Dion en tournée aux quatre coins du pays. Il visita 17 circonscriptions en 17 jours, tout en travaillant nuit et jour. Il dormait pendant les trajets en avion et, peu à peu, retrouva son équilibre[5]. Campbell avait toujours été en faveur de ces voyages. En janvier, il avait affirmé à l'équipe de Dion que «la pire des erreurs serait de l'isoler, alors qu'il faut lui permettre de rencontrer le plus de monde possible. Il faut le faire voyager. Sinon, il deviendra vulnérable». Campbell estimait en effet que les conseillers de Paul Martin avaient eu tort d'enfermer le premier ministre dans une tour d'ivoire, alors que Stephen Harper avait passé l'été 2005 à retourner des hamburgers sur le feu lors de barbecues, un peu partout au pays.

«Le Parti libéral est devenu très élitiste et c'est ce qui a causé sa perte, estime Campbell. Il y avait des avocats, il y avait des chefs d'entreprise et, je suis le premier à le reconnaître, ils ont fait du bon travail. Ils ont donné beaucoup d'argent au parti et ils ont organisé toutes sortes de manifestations pour réunir des fonds. Mais ils ont oublié peu à peu que les électeurs dont nous avons besoin, ce sont aussi les employés de Wal-Mart ou de Tim Hortons. Même si chaque avocat, chaque banquier du Canada votait pour le Parti libéral, ce n'est pas cela qui nous ferait remporter les élections nationales. Les gens normaux votent pour des politiciens.»

Les gens normaux aussi donnent de l'argent aux politiciens. La plupart d'entre eux donnent de petits montants, certes, mais ils sont très nombreux. Comment les inciter à donner au Parti libéral? C'était justement ce que Jamie Carroll, au siège du parti, à Ottawa, s'efforçait de découvrir. En théorie, il n'y avait pas de raison que les gens refusent de donner à Stéphane Dion, car il entrait lui aussi dans la catégorie des gens normaux. Et si les gens normaux ne le comprenaient pas, les libéraux de longue date savaient que ce serait la faute de leur propre parti, qui avait permis aux conservateurs de définir Dion pour les Canadiens, au lieu de les laisser se faire eux-mêmes une opinion.

Dion était, il fallait bien l'avouer, un peu excentrique. Son humour penchait vers l'absurde. Parfois, il traitait les enfants en adultes. Denis Saint-Martin se souvient d'avoir entendu Dion donner un «cours» sur les gaz à effet de serre à son fils de huit ans. En 2005, la classe avait fait un travail sur l'environnement et voulait demander au ministre de le signer. Saint-Martin conduisit son fils chez Dion, un samedi matin: «En prenant un jus d'orange dans la cuisine, Stéphane a demandé à mon garçon: "C'est quoi le changement climatique?" Jérémie a dit: "C'est la pollution!" Mais Stéphane a poursuivi: "Non, non, ce n'est pas ça. Assieds-toi, je vais t'expliquer." Ça, c'est Stéphane tout craché[6]!»

Stéphane Dion avait fait sa conférence sur les gaz à effet de serre aux membres du Parti libéral, comme il espérait bien pouvoir la faire ultérieurement à l'électorat canadien. C'est cette éventualité, surtout, qui l'incita à se lancer dans la course à la direction. «Ce n'est pas le pouvoir qui m'intéresse, c'est ce que je pourrais en faire», dit-il, en parlant de ce qu'il ferait s'il était élu premier ministre. Dans son esprit, il s'agissait de gouverner en fonction de ce principe et non de modifier tel ou tel programme, tel ou tel ministère. C'était la raison pour laquelle Elizabeth May, chef du Parti vert, avait une si haute opinion de Dion.

Un après-midi, durant les Fêtes, il décrivit son plan, un ministère après l'autre. Pour lui, c'était une activité de vacances tout à fait normale. Il expliqua que lorsqu'il avait commencé sa campagne, on lui avait conseillé de ne pas faire de l'environnement une priorité, parce que les gens croiraient qu'il essayait de gagner des voix en misant sur ses réalisations de ministre de l'Environnement. « Vous n'aurez pas l'air d'un premier ministre », lui avait-on dit. Mais il avait résisté. « Je ne voulais pas être un candidat comme les autres. J'ai un message différent pour l'électorat. Ce ne sera pas le programme à 25 piliers. Mon programme reposera sur trois piliers », dit-il[7].

L'environnement n'est pas un dossier comme les autres. La survie de la planète en dépend. « Je suis persuadé que l'humanité trouvera des solutions. Et les pays qui trouveront ces solutions deviendront riches. Je veux que le Canada soit parmi eux, avec leurs compétences, leur savoir, leurs inventions, leurs innovations, partout dans le monde. Nous pouvons soit rater cette occasion, soit, au contraire, la saisir. Et je veux que le Canada la saisisse », affirma Dion.

Lorsque Dion était ministre de l'Environnement, on lui avait reproché l'augmentation constante des émissions de gaz à effet de serre. Il était toutefois injuste d'affirmer que le Canada n'avait pas respecté ses engagements, car la première date d'entrée en vigueur des objectifs énoncés dans le protocole de Kyoto, soit 2008, n'était même pas encore arrivée. Néanmoins, Dion estima que là n'était pas la question. « Ce que j'ai pu faire en tant que ministre de l'Environnement n'est rien par rapport à ce que je pourrais faire si j'étais premier ministre. Parce que le premier ministre se fait entendre de tous et il peut former son Cabinet en fonction de ce message. »

C'était la même chose lorsqu'il s'agissait de l'unité. « Je ne suis pas devenu ministre de l'unité parce que je pleurais sur le sort du Canada. Je ne suis pas un nationaliste traditionnel. Et je ne suis pas devenu ministre de l'Environnement parce que j'avais écrit des livres. [...] Mais surtout parce que j'ai compris ce que devrait être l'économie du xxIe siècle.»

La question de l'unité avait jadis rempli l'existence de Stéphane Dion. Il put se réjouir de son œuvre, lorsque les élections provinciales au Québec, en mars 2007, firent passer le Parti québécois au troisième rang. Bien que de nombreux facteurs eussent contribué à ce résultat (le premier ministre provincial Jean Charest fut réélu à la tête d'un gouvernement minoritaire), les Québécois se montraient de moins en moins intéressés par l'idée d'un référendum. Avant que Dion se plonge dans le dossier de l'unité, la séparation paraissait relativement simple. C'était, tout au moins, l'argument du Parti québécois. Mais la *Loi sur la clarté* de 2000 avait fixé les règles et permis de comprendre que la route de la séparation serait en réalité longue et tortueuse[8].

Dion avait réfléchi profondément à ce qu'il ferait du dossier de l'environnement s'il devenait premier ministre. Les politiciens parlent de mettre en œuvre tel ou tel programme, mais il envisageait de changer le modèle de gouvernement de manière à faire de chaque ministre un élément d'un vaste panorama. Son but tient en une phrase: «Pouvoir produire plus en engendrant moins de déchets.»

Il était prêt à affecter une mission précise à chacun de ses ministres. «Par exemple, si j'appelais mon ministre des Travaux publics, je lui dirais: "Je veux que nous produisions une mégatonne de moins d'ici 2012. Nous envoyons trois mégatonnes de gaz à effet de serre dans l'atmosphère, c'est une de trop. Si vous êtes capable de faire cela en deux ou trois ans, je serai très content de vous. Cela voudra dire que vous devrez adopter une stratégie verte, une vraie. Il ne suffit pas d'en parler, il faut agir. Et vous devrez exercer des pressions sur vos bureaucrates. S'ils ruent dans les brancards, dites-le-moi."»

Dion inclut à son raisonnement le rôle d'autres ministères qu'il juge cruciaux. «Le ministre des Finances aurait la mission de préparer le budget le plus écologique depuis la création de la Confédération et d'instaurer une réforme fiscale qui tiendrait compte du dossier environnemental des entreprises. Ce n'est pas en réduisant la TPS que l'on réussira à transformer l'économie. Mais une réforme fiscale fondée sur le respect de l'environnement pourrait nous permettre d'atteindre ce but. Le ministre de l'Environnement a également son rôle à jouer. Le président du Conseil du Trésor devra s'assurer que chaque ministère respecte ses engagements en matière de viabilité de l'environnement.»

Selon son plan, «le ministère des Pêches et Océans deviendrait le ministère des Océans et Pêches, et il serait doté d'un mandat très clair. Il en irait de même du ministère des Ressources naturelles. Le ministre des Affaires étrangères et le ministre responsable de l'Agence canadienne de développement international (ACDI) représenteraient un pays qui a fait de la pureté de l'eau un facteur essentiel de ses relations avec les autres nations. Mon rôle sera de nous assurer que si nous voulons aider les autres, nous sommes capables de résoudre le problème de l'eau. Le ministre des Affaires étrangères s'intéressera de près au Nord et fera son possible pour faire adopter des lois sévères à l'échelle internationale, afin de protéger le fragile écosystème de l'Arctique.»

Son ministère de l'Industrie devrait subventionner des centres de recherche sur la pureté de l'eau et de l'air, ainsi que sur le changement climatique. On encouragerait les scientifiques à venir travailler au Canada, ce qui ferait progresser les découvertes en matière de technologie environnementale. Le ministre du Commerce serait chargé de vendre ces découvertes canadiennes à l'étranger. Le premier ministre consulterait des spécialistes (comme tout bon chercheur universitaire) au lieu de se contenter d'écouter les groupes d'intérêt et les lobbys traditionnels.

Durant sa tournée en Alberta, en janvier 2007, Dion avait consacré une partie d'un après-midi à écouter des scientifiques. Ensuite, il avait recueilli leurs cartes professionnelles et demandé à ses adjoints de rester en contact avec eux. Il conclut: «On ne verra plus jamais de rapport sur la stratégie industrielle du Canada non assorti d'un dossier environnemental. La croissance doit sauvegarder les intérêts de la prochaine génération, de nos enfants et petits-enfants. Le protocole de Kyoto est le premier pas que nous devons accomplir, le plus tôt possible.»

Son programme comportait un dernier élément. Il précisa qu'il ne réduirait pas la taxe sur les produits et services (TPS) du point de pourcentage supplémentaire promis par le premier ministre Stephen Harper. «Cela représente cinq milliards par an. Quand je pense que certains ont crié que mon plan pour Kyoto était trop coûteux! Comment? Dix milliards de dollars étalés sur six budgets! Alors qu'une réduction de la TPS de 1% coûterait 5,5 milliards par an! Et c'est trop coûteux de transformer l'économie, d'adopter une stratégie qui nous rendra plus efficaces sur le plan énergétique? [Réduire] la TPS n'apporte rien, absolument rien à l'économie!»

~

Stéphane Dion savait qu'il n'aurait peut-être pas l'occasion de concrétiser son plan. Il resterait peut-être chef de l'opposition et sa survie, par la suite, deviendrait précaire. Mais beaucoup de gens lui avaient assuré qu'il deviendrait premier ministre, y compris Adam Campbell au cours d'une conversation téléphonique, en 2006, pendant la course à la direction. Pour Campbell, c'est une sorte de sentiment viscéral, qui lui fit dire, à propos de Dion: «Je sens une grandeur chez lui. Mais ce n'est pas celle d'un Winston Churchill, d'un Roosevelt ou d'un Kennedy. C'est différent. C'est une grandeur typiquement canadienne.» Campbell rappela la soirée que Dion avait passée à Edmonton. «C'est un gars qu'on sous-estime, mais qui, s'il en a la possibilité, changera la manière dont les Canadiens réfléchissent, agissent et se comportent. Ce n'est pas si souvent que quelqu'un a la chance de pouvoir faire cela. Mais je crois que c'est ce que nous avons vu ce soir. Il s'est exprimé devant un groupe de 400 personnes et il les a convaincues. Je crois qu'elles reviendront. [...] Dion a remporté la course à la direction une personne à la fois.»

Certains estiment qu'il faudrait lui laisser la chance de convaincre le pays. «Il a gagné le droit de devenir chef du parti», dit David Peterson, libéral émérite, au moment où la fièvre électorale se propageait à l'hiver et au printemps 2007. Les rumeurs couraient: Stephen Harper voulait déclencher des élections, les libéraux ne seraient jamais plus faibles qu'à ce moment-là, Harper n'attendait que des sondages qui le maintiendraient à 40%... Peterson, ancien premier ministre de l'Ontario, avait appuyé Michael Ignatieff. Mais il ajouta que «de l'avis général», Dion avait gagné le droit de mener le parti vers deux élections. Selon Peterson, il serait très injuste de contester ce droit. «Le chef s'est montré très, très bon envers tous les candidats et il est en droit d'attendre d'eux la même loyauté. Sans compter que c'est un petit gars coriace.» Peterson juge «brillante» la campagne menée par Dion. «Il a vraiment suscité l'intérêt du parti pour les questions environnementales[9].»

(Au sujet de la loyauté, Dion dit avoir affirmé à Ignatieff: «Si vous gagnez, Michael, vous n'aurez pas de partisan, d'assistant ou de collaborateur plus loyal que moi.» Et il avait rassuré Paul Martin: «Quoi que les gens puissent vous dire à mon sujet, n'ayez aucun doute dans votre esprit. Je suis toujours très loyal envers mon chef.» Martin, dit-il, avait répondu qu'il le savait déjà.)

Rien, malheureusement, ne garantit que la vie nous traitera équitablement. Dans les deux mois qui suivirent la victoire de Dion, les conservateurs faisaient leur possible pour le présenter aux Canadiens sous un éclairage négatif en lançant leur série d'annonces hostiles. Les progressistes-conservateurs de Mike Harris, en Ontario, avaient agi de la même manière envers Dalton McGuinty, après 1996. «Ils jouent un jeu déloyal, ils font des coups bas», dit Peterson. McGuinty, toutefois, avait survécu. Mais les annonces hostiles à Dion se présentèrent avec la rapidité et l'efficacité de flèches empoisonnées. Dans l'une d'entre elles, Dion se plaignait à Ignatieff: «Croyez-vous qu'il est facile d'établir des priorités?» En réalité, ce que Dion avait voulu dire, c'est qu'il n'était pas toujours simple de faire accepter ses priorités au Cabinet.

Les conservateurs avaient une autre idée en tête : retirer à Dion tous les dividendes que son Projet vert lui avait acquis auprès du public. En 2007, Harper lui-même commençait à dresser sa plateforme électorale en se servant de l'environnement comme marchepied. Elizabeth May craignait que les conservateurs ne reprennent la tactique de 1988, avec le libre-échange à la clé. Après tout, cette tactique avait bien servi les progressistes-conservateurs. May estimait que Mulroney avait remporté les élections parce que les progressistes-conservateurs avaient réussi à embrouiller les Canadiens sur la question du libre-échange, exactement comme Harper le faisait avec Dion et l'environnement. Ce serait le programme en trois volets de l'un contre le plan en cinq volets de l'autre. Où était donc la différence, après tout ?

Peter Donolo, vétéran de la politique à Ottawa, est d'avis que Dion survivra. Il se souvient du jour où il a fait sa connaissance, dans les bureaux de Jean Chrétien, situés dans l'édifice Langevin. Donolo, directeur des relations avec les médias, était en train de rédiger un communiqué de presse sur l'entrée en fonction de Dion, lorsqu'un type d'allure réservée, un sac à dos sur l'épaule, était arrivé pour voir Chrétien. « Nous vivions tous des moments difficiles, nous avions tous été traumatisés par les résultats du référendum, se souvient Donolo. Dion s'est montré intrépide, à sa manière tranquille. [...] Ce que je trouve bien chez lui, c'est qu'il n'est pas vraiment compliqué. Du moins, c'est mon avis. Je ne veux pas dire qu'il n'est pas très savant. Mais il se connaît, il est discipliné, il a gardé un côté scout. Il ne ressemble ni à Clinton ni à Nixon ; il n'est pas mu par des motifs psychologiques complexes. [...] Il est ce qu'il est[10]. »

∾

Le photographe du *Toronto Star*, Richard Lautens, a su immortaliser la nature de Stéphane Dion en août 2006, sur une photo prise pendant que Dion se dirigeait vers la voiture d'André Lamarre, à l'aéroport de Québec. Comme à l'accoutumée, Dion portait lui-même ses bagages, peut-être parce qu'il avait été employé comme chasseur pendant ses études. Dion s'était souvent rendu en Chine, qu'il connaissait bien, et où il avait enseigné quelque temps, au début de 1990, dans le cadre d'un programme de sciences politiques. Janine Krieber se souvient d'une occasion où son mari, à l'hôtel, avait insisté pour porter les bagages de tout le groupe. Un employé de l'hôtel lui avait demandé si tous les Canadiens se comportaient de cette façon. Sur la photo de Lautens, Dion marche tête baissée… mais il a aussi l'air de l'homme qui sait où il va.

Notes

PROLOGUE: «BONJOUR, JE M'APPELLE STÉPHANE DION»

1. Entretien avec Janine Krieber, le 5 janvier 2007.
2. Entretien avec Jamie Carroll, le 26 janvier 2007.
3. Saint-Laurent-Cartierville.
4. Buzzetti, Hélène. «Même Dion serait de la course», *Le Devoir*, 25 janvier 2006.
5. Entretien avec Stéphane Dion, le 14 janvier 2007.
6. Entretien avec Mark Marissen, le 12 janvier 2007.
7. Entretien avec Mark Marissen, le 12 janvier 2007.
8. Il lui arriva aussi de parler de «*urban* ghee-*toes*».
9. Entretien avec Alan Campbell, le 11 janvier 2007.
10. Goldenberg, Eddie. *The Way It Works: Inside Ottawa* (Toronto: McClelland & Stewart, 2006), p. 244. (NDT: Une traduction française du livre de Goldenberg est en cours.)
11. Entretien avec André Lamarre, le 24 janvier 2007.
12. Entretien avec Stéphane Dion, le 29 décembre 2006.
13. Entretien avec André Lamarre, le 24 janvier 2007.

CHAPITRE 1: LA MAISON DU BOULEVARD LIÉGEOIS

1. En français dans le texte. (NDT)
2. En français dans le texte. (NDT)
3. Les statistiques révèlent que les habitants de Québec-Ouest avaient tendance à voter pour le candidat libéral – surtout – ou, à l'occasion, pour le candidat conservateur aux élections provinciales. Il y eut une seule exception, soit l'élection du membre de l'Assemblée nationale Jean-Alphonse Savoie en 1948. Les électeurs de la circonscription, qui prit le nom de Louis-Hébert en 1962, porteraient ensuite au pouvoir un député du Parti libéral et un député du Parti québécois, en alternance. Source: «Les membres de l'Assemblée nationale par circonscription», *Informations historiques* (Assemblée nationale du Québec), http://www.assnat.qc.ca/patrimoine/depcir/index.htm (Consulté le 1er février 2007).

4. En français dans le texte. (NDT)
5. Entretien avec Denyse Dion, le 30 décembre 2006. Sauf indication contraire, les remarques et les souvenirs personnels de Mme Dion sont des extraits de cet entretien.
6. Huey Pierce Long (1893-1935) fut un politicien américain populiste, qui souleva la controverse et qui représenta la Louisiane au Congrès de 1932 à 1935. Il se brouilla avec Roosevelt sous le prétexte que ce dernier était trop lié à la haute finance, mais n'aurait, dit-on, pas hésité à s'associer à des intérêts louches, qui souhaitaient construire des casinos en Louisiane. (NDT)
7. Fraser, Graham. *Le Parti Québécois.* Trad. Dominique Clift (Montréal: Éd. Libre Expression, 1984), p. 22.
8. *Ibid.*, p. 21.
9. Diebel, Linda. «Can Stéphane Dion Reel in the Prize?», *Toronto Star*, 8 août 2006, p. A6.
10. Entretien avec John Meisel, le 27 janvier 2007.
11. Fraser, *Le Parti Québécois*, p. 23.
12. *Ibid.*, p. 235.
13. Côté, Gabriel. «Visionnaire et homme de cœur», *Au fil des événements*, 20 janvier 2000; http://www.scom.ulaval.ca/Au.fil.des.evenements/2000/01.20/levesque.html. (Consulté le 1er février 2007).
14. Entretiens avec Stéphane Dion, les 28-29 décembre 2006.
15. En français dans le texte. (NDT)
16. En français dans le texte. (NDT)
17. Entretien avec John Meisel, le 27 janvier 2007.
18. Depuis sa fondation par Samuel de Champlain (1567-1635), l'architecture de la vieille capitale n'a connu que peu d'altérations. C'est toujours la ville du gouverneur général de la Nouvelle-France, Louis de Baude, marquis de Frontenac (1622-1698), de son défenseur, le marquis Louis-Joseph de Montcalm (1717-1759) et de son conquérant, James Wolfe (1727-1759).
19. En français dans le texte. (NDT)
20. Sa thèse s'intitulait *L'univers totalitaire: l'idéologie politique du national-socialisme.* Site Web de l'Ordre national du Québec, «Léon Dion», ministère du Conseil exécutif, gouvernement du Québec; http://www.ordre-national.gouv.qc.ca/recherche_details.asp?id=72 (Consulté le 11 février 2007).
21. Le thomisme naquit des enseignements théologiques de Thomas d'Aquin (1228-1274, canonisé en 1323) et demeure considéré comme la philosophie officielle de l'Église catholique. Vatican II le qualifia de «philosophie éternelle». (NDT)
22. En français dans le texte. (NDT)
23. La carrière de Lamontagne comme ministre du gouvernement de Lester B. Pearson fut ternie par une affaire de mobilier, dans les années 60. Selon Dion, il s'agissait «d'un stupide scandale provoqué par du mobilier qu'il avait accepté de quelqu'un» (entretien du 5 janvier 2007). Lamontagne entra ultérieurement au Sénat du Canada.

24. Dion, Stéphane. « Le rôle moteur du gouvernement du Canada dans la Révolution tranquille », dans Bélanger, Y., R. Comeau et C. Métivier (sous la dir. de), *La Révolution tranquille 40 ans plus tard : un bilan* (Montréal : VLB Éditeur, 2000), p. 50-51.

25. *Ibid.*, p. 51.

26. Dion, Léon. *Le Bill 60 et la société québécoise* (Montréal : HMH, 1967).

27. En français dans le texte. (NDT)

28. En 1970, l'école serait intégrée au système laïque, sous le nom de « Collège Saint-Charles-Garnier ».

29. Entretien avec Laurent Arsenault, le 6 février 2007.

30. En français dans le texte. (NDT)

31. Le système québécois du cégep (« Collège d'enseignement général et professionnel ») diffère de celui des autres provinces. Après leur 5ᵉ et dernière année de secondaire (11ᵉ année de scolarité), les élèves choisissent entre un programme préuniversitaire de deux ans (par exemple, sciences humaines ou administration) et un programme professionnel de trois ans, comparable à celui que pourrait offrir un collège technique. Les diplômés d'un cégep peuvent ensuite s'inscrire à l'université au Québec et obtenir un baccalauréat en trois ans seulement.

32. Diebel, Linda. « Can Stéphane Dion Reel in the Prize », *Toronto Star*, 8 août 2006, p. A6.

33. Cette théorie était au cœur du livre célèbre de Max Weber, *L'éthique protestante et l'esprit du capitalisme*, publié pour la première fois en Allemagne sous forme d'article en deux parties, en 1904-1905. Voir Dion, Stéphane, « Le rôle moteur du gouvernement du Canada dans la Révolution tranquille », dans Bélanger, Y., R. Comeau et C. Métivier (sous la dir. de), *La Révolution tranquille 40 ans plus tard : un bilan* (Montréal : VLB Éditeur, 2000), p. 49.

34. Entretien avec Stéphane Dion, le 21 décembre 2006.

35. *Id.*

36. Entretien avec Francis Dion, le 1ᵉʳ février 2007.

37. En français dans le texte. (NDT)

38. « Palmarès », *La Presse*, décembre 2006, « Rétro 2006 », p. 1.

39. Entretiens avec Stéphane Dion, les 10-11 janvier 2007.

40. En français dans le texte. (NDT)

41. Entretien avec Mark Marissen, le 12 janvier 2007.

42. En français dans le texte. (NDT)

CHAPITRE 2 : « NOUS NE POUVONS PAS TRAHIR NOS ANCÊTRES »

1. Entretiens avec Stéphane Dion, les 28-29 décembre 2006. Sauf indication contraire, les extraits contenus dans ce chapitre proviennent de ces conversations.

2. En français dans le texte. (NDT)

3. Cette description de la démarche pédagogique de Léon est une synthèse de plusieurs entretiens, y compris avec des personnes qui ont volontiers donné leur opinion tout en préférant demeurer anonymes.

4. Entretien avec Janine Krieber, le 28 décembre 2006.

5. Léon Dion ne fut pas le seul Canadien à se sentir insulté. Une anecdote se répandit dans le monde de la presse. Apparemment, un journaliste d'Ottawa accompagnait Brian Mulroney à l'occasion d'une visite des cimetières militaires canadiens en Normandie, dans les années 80. Un membre de la Gendarmerie française se montra plutôt désagréable à l'égard du journaliste qui, excédé, finit par rétorquer : «*Nos soldats ont sacrifié leurs vies ici pour libérer votre pays pendant que votre mère couchait avec les Boches.*» (NDT : En français dans le texte.) Il fallut contenir la fureur du gendarme.

6. En français dans le texte. (NDT)

7. «Enlèvement de Pierre Laporte» (bande sonore d'une émission télévisée), *Le Téléjournal*, 10 octobre 1970, mis à jour le 6 juillet 2006, *in* : «octobre 1970, le Québec en crise : Guerres et conflits» *Les Archives de Radio-Canada*, Radio-Canada. http://archives.radio-canada.ca/IDC-0-9-81-323/guerres_conflits/octobre_70/clip4 (Consulté le 10 février 2007).

8. Deux cellules distinctes du FLQ étaient responsables de chaque enlèvement. Immédiatement après, les membres de la cellule qui avait kidnappé Cross s'envolèrent pour Cuba. Finalement, les membres des deux cellules furent condamnés en vertu de divers chefs d'accusation, notamment enlèvement et, dans l'affaire Laporte, homicide volontaire. Néanmoins, tous les membres de la même cellule ne furent pas condamnés en vertu du même chef d'accusation. Par exemple, Paul Rose et Francis Simard furent accusés d'homicide volontaire dans l'affaire Laporte. Bien qu'ils eussent été condamnés à la détention criminelle à perpétuité, ils ont depuis bénéficié d'une libération conditionnelle.

9. Entretien avec Claude Laporte, le 23 janvier 2007.

10. Le premier ministre s'adressait à trois journalistes de la CBC, P. Reilly, L. Zolf et T. Ralfe, trois jours avant le décret de la *Loi sur les mesures de guerre*. (NDT)

11. Dion, Stéphane. «Explaining Québec Nationalism», dans Weaver, R. Kent (sous la dir. de), *The Collapse of Canada?* (Washington, DC : The Brookings Institution, 1992), p. 80.

12. En français dans le texte. (NDT)

13. *Id.* (NDT)

14. *Id.* (NDT)

15. *Id.* (NDT)

16. Entretien avec Peter Russell, le 26 janvier 2007.

17. En français dans le texte. (NDT)

18. Dion, Stéphane. «Explaining Québec Nationalism», dans Weaver, R. Kent (sous la dir. de), *The Collapse of Canada?* (Washington, DC : The Brookings Institution, 1992), p. 97.

19. «Parle comme un Blanc!» (NDT)

20. Vallières, Pierre. *Nègres blancs d'Amérique : autobiographie précoce d'un « terroriste » québécois* (Montréal : Éditions Parti pris, 1968). L'auteur estime que la situation des Québécois francophones avait d'autres dimensions que sim-

plement la langue. Il l'interprète comme une lutte des classes, dans laquelle le Québécois, soit l'ouvrier, était dominé par le bourgeois anglophone.

21. Fraser, Graham. *Sorry, I Don't Speak French: Confronting the Canadian Crises That Won't Go Away* (Toronto: Douglas Gibson, 2006) p. 30. (NDT: Une traduction française de ce livre est en cours.)

22. *Ibid.* Fraser deviendrait Commissaire du Canada aux langues officielles en 2006.

23. En français dans le texte. (NDT)

24. Peter Russell fait allusion aux nombreux ouvrages de Léon Dion, parmi lesquels *Le Bill 60 et la société québécoise* (1967), *La prochaine révolution* (1973), *Nationalismes et politique au Québec* (1975) et *Québec: 1945-2000* (1987).

25. On peut entendre la chanson de Gilles Vigneault à tous les rassemblements du Parti québécois. En langage imagé, les paroles incitent les gens à l'action en leur faisant comprendre que leur destin leur appartient. Il est toujours très émouvant d'entendre cette chanson, dont la mélodie est très belle et dont les paroles sont très faciles à retenir.

26. Les commentaires de René Lévesque furent largement repris par les médias.

27. Entretien avec Guy Lévesque, le 30 décembre 2006.

28. En français dans le texte. (NDT)

29. Entretien avec John Meisel, le 27 janvier 2007.

30. Tocqueville avait reçu une formation de juriste et son étude la plus connue, *De la démocratie en Amérique*, publiée en France en 1840 (NDT: dernière réédition à Paris: Librairie philosophique J. Vrin, 1990), parut également aux États-Unis en deux volumes la même année, sous le titre *Democracy in America*.

31. Dion, Stéphane. *La dimension temporelle de l'action partisane: l'étude d'un cas: le débat au sein du Parti Québécois sur les modalités d'accession à l'indépendance* (Thèse de maîtrise, Université Laval, 1979).

32. En français dans le texte. (NDT)

33. Dion, Stéphane, *La dimension temporelle de l'action partisane*, p. 126.

34. Entretien avec Laurent Arsenault, le 6 février 2007. Sauf indication contraire, les remarques de M. Arsenault dans ce chapitre proviennent de cet entretien.

35. En français dans le texte. (NDT)

36. Schleyer, puissant industriel d'Allemagne fédérale, avait été kidnappé dans sa voiture à Cologne par la Bande à Baader, le 5 septembre 1977. Ses gardes du corps avaient été tués sur les lieux et, un mois plus tard, on devait découvrir le corps de Schleyer dans le coffre d'une voiture. À partir du début des années 60, la Bande à Baader, qui prit ultérieurement le nom de «Faction de l'armée rouge», assassina plus de 30 personnes dans le cadre de sa campagne contre les milieux aisés de l'Allemagne fédérale et le personnel militaire des États-Unis.

37. Entretien avec Janine Krieber, le 6 janvier 2007.

38. Entretien avec Jean-Philippe Thérien, le 22 janvier 2007. Sauf indication contraire, les remarques de M. Thérien contenues dans ce chapitre proviennent de cette conversation.

39. En français dans le texte. (NDT)
40. En français dans le texte. (NDT)
41. En français dans le texte. (NDT)
42. Une anecdote de l'auteur : je me souviens d'avoir dû écouter un sermon sur l'usage du vocabulaire en français, un jour où je me trouvais aux Galeries Lafayette, à Paris. Lorsque j'ai voulu demander à une vendeuse où se trouvaient les toilettes, j'ai commis l'erreur, apparemment très grave, de parler de « salle de bains ». Pendant un bon quart d'heure, elle m'expliqua la différence entre « les toilettes » et « la salle de bains », cette dernière étant l'endroit où l'on se rend pour prendre un bain dans une baignoire. Pendant qu'elle me catéchisait ainsi, je songeais que j'avais failli dépenser de l'argent dans son magasin.
43. Crozier jeta les bases de son analyse stratégique des organisations dans un ouvrage, qui obtint un immense succès, *Le phénomène bureaucratique : essai sur les tendances bureaucratiques des systèmes d'organisation modernes et sur leurs relations en France avec le système social et culturel* (Paris : Éditions du Seuil, 1963). Les Presses de l'Université de Chicago ont publié la version anglaise (traduction de Crozier lui-même) l'année suivante.
44. Grémion, Michel. « Michel Crozier's Long March ; the Making of the *Bureaucratic Phenomenon* », *Political Studies* 40 (1), p. 5-20.
45. Entretien avec Denis Saint-Martin, le 23 janvier 2007. Sauf indication contraire, les remarques de M. Saint-Martin contenues dans ce chapitre sont des extraits de cette conversation.
46. « le type même de l'opprimé ». En anglais dans l'entretien. (NDT)
47. « Oh, mais c'est fantastique ! » En anglais dans l'entretien. (NDT)
48. « qui n'aimait pas nager avec le courant ». En anglais dans l'entretien. (NDT)
49. Dion, Stéphane. *La politisation des mairies.* (Paris : Economica, 1986). Il s'agit du livre publié à partir de sa thèse de doctorat, qui portait le titre suivant : *La politisation des administrations publiques : l'exemple de l'administration communale française* (1984).
50. Crozier, Michel. « Préface », dans Dion, Stéphane, *La politisation des mairies* (Paris, Economica : 1986), p. ii.
51. Le terme « Clochemerles » fait allusion à un roman satirique français de 1934, écrit par Gabriel Chevallier, qui se déroule dans un village imaginaire divisé entre le maire sortant, qui s'oppose à tout progrès technologique, et son rival, qui souhaite faire construire un urinoir. Par cette métaphore, Crozier évoque la politisation excessive de questions qui, bien qu'elles semblent dépourvues de tout intérêt pour l'extérieur, trahissent la peur du changement et d'une conception étrangère de l'identité chez les citoyens locaux.
52. Crozier, p. iii.
53. Entretien avec Stéphane Dion, le 14 février 2007.
54. Dion, Léon. *Le Québec et le Canada : les voies de l'avenir* (Montréal : Éditions Quebecor, 1980).

CHAPITRE 3: UN DION, ÇA SUFFIT!

1. Entretien avec André Bélanger, politicologue, Université de Montréal, le 25 janvier 2007. Sauf indication contraire, les remarques de M. Bélanger dans ce chapitre sont des extraits de cette conversation.
2. Entretien avec Stéphane Dion, les 28-29 décembre 2006. Sauf indication contraire, les remarques de M. Dion dans ce chapitre sont des extraits de ces conversations.
3. Aubin, Benoît. «Ottawa's New Power Couple», *Maclean's*, 22 janvier 2007, p. 30.
4. *Ibid.*
5. Entretien avec Janine Krieber, le 25 janvier 2007.
6. Entretien avec Denis Saint-Martin, le 23 janvier 2007.
7. «Bavardage». En anglais dans l'entretien. (NDT)
8. Entretien avec Denis Saint-Martin, le 23 janvier 2007.
9. Entretien avec Graciela Ducatenzeiler, le 1er février 2007.
10. Blais, André et Stéphane Dion (sous la dir. de). *The Budget-Maximizing Bureaucrat: Appraisal and Evidence* (Pittsburgh: University of Pittsburgh Press, 1991).
11. En français dans le texte. (NDT)
12. *Id.* (NDT)

CHAPITRE 4: LA RÉVÉLATION

1. En 2007, cette émission portait le titre *PBS NewsHour*.
2. Entretien avec Stéphane Dion, le 21 décembre 2006. Sauf indication contraire, les remarques contenues dans ce chapitre sont extraites de cet entretien.
3. En 2007, Andrew Stark était professeur de gestion stratégique à la Rotman School of Management de l'Université de Toronto; Keith G. Banting occupait une chaire de politique publique à l'Université Queen's et, pendant l'année 2006-2007, se trouvait en sabbatique à l'Université de Melbourne, en Australie. Quant à Thomas Mann, qui avait demandé à ses collègues de rédiger le livre, il était chercheur principal en études gouvernementales (chaire W. Averell Harriman) au Brookings en 2007.
4. Entretien avec Keith Banting, le 26 février 2007.
5. En 2007, R. Kent Weaver était chercheur principal en études gouvernementales au Brookings.
6. Weaver, R. Kent (sous la dir. de). *The Collapse of Canada?* (Washington, D.C.: The Brookings Institution, 1992).
7. Entretien avec Andrew Stark, le 23 février 2007. Le dimanche précédent, M. Stark et son épouse, Deborah, avaient mangé avec Stéphane Dion et Janine Krieber au Royal Ontario Museum (Toronto).
8. Voir les articles 91 et 92, que tout journaliste vétéran des guerres constitutionnelles ne connaît que trop bien.
9. Dion, Stéphane. «Le caractère décentralisé de la fédération canadienne», dans Peter Russell (sous la dir. de), *Le pari de la franchise: discours et écrits sur l'unité canadienne* (Montréal et Kingston: McGill-Queen's University Press, 1999), p. 100.

10. «Comment expliquer le nationalisme québécois». Il n'existe pas pour le moment de version française du livre *The Collapse of Canada?* (NDT)
11. Dion, Stéphane. «Explaining Quebec Nationalism», p. 77.
12. Dion, Stéphane. «The Quebec Challenge to Canadian Unity», *PS: Political Science & Politics*, 26, 1 (1993), p. 40.
13. Dion, Stéphane. «Explaining Quebec Nationalism», p. 79.
14. Les spécialistes de droit constitutionnel ne s'accordaient pas sur la question de savoir si le refus du Québec de signer la *Loi sur le Canada* de 1982, qui avait permis le rapatriement de l'*Acte de l'Amérique du Nord britannique*, signifiait que ses dispositions ne s'appliqueraient pas à la province. Entre-temps, on avait engagé des pourparlers pour essayer de parvenir à une entente avec le Québec. L'*Acte de l'Amérique du Nord britannique* a été remplacé par la *Loi sur la Constitution* de 1867.
15. John Buchanan compara l'ère des changements constitutionnels à la «grande roue», acte 2, scène 4 du *Roi Lear*, de Shakespeare: «Abandonne ton emprise lorsqu'une grande roue commence à descendre la pente, de peur de te rompre le cou.»
16. Dion, Stéphane. «Explaining Quebec Nationalism», p. 112.
17. La *Loi 101* ou, pour lui donner son nom officiel, la *Charte de la langue française*, interdisait également à beaucoup de Québécois de langue anglaise de faire leurs études en anglais. Quiconque dont les parents n'avait pas fait la majorité de ses années d'étude en anglais au Canada (au départ, c'était seulement au Québec) n'était pas admissible à des études en anglais. En fin de compte, il s'agit d'un écheveau législatif d'une complexité digne d'Orwell, dans le contexte d'une idée très compréhensible. Cette loi serait à maintes reprises contestée devant les tribunaux jusqu'à ce que finalement, en mars 2005, la Cour suprême rende une décision en sa faveur, en précisant toutefois qu'il faudrait faciliter l'accès des enfants de parents anglophones aux écoles de langue anglaise.
18. Dion, Stéphane. «Explaining Quebec Nationalism», p. 95.
19. *Ibid.*, p. 94-95.
20. En français dans le texte. (NDT)
21. Dion, Stéphane. «Explaining Quebec Nationalism», p. 111. Il est important de noter ici que Dion ne dit pas, dans son essai, qu'il est en faveur de l'Accord du lac Meech; il analyse les effets de cet échec sur le Québec.
22. *Ibid.*, p. 120.
23. *Ibid.*, p. 121.
24. Entretien avec Stéphane Dion, le 25 février 2007.
25. Entretien avec Peter Russell, le 26 janvier 2007.
26. Entretien avec Stéphane Dion, le 25 février 2007.
27. *Id.*
28. Cette commission était présidée par Michel Bélanger, un fédéraliste, et Jean Campeau, un indépendantiste. Elle déposa son rapport le 28 mars 1991.
29. Le rapport Allaire fut déposé devant l'Assemblée nationale du Québec le 10 mars 1991.

30. En français dans le texte. (NDT)

31. Dion, Stéphane. «Le Canada malade de la politique», *La Presse*, 26 février 1992, p. B3.

32. Dion, Stéphane. «L'Accord de Charlottetown et le partage des pouvoirs», *Le Devoir*, 16 octobre 1992, p. B1.

33. Aubin, Benoît. «Ottawa's New Power Couple», *Maclean's*, 22 janvier 2007, p. 31.

34. Venne, Michel. «Léon Dion propose de donner une dernière chance au Canada», *Le Devoir*, 13 décembre 1990, p. A1.

35. Boivin, Gilles. «Léon Dion propose une dernière chance au Canada anglais», *Le Soleil*, 13 décembre 1990, p. A6.

36. Entretien avec Stéphane Dion, le 25 février 2007.

37. Adam, Marcel. «Au sujet du prétendu consensus québécois sur la question du partage des pouvoirs», *La Presse*, 27 février 1992, p. B2.

38. Gagnon, Lysiane. «Les pouvoirs? Mais pourquoi?», *La Presse*, 14 mars 1992, p. B3.

39. Cette théorie déborde évidemment de la pensée marxiste et prend en considération les idées de Carl Jung, l'analyse philosophique du libre arbitre, les idées de Léon Tolstoï, voire l'interprétation de Mary Shelley. Tolstoï interrompt constamment le déroulement de *Guerre et paix*, l'un des meilleurs romans jamais écrits, pour sermonner son public sur sa propre théorie des courants de l'histoire, en utilisant fréquemment l'exemple de Napoléon.

40. Entretien avec Denis Saint-Martin, le 23 janvier 2007.

41. *Id.*

42. «Voyager à titre de Canadien» (clip vidéo), «Discussions avec Dion», site de la campagne, www.stephanedion.ca/?q+fr/Conversation (Consulté le 25 février 2007).

43. Pensons par exemple à son film de 1972, *Le charme discret de la bourgeoisie.*

44. Entretiens avec Stéphane Dion, les 10-11 janvier 2007.

45. Marissal, Vincent. «Le politicologue Stéphane Dion sermonne les libéraux», *Le Soleil*, 30 janvier 1995, p. A4.

46. David, Michel. «L'impertinent», *Le Soleil*, 31 janvier 1995, p. A12.

47. Graveline, Pierre. «Ce peuple obsédé de constitution», *Le Devoir*, 2 février 1995, p. A6.

48. Diebel, Linda. «Can Stéphane Dion Reel In the Prize?», *Toronto Star*, 8 août 2006, p. A6.

49. Entretien avec Keith Banting, le 27 février 2007.

50. En français dans le texte. (NDT)

51. Leishman, Rory. «Parizeau's Odious Allegations Are Based on a Bad Translation», *The Gazette*, 23 mars 1995, p. B3. Leishman, qui était présent au séminaire, expliqua que c'était une erreur de traduction, dans un rapport émis par la presse canadienne, qui avait suscité ce charivari. Hartt avait déclaré que le premier ministre, Jean Chrétien, devrait «*let Quebec suffer*» (NDT: que l'on pourrait traduire de manière idiomatique par «laisser le Québec en subir les conséquences») mais qui avait été rendu par «*faire* souffrir» le Québec.

52. Hartt, Stanley. «C.D. Howe Meeting Didn't Plot a Québec Recession», *The Gazette*, 23 mars 1995, p. B3.
53. Presse canadienne. «Le politicologue Stéphane Dion se défend de vouloir faire souffrir les Québécois», *Le Devoir*, 18 mars 1995, p. A8.
54. Entretien avec Stéphane Dion, le 9 février 2007.
55. Dion, Stéphane. «Rester dans le Canada», *La Presse*, 21 septembre 1995, p. B3.
56. Entretien avec François Vaillancourt, le 5 janvier 2007.
57. Dion, Stéphane et François Vaillancourt. «Le choix référendaire résumé en douze propositions fondamentales», *La Presse*, 14 octobre 1995, p. B3.
58. Entretien avec Geoffroi Montpetit, le 22 février 2007.
59. Picard, André, Rhéal Séguin et Richard Mackie. «No Knockouts in Quebec Debate», *The Globe and Mail*, 30 août 1994, p. A1.

CHAPITRE 5: PROMENADE SOUS LA NEIGE

1. Yakabuski, Konrad. «King of the Hill», *The Globe and Mail*, 20 janvier 2007, p. F1.
2. Entretien avec Stéphane Dion, le 21 décembre 2006. Sauf indication contraire, les remarques contenues dans ce chapitre sont des extraits de cet entretien.
3. En français dans le texte. (NDT)
4. Entretien avec Jean Chrétien, le 25 janvier 2007.

CHAPITRE 6: MINISTRE DE L'UNITÉ

1. Un bref historique interactif de la décision de la reine Victoria se trouve sur le site Web de la Commission de la capitale nationale (CCN). Voir «Une capitale de choix», dans le menu «Découvrir la capitale», Commission de la capitale nationale, mis à jour le 18 janvier 2007. http://www.canadascapital.gc.ca/bins/ncc_web_content_page.asp?cid=16297-58245-59585&lang=2 (Consulté le 3 mars 2007).
2. «New Unity Minister Says Quebec Can Be Split Up if It Separates», *Canadian Press Newswire*, 26 janvier 1996.
3. Entretien avec Stéphane Dion, le 21 décembre 2006.
4. Goldenberg, Eddie. *The Way It Works: Inside Ottawa* (Toronto: McClelland & Stewart, 2006), p. 244.
5. Entretien avec Jean Chrétien, le 25 janvier 2007. Sauf indication contraire, les remarques de M. Chrétien contenues dans ce chapitre sont des extraits de cet entretien.
6. En français dans le texte. (NDT)
7. Entretien avec Stéphane Dion, le 21 décembre 2006.
8. Goldenberg, *The Way It Works*, p. 244.
9. Entretien avec Geoffroi Montpetit, le 19 février 2007.
10. Entretien avec Janine Krieber, le 6 janvier 2007.
11. George Anderson avait occupé des postes de direction au ministère des Finances, entre autres. Il avait enseigné au Centre for Intergovernmental Affairs de l'Université Harvard, après des études à Queen's, à Oxford et à

l'École nationale d'administration (ENA) de Paris. En 2006, il était PDG du Forum des fédérations, organisme qui vise à encourager le fédéralisme dans le monde entier. Il devint sous-ministre de Dion en mars 1996. Pendant les premières semaines, il avait été sous-secrétaire de Ron Bilodeau.

12. Entretien avec George Anderson, le 9 février 2007.

13. Entretien avec Eddie Goldenberg, le 31 janvier 2007.

14. Stéphane Dion avait été également nommé président du Conseil privé, fonction surtout honorifique. Pour les amateurs de politique, *The Government of Canada*, de R. MacGregor Dawson (University of Toronto Press, 1947) contient quelques charmantes pages sur le rôle traditionnel du Conseil privé. L'exemplaire de l'auteur est la cinquième édition, revue et corrigée par Norman Ward en 1970. Le nombre des membres du Conseil privé serait largement augmenté pour y inclure tous ceux qui souhaitaient faire partie de la délégation officiellement envoyée au couronnement de Sa Majesté Elizabeth II à Westminster en 1952. Il est fort possible que le Conseil privé puisse encore être utilisé à ce genre de fins, mais les recherches de l'auteur ne lui ont malheureusement pas permis d'en juger. Mentionnons également que le secrétaire du Cabinet est plus communément appelé, à Ottawa, « greffier du Conseil privé ».

15. Entretien avec George Anderson, le 9 février 2007.

16. Entretien avec Stéphane Dion, le 21 décembre 2006.

17. Goldenberg, p. 233.

18. Entretien avec Eddie Goldenberg, le 31 janvier 2007.

19. Entretiens avec Stéphane Dion, les 10-11 janvier 2007.

20. Entretien avec George Anderson, le 9 février 2007. Toutes les remarques de M. Anderson contenues dans ce chapitre sont des extraits de cet entretien.

21. Gaboury, Paul. « Sauveur ou messager », *Le Droit*, 27 janvier 1996, p. 24.

22. Marissal, Vincent. « Remaniement ministériel à Ottawa », *Le Soleil*, 26 janvier 1996, p. A7.

23. Audiences publiques : 6 avril 2005, vol. 62. Commission d'enquête sur le programme des commandites. Site Web de la commission Gomery. www.gomerycommission.ca, fichier pdf. (Consulté le 6 mars 2007).

24. *Ibid.*

25. Le Québec n'était pas seul en cause. Le pays était divisé en cinq régions, dont le Québec, et le droit de veto s'appliquait à chacune.

26. Delacourt, Susan. « Liberals Ponder the Unthinkable », *The Globe and Mail*, 29 janvier 1996, p. A1.

27. Gagnon, Lysiane. « Danger à l'horizon », *La Presse*, 1er février 1996, p. B3.

28. Dion, Jean. « Chrétien contredit Dion », *Le Devoir*, 23 février 1996, p. A1.

29. Entretiens avec Stéphane Dion, les 10-11 janvier 2007.

30. Le projet de loi n° 1 n'avait jamais été mis aux voix, il est donc mort au feuilleton.

31. Entretiens avec Stéphane Dion, les 10-11 janvier 2007. Sauf indication contraire, les remarques de M. Dion contenues dans ce chapitre sont des extraits de ces entretiens.

32. Ministère de la Justice du Canada, «Affaire Bertrand», communiqué de presse du 10 mai 1996, mis à jour le 20 octobre 2005. http://www.justice.gc.ca/fr/news/nr/1996/bertBack.html (Consulté le 10 mars 2007).

33. *Ibid.*

34. Duffy, Andrew. «Separatism: The End of the Myth», *The Ottawa Citizen*, 19 août 1998, p. A1.

35. En français dans le texte. (NDT)

36. Came, Barry. «Talking on Separatism», *Maclean's*, 27 mai 1996, p. 14.

37. Entretien avec George Anderson, le 9 février 2007.

38. Picard, André. «Bouchard Rejects Election Option», *The Globe and Mail*, 14 mai 1996, p. A1.

39. Dion, Stéphane. «Discours sur une motion de l'opposition», *Le pari de la franchise*, p. 201.

40. Dion, Stéphane. «Les cités et villes du Canada, les collectivités du Canada et l'espoir d'unité canadienne», *Le pari de la franchise*, p. 9.

41. Dion, Stéphane. «L'éthique du fédéralisme», *Le pari de la franchise*, p. 34.

42. Entretien avec Geoffroi Montpetit, le 19 février 2007.

43. Geoffroi Montpetit se souvient de ce coup de fil. Dion était arrivé chez lui, à Montréal, à la fin d'une rude journée, pour trouver un gros cartable envoyé par Anderson. Il était fatigué et agacé. «George devrait pourtant connaître mon horaire», se plaignit-il à Montpetit, qui se trouvait avec lui. Mais il s'était installé pour étudier le dossier, ce qui l'avait occupé jusqu'à 3 h du matin. «Bon, maintenant je peux appeler George», avait-il dit à Montpetit. Il voulait discuter de certains points précis avec son sous-ministre. «Monsieur le Ministre, regardez l'heure!», avait avancé Montpetit. Dion répondit qu'il s'en moquait. «Eh bien, voilà qui risque d'être comique!», s'était dit Montpetit, avant d'appeler Anderson à Ottawa et d'annoncer d'une voix claironnante au sous-ministre à moitié endormi: «Salut, George! Désolé de te réveiller, mais...» Le lendemain, Montpetit demanda à Anderson s'il se souvenait de la conversation. Anderson, très digne, professionnel jusqu'au bout, n'avait même pas sourcillé.

44. Russell, Peter. «Avant-propos», *Le pari de la franchise*, p. x.

45. Entretien avec Janine Krieber, le 6 janvier 2007.

46. Entretien avec Stéphane Dion, le 5 janvier 2007.

47. Ministère de la Justice du Canada, site Web, «Affaire Bertrand».

48. *Renvoi relatif à la sécession du Québec* [1998] 2 R.C.S. 217, 1998 IIICan 793 (C.S.C.).

49. Johnson, William. «Separatists Are Still Dreaming the Impossible Dream», *The Globe and Mail*, 17 janvier 2001, p. A13.

50. Fraser, Graham, «New Brunswick Premier Maintains He Was Merely Expressing Support for Unity», *The Globe and Mail*, 7 août 1997, p. A6.

51. Cloutier, Mario. «McKenna épaule les partitionnistes, Bouchard crie à l'ingérence», *Le Devoir*, 7 août 1997, p. A1.
(NDT: On trouvera le texte intégral de la lettre de Frank McKenna au QCC [en anglais] et de celle de Lucien Bouchard à Frank McKenna au site

suivant: www.premier.gouv.qc.ca/salle-de-presse/communiqués/1997/
août/1997-08-06.shtml (Consulté le 9 mars 2007).

52. Fraser, Graham, *ibid.*

53. *Ibid.*

54. La version française de cette lettre («Lettre à Lucien Bouchard», *Le pari de la franchise*, p. 204-207) ne contient pas l'extrait du discours de Bouchard, qui a été recueilli à partir de la traduction anglaise du livre, *Straight Talk: Speeches and Writings on Canadian Unity* (Montréal et Kingston: McGill-Queen's University Press, 1999).
    [NDT: la version française de l'extrait du discours de L. Bouchard, prononcé en juillet 1988, se trouve en partie dans: «Le ministre Dion affirme que c'est un attachement sincère au Canada qui inspire aux Québécois le désir de rester Canadiens», Archives – Salle de presse, Affaires intergouvernementales, Bureau du Conseil privé (19 mai 2002). www.pco-bcp.gc.ca (Consulté le 14 mars 2007)].

55. Dion, Stéphane. «Lettre à Monsieur Lucien Bouchard», *Le pari de la franchise*, p. 204-207.

56. Dion, Denyse. «Un homme constamment à la recherche de la vérité», *La Presse*, 28 août 1997, p. B2.

57. Robitaille, Antoine. «Dion contre Dion», *Le Devoir*, 9 et 10 décembre 2006. http://www.ledevoir.com/2006/12/09/124521.html (Consulté le 13 mars 2007).

58. Dion, Stéphane. «Lettre à Monsieur Bernard Landry», *Le pari de la franchise*, p. 208-211.

59. Greenspon, Edward. «Landry Scoffs at Dion's Letter», *The Globe and Mail*, 28 août 1997, p. A1.

60. Dion, Stéphane. «Lettre à Monsieur Bernard Landry», *Le pari de la franchise*, p. 208-211.

61. Entretiens avec Stéphane Dion, les 10-11 janvier 2007.

62. Dion, Stéphane. «Lettre à Monsieur Claude Ryan», *Le pari de la franchise*, p. 240.

63. *Renvoi relatif à la sécession du Québec* [1998] 2 S.C.R 217, 1998, CanII793 (CSC).

64. *Ibid.*

65. Entretiens avec Stéphane Dion, les 10-11 janvier 2007.

66. Thompson, Elisabeth et Philip Authier. «After the Ruling, We Win, Both Claim», *The Gazette*, 22 août 1998, p. A1.

CHAPITRE 7: LA CLARTÉ

1. Juste après la Première Guerre mondiale, se répandit l'expression «*A war to end all wars*» («une guerre qui mettrait fin à toutes les guerres») ou, dans l'argot des soldats français de l'époque, «la der des ders». Lorsque la Deuxième Guerre mondiale éclata, 20 ans plus tard, cette expression revêtit évidemment une connotation très ironique et elle est surtout employée aujourd'hui pour désigner un conflit interminable, qui ne cesse de rebondir chaque fois qu'on le croit résolu. (NDT)

2.   Macpherson, Don. «Prudent Course for Ottawa», *The Gazette*, 3 novembre 1999, p. B3.

3.   Entretiens avec Stéphane Dion, les 10-11 janvier 2007. Sauf indication contraire, les remarques de M. Dion contenues dans ce chapitre sont des extraits de ces entretiens, pendant un voyage à Edmonton.

4.   Dion, Stéphane. «Anti-Nationalism and Constitutional Obsession in the Quebec Referendum Debate», *Inroads*, avril 1995, p. 14-16.

5.   Jean Chrétien hérita d'un déficit de 42 milliards de dollars lorsqu'il fut élu premier ministre en 1993. L'élimination de ce déficit durant le mandat de Paul Martin aux Finances a été considérée comme l'une des victoires du gouvernement Chrétien. Cependant, les critiques ont reproché à Martin d'avoir contribué au recul des programmes sociaux dans les provinces. Ce recul s'est notamment accéléré dans le contexte du budget de 1995, qui éliminait 25 milliards de dollars sur trois ans, supprimait 45 000 emplois au gouvernement et amputait de 7 milliards de dollars les versements aux provinces.

6.   Dion, Stéphane. «Le déficit zéro : notre objectif à tous», *Le pari de la franchise*, p. 116.

7.   Lucien Bouchard avait 17 ans de plus que Dion. Il avait fréquenté le Collège de Jonquière, devenu le Cégep de Jonquière, dans la région du Saguenay–Lac-Saint-Jean. Cet établissement avait été fondé par les Oblats, qui avaient aussi enseigné à Dion. Bouchard avait, lui aussi, fait ses études à l'Université Laval, qui avait été fondée par les Jésuites et avait gardé toute la rigueur de la Compagnie.

8.   Entretien avec Marcel Massé, le 25 janvier 2007. Avant d'entrer au Cabinet Chrétien, Massé avait travaillé dans la division administrative et économique de la Banque mondiale, à Washington. Il avait ensuite occupé plusieurs postes dans la haute fonction publique à Ottawa, notamment greffier du Conseil privé. En 1999, il était devenu directeur administratif pour le Canada à l'Inter-American Development Bank à Washington. En 2002, il avait été nommé directeur administratif pour le Canada à la Banque mondiale, où il représentait aussi un certain nombre de nations antillaises.

9.   Dion, Stéphane. «Identité collective et idéologie», *Le Devoir*, 5 juin 1999, p. A11.

10. *Ibid.*

11. Entretien avec Jean Chrétien, le 25 janvier 2007. Sauf indication contraire, les remarques de M. Chrétien contenues dans ce chapitre sont des extraits de cet entretien.

12. Goldenberg, Eddie. *The Way It Works*, p. 150.

13. Entretien avec George Anderson, le 9 février 2007.

14. Goldenberg, Eddie, p. 151. Les citations suivantes sont extraites de son livre, p. 151-152.

15. *Clarification, Loi de* [S.C. 2000 c.26]. En français, il s'agit du titre officiel de la loi, bien que l'on parle couramment de *Loi sur la clarté*.

16. Aubin, Benoît. «Ottawa's New Power Couple», *Maclean's*, 22 janvier 2007, p. 32.

17. «Demonizing Federalists», *Toronto Star*, 4 février 2000, p. A24.

18. Gagné, Jean-Simon. «Le poison constitutionnel», *Le Soleil*, 28 novembre 1999, p. A4.

19. Gagné, Jean-Simon. «Les blues du vendeur d'assurances», *Le Soleil*, 12 décembre 1999, p. A1.

20. Entretien avec Loïc Tassé, le 22 janvier 2007.

21. Entretien avec Don Macpherson, le 11 mars 2007.

22. *Ibid.*

23. Lenny Bruce (1925-1966) fut un comédien, satiriste et écrivain américain très populaire. Il a soulevé la controverse et bousculé l'ordre établi durant les années 50 et 60. Il fut responsable d'une certaine prise de conscience aux États-Unis. (NDT)

24. Entretien avec François Goulet, le 25 janvier 2007.

25. Diebel, Linda. «Can Stéphane Dion Reel In the Prize», *Toronto Star*, 8 août 2006, p. A6.

26. Dion, Stéphane, *et al.* «Discours du Projet de loi C-20 à la Chambre des communes», *Revue parlementaire canadienne*, vol. 23, n° 2 (2000), p. 20-30. http://web6.infotrac.galegroup.com.res.bnquebec.ca/itw/infomark/285/736/102237225w6/purl=rc2_CPI _I (Consulté le 14 mars 2007).

27. *Ibid.*

28. *Ibid.*

29. *Ibid.*

30. *Ibid.*

31. *Ibid.*

32. *Ibid*

33. *Ibid.*

34. *Ibid.*

35. Zola publierait en 1898 un retentissant article intitulé «J'accuse», en faveur de la révision du procès à l'issue duquel Alfred Dreyfus, innocent, mais victime d'une vague d'antisémitisme, avait été déporté. (NDT)

36. Lisée, Jean-François. «J'accuse Stéphane Dion», *L'actualité*, 28 février 2007. Ancien journaliste et correspondant à Washington et à Paris des médias québécois et français dans les années 80, Lisée était devenu le conseiller spécial en politique de l'ancien premier ministre provincial Jacques Parizeau en 1994. Il avait joué un rôle clé dans la stratégie référendaire, du côté des forces du «oui». Il conserva son poste de conseiller sous le mandat de Lucien Bouchard jusqu'en 1999. En 2007, il était directeur du Centre d'études et de recherches internationales (CÉRIUM) de l'Université de Montréal.

37. Entretien avec Stéphane Dion, le 13 mars 2007.

38. Entretien avec Marcel Massé, le 25 janvier 2007.

39. *Ibid.*

40. Goldenberg, Eddie. *The Way It Works*, p. 255.

41. En 2007, Bouchard travaillait pour Davies, Ward, Phillips et Vineberg.

42. Thompson, Elizabeth *et al.* « Bouchard to Step Down as Premier, PQ Leader », *The Gazette*, 11 janvier 2001, p. A1.
43. McKenzie, Robert. « Bouchard to Stay Until New Premier Is Chosen », *Toronto Star*, 12 janvier 2001, p. A1.
44. Marissal, Vincent. « Bonne nouvelle pour le Canada », *La Presse*, 12 janvier 2001, p. A9.
45. Entretien avec Stéphane Dion, le 23 mars 2007.

CHAPITRE 8 : LÈVE-TOI ET MARCHE !

1. Entretien avec Stéphane Dion, le 5 janvier 2007. Sauf indication contraire, les remarques de M. Dion contenues dans ce chapitre sont des extraits de cet entretien.
2. Entretien avec Geoffroi Montpetit, le 19 février 2007. Sauf indication contraire, les remarques de M. Montpetit contenues dans ce chapitre sont des extraits de cet entretien.
3. Entretiens avec André Lamarre, les 5 et 18 janvier 2007. Sauf indication contraire, les remarques de M. Lamarre contenues dans ce chapitre sont des extraits de ces entretiens. Ni André Lamarre ni Stéphane Dion n'ont accepté de nommer les personnes qui s'étaient adressées à eux. Dion affirme que tout cela, c'est du passé.
4. Johnson, David. « Stéphane Dion Finds His Way on the Campaign Trail », *The Ottawa Citizen*, 23 mai 2004, p. B4.
5. Entretien avec Patricia Bittar, le 8 février 2007. Sauf indication contraire, les remarques de P. Bittar contenues dans ce chapitre sont des extraits de cet entretien.
6. « Text of Letter by Stéphane Dion, Sent to Premier Ralph Klein », *Canadian Press Newswire*, 21 février 2003. Le texte contient la lettre de Dion à Klein et la réponse de Klein au premier ministre Jean Chrétien.
7. *Ibid.*
8. Entretien avec Stéphane Dion, le 12 mars 2007.
9. Entretiens avec Stéphane Dion, les 28-29 décembre 2006.
10. En français dans le texte. (NDT)
11. « M. Tergiversations ». (NDT)
12. Entretien avec Mark Marissen, le 12 janvier 2007.
13. En 2007, Dalton McGuinty était premier ministre de l'Ontario, Stephen Harper, premier ministre du Canada, Sam Sullivan, maire de Vancouver, et Gordon Campbell, premier ministre de la Colombie-Britannique. Stéphane Dion était chef du Parti libéral.
14. Entretien avec Mark Marissen, le 12 janvier 2007.
15. Susan Delacourt a bien décrit ce duel acharné dans les pages colorées de *Juggernaut : Paul Martin's Campaign for Chrétien's Crown* (Toronto : McClelland & Stewart, 2003).
16. En français dans le texte. (NDT)
17. Bryden, Joan. « PM's Failure to Defend Dion », *Canadian Press*, 15 février 2004.

18. Jean Lapierre serait élu à Outremont et Pablo Rodriguez à Honoré-Mercier, deux circonscriptions montréalaises.
19. Entretien avec Janine Krieber, le 6 janvier 2007.
20. Entretien avec Jean Chrétien, le 25 janvier 2007.
21. Diebel, Linda. « Two Men Who Would Be Kings », *Toronto Star*, 26 juin 2004, p. A1.

CHAPITRE 9: LE PROJET VERT

1. Entretien avec David Smith, le 15 mars 2007.
2. Gorrie, Peter. « In Search of a Softer, More Inclusive Kyoto Conference », *Toronto Star*, 26 novembre 2006, p. A1.
3. May, Elizabeth. « Clearing the Air on Climate Change », discours prononcé devant les adhérents de Manitoba Wildlands, le 20 juin 2006 à Winnipeg. Pour répondre à une question de l'assistance, May relata la dernière journée de la conférence, à Montréal. Elle a bien voulu fournir le texte de sa réponse à l'auteur. Ce sont des extraits de ce texte qui figurent dans ce chapitre.
4. Entretien avec Elizabeth May, le 2 mars 2007.
5. Entretien avec John Bennett, le 2 mars 2007. Au début de 2007, il était directeur général du Climate Action Network (CAN), réseau mondial d'organismes non gouvernementaux (ONG).
6. Entretien avec Peter Gorrie, le 22 février 2007.
7. Gorrie, Peter. « Cooling Warming Climate Change Preoccupied UN Delegates in Montréal for Two Weeks », *Toronto Star*, 12 décembre 2005, p. A4.
8. *Ibid.*
9. Watson, Harlan T. « U.S. Climate Change Policy », Transcription d'une vidéoconférence, le 18 février 2004, Washington, Bureau of Oceans, International Environment, and Scientific Affairs (Under Secretariat for Democracy and Global Affairs) site Web du Département d'État des É.-U., mis à jour le 20 février 2004. http://www.state.gov//g/oes/rls/rm/2004/29641htm (Consulté le 17 mars 2007).
10. May, Elizabeth. « Clearing the Air on Climate Change ».
11. NDT: Nous avons traduit littéralement la remarque sarcastique de M. Watson afin de conserver toute sa saveur à l'épisode qui en fut la conséquence.
12. May, Elizabeth. *Ibid.*
13. Remarque de Stéphane Dion, par l'intermédiaire de son adjoint Gianluca Cairo, en réponse à une question posée par courriel, le 17 mars 2007.
14. La campagne menée en 1968 par Eugene McCarthy (1916-2005) pour la direction du Parti démocrate (contre Lyndon B. Johnson) reposait sur son opposition à la guerre du Vietnam. (NDT)
15. Entretien avec Elizabeth May, le 15 mars 2007.
16. Entretien avec Elizabeth May, le 16 mars 2007.
17. La remarque de Clinton est peut-être exacte en ce qui concerne les changements climatiques, mais Al Gore révéla, dans *Une vérité qui dérange*, que son intérêt pour les questions environnementales remonte à l'époque où il était étudiant.

18. Clinton, William, J. «Remarks by President William J. Clinton», discours prononcé à la Conférence des Nations Unies sur les changements climatiques (COP 11/MOP 1), le 8 décembre 2005 à Montréal. Site Web du Sierra Club du Canada. http://www.sierraclub.ca/national/postings/clinton-speech-12-2005.html (Consulté le 22 mars 2007). Notons que le site Web donne à cette séance le titre de «*side event*» («manifestation secondaire»).

19. Martin, Paul. «Allocution du Premier ministre Paul Martin à la Conférence des Nations Unies sur le changement climatique», Montréal, le 7 décembre, 2005, Bureau du Conseil privé, Archives, Gouvernement du Canada, http://www.pco-bcp.gc.ca/default.asp?Language=F&Page=archivemartin &Sub=speechesdiscours&Doc=speech_20051207_666_f.htm <http://www. pco-bcp.gc.ca/default.asp?Language=F&Page=archivemartin&S ub=speechesdiscours&Doc=speech_20051207_666_f.htm>.

20. Russo, Robert. «Canadian Politicians Rip Apart U.S. to Build Up Canada's Image: U.S. Envoy», *Canadian Press*, 9 décembre 2005.

21. *Ibid.*

22. Entretiens avec Stéphane Dion, les 28-29 décembre 2006.

23. *Ibid.* Sauf indication contraire, les remarques de M. Dion contenues dans le reste de ce chapitre sont des extraits de ces entretiens.

24. Gordon, James. «Liberals under Pressure to Produce Kyoto Plan», *National Post*, 17 février 2005, p. A1.

25. Corcoran, Terence. «Kyoto Plan an Exercise in Collective Insanity That Will Never Work», *National Post*, 14 avril 2005, FP23.

26. May, Elizabeth. «Clearing the Air on Climate Change».

27. *Ibid.* En outre, il est intéressant de noter qu'en vertu de l'une des clauses les plus controversées de l'Accord de libre-échange nord-américain (ALENA) de 1987, le Canada est obligé de continuer à exporter vers les États-Unis la même quantité d'énergie en période de «pénurie»... par exemple en temps de guerre... Notons également que lorsque le Mexique devint signataire de l'ALENA en 1994, le gouvernement du président Carlos Salinas rejeta catégoriquement cette condition.

28. Entretien avec John Bennett, le 8 mars 2007.

29. May, «Clearing the Air on Climate Change».

30. *Ibid.*

31. *Ibid.*

32. Entretien avec André Lamarre, le 15 février 2007.

33. Entretien avec André Lamarre, le 18 mars 2007.

34. May, «Clearing the Air on Climate Change».

35. *Ibid.*

36. *Ibid.*

CHAPITRE 10: LA POLITIQUE EST UN ART

1. Entretien avec Stéphane Dion, le 21 décembre 2006. Sauf indication contraire, les remarques de M. Dion contenues dans ce chapitre sont des extraits de cet entretien.

2. Entretien avec Gerard Kennedy, le 15 janvier 2007. Sauf indication contraire, les remarques de M. Kennedy dans ce chapitre sont des extraits de cet entretien.

3. Les députés Maurizio Bevilacqua (North York), Carolyn Bennett (St. Paul's) et Hedy Fry (Vancouver Centre) avaient déjà abandonné la course et donné leurs voix à Bob Rae.

4. Diebel, Linda. «Calling M. Kennedy», *Toronto Star*, 8 octobre 2006, p. A6.

5. «Auditor General's Report 2004», *CBC News Indepth: Auditor General*, 11 février 2004. http://cbc.ca/news/background/auditorgeneral/report2004.html (Consulté le 3 mars 2007).

6. À la suite de procès distincts, deux publicitaires (Paul Coffin et Jean Brault) ainsi que le bureaucrate Chuck Guité, qui supervisa la mise en œuvre du programme des commandites de 1996 à 1999, furent reconnus coupables de 26 chefs d'accusation liés à la fraude et condamnés à des peines de prison. Coffin et Brault furent libérés après avoir purgé partiellement leur peine et, en 2007, Guité était libre, dans l'attente d'un jugement en appel. Gagliano fut expulsé du Parti libéral et quitta la politique après que Paul Martin lui eut retiré son ambassade au Danemark. Il ne fut pas traduit en justice, mais il déclara vouloir assumer la responsabilité politique des événements. En septembre 2006, il publia son autobiographie en français, *Les corridors du pouvoir* (Montréal, Les Éditions du Méridien, 2006), qui comprenait sa version du scandale des commandites et dans laquelle il reprochait à Martin la manière dont l'affaire avait été menée. Gagliano allégua que c'était plutôt à la police de mener l'enquête.

7. Commission Gomery. *Commission d'enquête sur le programme de commandites et les activités publicitaires*. Audience publique, le 25 janvier 2005, vol. 62, 10882. http://www.commissiongomery.ca/documents/transcripts/fr/2005/02/20052213107.pdf (Consulté le 6 mars 2007).

8. Commission Gomery, 10904.

9. Commission Gomery, 10928.

10. Entretien avec Adam Campbell, le 11 janvier 2007.

11. Pratte, André. «La réhabilitation de Stéphane Dion», *La Presse*, 9 avril 2006, p. A27.

12. Entretien avec Peter Donolo, le 22 février 2007.

13. Entretien avec Denis Saint-Martin, le 23 janvier 2007.

14. Entretien avec Loïc Tassé, le 22 janvier 2007. En 2007, Tassé enseignait au Département de science politique de l'Université de Montréal. Il était spécialisé dans les relations internationales et l'Asie, notamment l'économie politique de la Chine.

15. Entretien avec Denis Saint-Martin, le 23 janvier 2007.

16. Entretien avec Janine Krieber, le 6 janvier 2007. Ses remarques, dans ce chapitre, proviennent toutes de cet entretien.

17. En 2007, Janine Krieber était membre de l'Institut des hautes études internationales de l'Université Laval.

18. Entretien avec Marta Wale et son époux Norman Wale, le 29 décembre 2006. Fonctionnaire à la retraite, Norman Wale avait été vice-président du Canadien Pacifique pendant de nombreuses années.

19. En 2007, Megan Meltzer était directrice du développement auprès du Comité des affaires politiques canadiennes juives (CJPAC).

20. Entretien avec Jean Chrétien, le 25 janvier 2007.

21. Entretien avec Norman Wale, 29 décembre 2006. Wale avait enseigné à l'Université Concordia et à l'École des hautes études commerciales (HEC) de Montréal.

22. Entretien avec Megan Meltzer, le 22 mars 2007.

23. Wells, Paul *et al.* «Stéphane Dion's Wild Ride», *Maclean's*, 18 décembre 2006, p. 32.

24. Entretien avec Denise Brunsdon, le 2 mars 2007. Sauf indication contraire, les remarques de Denise Brunsdon contenues dans ce chapitre sont des extraits de cet entretien.

25. Entretien avec Rob Silver, le 18 janvier 2007.

CHAPITRE 11 : ON MANGE ENSEMBLE?

1. Entretien avec Herb Metcalfe, le 30 janvier 2007. Les remarques de M. Metcalfe contenues dans ce chapitre proviennent de cet entretien.

2. Entretien avec Stéphane Dion, le 21 décembre 2006.

3. Entretien avec Martha Hall Findlay, le 4 janvier 2007. Entretien avec Bob Rae, le 15 janvier 2007. Sauf indication contraire, les remarques de Mme Hall Findlay et de M. Rae proviennent de ces deux entretiens distincts.

4. Entretien avec Gerard Kennedy, le 15 janvier 2007.

5. Wells, *et al.* «Stéphane Dion's Wild Ride», p. 46.

6. Dubé, Audrey. «Le Bureau du chef de l'opposition», Services de conservation, Chambre des communes. www.parliamenthill.gc.ca/text/explorecentreblock_f.html (Consulté le 3 avril 2007).

7. Stéphane Dion était arrivé sur la Colline en 1996 muni d'un vieux sac à dos de nylon bleu. Peu après, cependant, Bryon Wilfert, de la Fédération canadienne des municipalités (FCM), lui avait offert le sac en cuir qu'il utilisait toujours 10 ans plus tard. En 2007, Wilfert était député libéral d'Oak Ridges.

8. Entretiens avec Stéphane Dion, les 28-29 décembre 2006. Sauf indication contraire, les remarques de M. Dion contenues dans ce chapitre proviennent de ces entretiens.

9. Entretien avec Mark Marissen, le 12 janvier 2007.

10. Taber, Jane. «He Cut a Deal, then Danced the Night Away», *The Globe and Mail*, 19 décembre 2006, p. A1.

11. Ray Heard envoya deux courriels à l'auteur, le 8 janvier 2007 et le 4 mars 2007. Il avait appuyé Gerard Kennedy lors de la course à la direction, jusqu'à ce que les deux hommes se retrouvent en désaccord sur la question de la reconnaissance du Québec en tant que nation. À partir de ce moment-là, Heard avait décidé d'appuyer Dion. Il demanda à Peter C. Newman s'il ne voyait pas d'inconvénient à ce qu'on relate l'anecdote. Newman répondit

par courriel le 25 mars 2007 : «Allez-y, naturellement [...], mais vous devriez également rappeler les chroniques que j'ai écrites sur [Dion] dans le *Globe* : 1) j'avais prévu sa victoire six mois après le début de la campagne ; 2) j'avais prévu sa chute six jours après sa victoire ; et 3) j'ai fait remarquer qu'il respirait par la bouche. »

12. Hébert, Chantal. «How Soon Will PM Move In for Kill on Dion? », *Toronto Star*, 5 mars 2007, p. A13.

13. Entretien avec Stéphane Dion, le 9 février 2007.

14. Entretien avec Stéphane Dion, le 4 mars 2007.

15. Entretien avec Jamie Carroll, le 3 mars 2007. Sauf indication contraire, les remarques de M. Carroll contenues dans ce chapitre proviennent de cet entretien.

16. Entretien avec Mary Houle, le 3 mars 2007.

17. Ces deux pompiers, tous deux quinquagénaires, étaient le capitaine Harold Lessard et le capitaine Thomas Nichols. Ils avaient perdu la vie en luttant contre un incendie.

18. Taber, Jane. «Ignatieff Back in the Spotlight», *The Globe and Mail*, 17 février 2007, p. A15.

19. Bien que la plupart des personnes interrogées se soient exprimées ouvertement, quelques-unes ont préféré donner leur opinion ou fournir des informations en privé à l'auteur.

20. Entretien avec le sénateur Jerry Grafstein, le 25 mars 2007.

CHAPITRE 12 : IL EST CE QU'IL EST

1. Entretien avec Adam Campbell, le 12 janvier 2007. Les remarques de M. Campbell contenues dans ce chapitre proviennent de cet entretien.

2. À l'automne 2006, le ministre fédéral des Finances, Jim Flaherty, avait annoncé qu'Ottawa allait supprimer les avantages fiscaux applicables aux fiducies de revenu, qui permettaient aux entreprises canadiennes de dissimuler des milliards de dollars au regard de l'Agence des douanes et du revenu du Canada (ADRC). Il expliqua également que les lois fiscales seraient progressivement modifiées en conséquence, pendant les quatre prochaines années. Les critiques reprochèrent au gouvernement conservateur d'avoir manqué à sa promesse électorale de ne pas toucher à ces dispositions fiscales.

3. Entretien avec Allan Mayer, le 15 mars 2007.

4. Kellogg, Alan. «Dion Showing Signs He's Got Human Touch», *Edmonton Journal*, le 13 janvier 2007, p. A2.

5. L'horizon semblait aussi s'éclaircir pour les anciens rivaux de Dion, au printemps 2007. Gerard Kennedy obtint l'investiture libérale pour les prochaines élections dans la circonscription de Parkdale-High Park et Bob Rae fut vainqueur à Toronto Centre. Martha Hall Findlay devint la candidate libérale de Willowdale. Elle dirait plus tard que Rae s'était montré «professionnel» dans ses relations de travail avec elle sur les dossiers touchant la politique du parti.

6. Entretien avec Denis Saint-Martin, le 23 janvier 2007.

7. Entretien avec Stéphane Dion, le 29 décembre 2006. Sauf indication contraire, les remarques de M. Dion contenues dans ce chapitre sont des extraits de cet entretien.

8. La campagne électorale au Québec ne s'était pas articulée autour de l'éventualité d'un référendum, mais plutôt de ce qu'avait accompli le premier ministre Jean Charest. Bien que le chef du Parti québécois, André Boisclair, eût été en faveur de déclencher un nouveau référendum, Mario Dumont, de l'Action démocratique du Québec (ADQ), s'était éloigné de la question de la séparation. (En qualité de chef de l'ADQ en 1995, Dumont avait ratifié le fameux projet de loi n° 1, selon lequel la province se séparerait unilatéralement au bout d'un an si les négociations échouaient avec le Canada.) On remarque l'apparition, au Québec, d'un front commun opposé à un nouveau référendum, ce qui traduit peut-être simplement l'arrivée en scène d'une nouvelle génération. Mais Dion, qui comprend mieux que quiconque la nature fluctuante des relations du Québec avec le Canada, se dit heureux de savoir qu'il n'y aura pas de référendum, «pour le moment».

9. Entretien avec David Peterson, le 21 mars 2007.

10. Entretien avec Peter Donolo, le 17 janvier 2007.

Bibliographie sommaire

BLAIS, André et Stéphane DION (sous la dir. de). *The Budget-Maximizing Bureau-crat: Appraisals and Evidence*, Pittsburgh, University of Pittsburgh Press, 1991.

DAWSON, MacGregor R. *The Government of Canada*, 1947; réimpression, Toronto et Buffalo, University of Toronto Press, 1977.

DELACOURT, Susan. *Juggernaut: Paul Martin's Campaign for Chrétien's Crown*, Toronto, McClelland & Stewart, 2003.

DION, Léon. *Le Bill 60 et la société québécoise*, Montréal, Éditions HMH, 1967.

DION, Léon. *Le Québec et le Canada: les voies de l'avenir*, Montréal, Éditions Quebecor, 1980.

DION, Stéphane. *La politisation des mairies*, Paris, Economica, 1986.

DION, Stéphane. *The Collapse of Canada?*, sous la dir. de R. Kent Weaver, Washington, D.C., The Brookings Institution, 1992.

DION, Stéphane. *Le pari de la franchise: Discours et écrits sur l'unité cana-dienne*, Montréal et Kingston, McGill-Queen's University Press, 1999.

FRASER, Graham. *Le Parti Québécois* (Trad. de l'anglais par D. Clift), Montréal, Libre Expression, 1984.

FRASER, Graham. *Sorry, I Don't Speak French: Confronting the Canadian Crisis that Won't Go Away*, Toronto, McClelland & Stewart, 2006.

GOLDENBERG, Eddie. *The Way It Works: Inside Ottawa*, Toronto, McClelland & Stewart, 2006.

JOHNSON, William. *Stephen Harper and the Future of Canada*, 2005; réimpres-sion, Toronto, McClelland & Stewart, 2006.

MANN TROFIMENKOFF, Susan. *Vision nationale: une histoire du Québec* (Trad. de l'anglais par C. et M. Pergnier), Saint-Laurent (Québec), Trécarré, 1986.

PLAMONDON, Robert E. *Full Circle: Death and Resurrection in Canadian Conservative Politics*, Toronto, Key Porter, 2006.

RAE, Bob. *From Protest to Power: Personal Reflections on a Life in Politics*, Toronto, McClelland & Stewart, 2006.

Rae, Bob. *Prospérité et bien commun* (Trad. de l'anglais par P. Desrosiers), Montréal, Liber, 1999.

REGUSH, Nicholas M. *Pierre Vallières: The Revolutionary Process in Quebec*, New York, Dial Press, 1973.

SCHULL, Joseph. *Laurier* (Trad. de l'anglais par H. Gagnon), Montréal, HMH, 1968.

TOCQUEVILLE, Alexis de. *De la démocratie en Amérique*, Paris, Librairie philosophique J. Vrin, 1990.

VALLIÈRES, Pierre. *Nègres blancs d'Amérique*, Montréal, Québec-Amérique, 1979.

WELLS, Paul. *Right Side Up: The Fall of Paul Martin and the Rise of Stephen Harper's New Conservatism*, Toronto, McClelland & Stewart, 2006.

Remerciements

Jamais une margarita n'a joué un aussi grand rôle dans un livre. Lorsque je suis allée prendre un verre et bavarder avec Natasha Daneman, en décembre dernier, nous avons discuté de toutes les idées de livres qui nous passaient par la tête. Bruce Westwood, mon agent et le patron de Natasha chez Westwood Creative Artists, a retenu l'idée d'un ouvrage sur Stéphane Dion, qui serait publié au printemps suivant. Même si Bruce s'était blessé en faisant du sport, il a piqué un sprint pour organiser des entretiens pendant la saison des fêtes. Ce n'est pas pour rien qu'il est le meilleur dans son domaine. Et j'ai été emportée par l'enthousiasme de mes agents, bien avant de douter du caractère raisonnable de l'échéance. Je dois beaucoup à Bruce et à Natasha.

Je dois aussi beaucoup à l'agent québécois Luc Jutras, ainsi qu'à toute l'équipe des Éditions de l'Homme, dont Pierre Bourdon et Erwan Leseul, qui se sont empressés de publier la version française au Québec. Après quelques jours seulement, j'avais l'impression que Marie-Luce Constant, la traductrice, était une amie de longue date.

J'aurais pu écrire ce livre sans ma recherchiste, Joanna Smith, mais certainement pas en trois mois. Un grand merci à Joanna pour son travail acharné, sa bonne humeur et ses sages conseils, y compris le fait de m'avoir suggéré le titre de ce livre. Elle sera une excellente journaliste et (si elle le souhaite un jour) un auteur fantastique. De plus, son ami

Christian Beare m'a rendu le très grand service d'améliorer mon poste de travail à l'ordinateur.

J'aimerais aussi remercier Yolande Buono, de la Collection nationale, Bibliothèque et Archives nationales du Québec, qui m'a permis, en m'accordant une faveur très spéciale, d'utiliser l'ordinateur multimédia pendant une période prolongée. Merci aussi au personnel du service de prêt entre bibliothèques de la Bibliothèque de référence de Toronto (succursale de la Bibliothèque publique de Toronto), qui a fait également venir des documents d'autres bibliothèques.

Beaucoup de gens ont aimablement accepté que je les interviewe. On trouvera leurs noms dans les pages de ce livre. Je remercie tout particulièrement tous ceux qui ont accepté de communiquer avec moi à maintes reprises. Ce livre contient très peu de «révélations» inédites. Pour moi, il s'agissait d'un point important. Néanmoins, certaines personnes des milieux politiques ont accepté de me donner des informations qui m'ont permis d'approfondir ma compréhension du domaine.

Je suis très reconnaissante à mes collègues et amis du *Toronto Star*. John Honderich a été pour moi une source d'inspiration et il est responsable de la plupart des grands moments de ma carrière. Jagoda Pike a permis à ce projet de voir le jour. Rob Pritchard m'a encouragée à écrire ce livre, Franz Kuntz m'a toujours soutenue, sans prendre au sérieux les dates auxquelles je me proposais de revenir. Mon éditeur de longue date, John Ferri, est dans une classe à part. Lynn McAuley m'a apporté ses bonnes idées et elle avait toujours une patience d'ange. Je dois beaucoup à Joe Hall, à David Olive, à Carol Goar, à Richard Lautens, à Peter Power, à Peter Gorrie, à Thomas Walkom, à Pat Strain, à Michelle Shephard, à Jim Rankin, à Mark Trensch, à Bart LeDrew, à Joan Sweeny-Marsh et à son équipe de la bibliothèque, ainsi qu'aux extraordinaires téléphonistes du *Toronto Star*. David Walmsley et Sean Stanleigh m'ont guidée avec enthousiasme tout au long de la course à la direction du Parti libéral. Je suis particulièrement redevable à Duncan Boyce, d'Editorial Systems.

Je crois comprendre comment Stéphane Dion a fini par me considérer, à mesure que mes recherches progressaient : comme quelqu'un qui étudiait sa vie. Même une bonne étudiante ne partage pas toujours l'avis de son professeur. J'estime qu'il a été courageux de me laisser ainsi entrer dans son existence, sans conditions. Il a aussi été extraordinairement généreux de son temps. J'aimerais remercier André Lamarre de m'avoir ouvert les portes. Je suis également reconnaissante à la famille de M. Dion, notamment Janine Krieber et Denyse Dion, qui ne sont pas elles-mêmes des figures politiques, mais qui m'ont toujours généreusement accueillie et qui ne m'ont imposé aucune condition. Je remercie aussi Norman et Marta Wale de leur hospitalité.

Écrire un livre équivaut à s'enfermer au fond d'une caverne et je suis reconnaissante aux amis qui m'ont tendu une main secourable lorsqu'ils estimaient que j'étais demeurée trop longtemps dans les ténèbres : Don Macpherson (mon collègue québécois que j'apprécie beaucoup), Vera Santos, Noreen McAneney, Audrey Smith, Jim Smith, Karen Smith et Deborah Flom, Lynne Provencher et Steve Castellano, Joe Modeste, et finalement Ruth Valancius. Comme toujours, mon amie, Linda McQuaig, m'a offert son soutien moral et son rire, même tard dans la nuit. Mon amitié avec Kelly Toughill est l'un des piliers de ma vie depuis bien longtemps, pour le meilleur et le pire, comme on dit, et elle m'est très chère. Enfin, j'aimerais exprimer toute ma gratitude à mon mentor, le Dr Sheila Grossman.

Index

Table des matières